TAC税理士講座 編

2025
年度版

みんなが
欲しかった！

税理士

簿 記 論 の教科書&問題集 4

構造論点・
その他 編

TAC出版

TAC PUBLISHING Group

はじめに

近年、インターネットの普及にともない、世界の距離は凄まじいスピードで近くなりました。文化、経済、情報はもとより、会計についても国際財務報告基準（IFRS）などによりひとつになりつつあります。

その目的はただひとつ「幸福」になることです。

しかし、そのスピード感ゆえに、たった数年後の世界でさえ、その予測が困難になってきていることも事実です。このような先の読めない不確実な時代において重要なことは、「どのような状況でも対応できるだけの適応力」を身につけることです。

本書は、TACにおける30年を超える受験指導実績に基づく税理士試験の完全合格メソッドを市販化したもので、予備校におけるテキストのエッセンスを凝縮して再構築し、まさに「みんなが欲しかった」税理士の教科書ができあがりました。

膨大な学習範囲から、合格に必要な論点をピックアップしているため、本書を利用すれば、約2カ月で全範囲の基礎学習が完成します。また、初学者でも学習しやすいように随所に工夫をしていますので、日商簿記検定2級レベルからストレスなく学習を進めていただけます。

近年、税理士の活躍フィールドは、ますます広がりを見せており、税務分野だけでなく、全方位的に経営者の相談に乗る、財務面から経営支援を行うプロフェッショナルとしての役割が期待されています。

読者のみなさまが、本書を最大限に活用して税理士試験に合格し、税務のプロという立場で人生の選択肢を広げ、どのような状況にも対応できる適応力を身につけ、幸福となれますよう願っています。

TAC税理士講座
TAC出版　開発グループ

本書を使った 税理士試験の**合格法**

Step 1 学習計画を立てましょう

まずは、この Chapter にどのくらいの時間がかかるのか（①）、1日でどこまで進めればよいのか（②）、2つのナビゲーションを参考に、学習計画を立てましょう。また、Check List（③）を使ってこれから学習する内容を確認するとともに、同シリーズの財務諸表論とのリンク（④）を確認しましょう。簿記論と財務諸表論を並行して学習することで、理論・計算の両面から、より効果的に学習ができます。

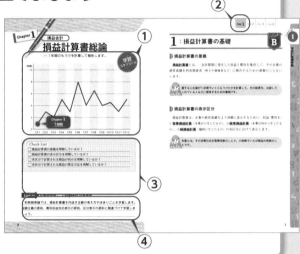

Step 2 「教科書」を読みましょう

☛は重要論点です。例題（⑤）も多く入っていますので、試験でどのような問題を解けばよいのかをイメージし、実際に電卓をたたいて、解きながら読んでいくと効果的です。また、多くの受講生がつまずいてきたちょっとした疑問や論点については、ひとことコメント（⑥）と会話形式のスタディ（⑦）に、発展的論点はプラスアルファ（⑧）としてまとめてあるので、参考にしてください。

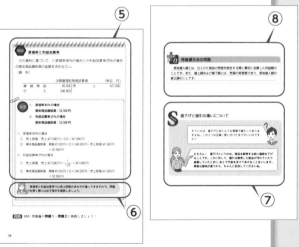

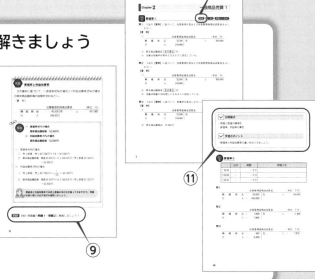

Step 3 「問題集」を解きましょう

ある程度のところまで教科書を読み進めると、問題集へのリンク（⑨）があるので、まずは基礎（⑩）問題から確実に解いていきましょう。会計知識は本を読むだけでは身につきません。実際に手を動かして問題を解くことが、知識の吸収を早めます。解き終えたら、出題論点や学習のポイント（⑪）を参考に、どの程度まで理解して解けていたか、確認しましょう。

Step 4 復習しましょう

本書には、Point（⑫）やChapterの終わりにまとめ（⑬）を入れていますので、問題を解いて、知識が不足しているなと感じたら、そのつど、振り返るようにしましょう。また、問題集の答案用紙はダウンロードすることもできますので、これを利用して最低3回は解くようにしましょう。その際、解説についているメモ欄（⑭）に、ミスしたところや所要時間を記録し、正確にすばやく解けるようになっているかについて、チェックしましょう。

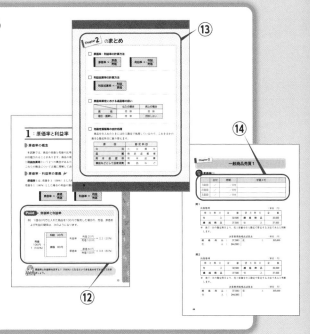

Step Up 実践的な問題を解きましょう

①おすすめ学習順

本書の学習が一通り終わったら、本試験に向けて、実践的な問題集を解いていきましょう。おすすめの学習順は、解き方学習用問題集(「簿記論 個別問題の解き方」「簿記論 総合問題の解き方」)で現役講師の実際の解き方を参考にして自分の解き方を検討・確立し、「過去問題集」で本試験問題のレベルを体感することです。

②各書籍の特徴

「簿記論 個別問題の解き方」は、中レベルから本試験レベルのオリジナル個別問題を収録しており、簿記論の試験全範囲を網羅しています。一般的な解説ではなく、「実践的な解き方」「具体的な解答手順」「解答の思考過程」を詳細に解説しています。

「簿記論 総合問題の解き方」は、基礎・応用・本試験の総合問題を収録しており、現役講師がどのように総合問題を解いているのかを実感しながら、段階的に基礎レベルから本試験問題までの演習ができるようになっています。

「過去問題集」は、直近5年分の本試験問題を収録しており、かつ、最新の企業会計基準等の改正にあわせて問題・解説ともに修正を加えています。時間を計りながら実際の本試験問題を解くことで、自分の現在位置を正確に知ることができます。

論点学習

Step ⬇ Up

解き方学習

過去問演習

合格!

Level Up 問題演習と復習を繰り返しましょう

①総論
解き方学習用問題集で、どのように問題を解くのかがわかったら、さまざまな論点やパターンの問題を繰り返し解いて、得意分野の確立と苦手分野の克服に努めましょう。苦手分野の克服には、間違えた問題（論点）の復習が必須です。

②個別問題対策
本試験の第1問・第2問は、会計基準の知識を問う問題や構造的な個別問題が出題されます。

「みんなが欲しかった！税理士 簿記論の教科書＆問題集」の問題集部分を繰り返し演習するのでも十分ですが、「個別計算問題集」ではさらに様々な形式やレベルの問題を収録しています。本書と併用することで、論点網羅も含めて本試験対策は万全です。

③総合問題対策
本試験の第3問は、個別論点を組み合わせた総合問題形式で出題されます。「総合計算問題集」には「基礎編」と「応用編」があります。「総合計算問題集 基礎編」は、総合問題を解くための基礎力の養成を主眼とした書籍です。一方、「総合計算問題集 応用編」は、本試験レベルの問題に対応するための答案作成能力の養成を主眼とした書籍です。

本書を利用して簿記論・財務諸表論を**効率よく学習するための**「スタートアップ講義」を税理士独学道場「学習ステージ」ページで**無料公開中**です！

カンタンアクセスは
こちらから

https://bookstore.tac-school.co.jp/
dokugaku/zeirishi/stage.html

税理士試験について

みなさんがこれから合格をめざす税理士試験についてみていきましょう。
なお、詳細は、最寄りの国税局人事第二課（沖縄国税事務所は人事課）または国税
審議会税理士分科会にお問い合わせ、もしくは下記ホームページをご参照ください。
https://www.nta.go.jp/taxes/zeirishi/zeirishishiken/zeirishi.htm

国税庁 ≫ 税の情報・手続・用紙 ≫ 税理士に関する情報 ≫ 税理士試験

☑概要

　税理士試験の概要は次のとおりです。申込書類の入手は国税局等での受取ま
たは郵送、提出は郵送（一般書留・簡易書留・特定記録郵便）にて行います。
一部手続はe-Taxでも行うことができます。また、試験は全国で行われ、受験
地は受験者が任意に選択できるので、住所が東京であったとしても、那覇や札
幌を選ぶこともできます。なお、下表中、受験資格については例示になります。
実際の受験申込の際には、必ず受験される年の受験案内にてご確認ください。

受験資格	・会計系科目（簿記論・財務諸表論）は制限なし。 ・税法系科目は以下のとおり。 所定の学歴（大学等で社会科学に属する科目を1科目以上履修して卒業した者ほか）、資格（日商簿記検定1級合格者ほか）、職歴（税理士等の業務の補助事務に2年以上従事ほか）、認定（国税審議会より個別認定を受けた者）に該当する者。
受 験 料	1科目4,000円、2科目5,500円、3科目7,000円、4科目8,500円、5科目10,000円
申込方法	国税局等での受取または郵送による請求で申込書類を入手し、試験を受けようとする受験地を管轄する国税局等へ郵送で申込みをする。

☑合格までのスケジュール

　税理士試験のスケジュールは次のとおりです。詳細な日程は、毎年4月頃の
発表になります。

受験申込用紙の交付	4月上旬〜下旬（土、日、祝日は除く）
受験申込受付	4月下旬〜5月上旬
試験日	8月上〜中旬の3日間
合格発表	11月下旬

☑試験科目と試験時間割

　税理士試験は、全11科目のうち5科目について合格しなければなりません。5科目の選択については、下記のようなルールがあります。

	試験時間	科　目	選択のルール
1日目	9：00～11：00	簿記論	会計系科目。必ず選択する必要がある。
1日目	12：30～14：30	財務諸表論	会計系科目。必ず選択する必要がある。
1日目	15：30～17：30	消費税法または酒税法	税法系科目。この中から3科目を選択。ただし、所得税法または法人税法のどちらか1科目を必ず選択しなくてはならない。また、消費税法と酒税法、住民税と事業税はいずれか1科目の選択に限る。
2日目	9：00～11：00	法人税法	税法系科目。この中から3科目を選択。ただし、所得税法または法人税法のどちらか1科目を必ず選択しなくてはならない。また、消費税法と酒税法、住民税と事業税はいずれか1科目の選択に限る。
2日目	12：00～14：00	相続税法	
2日目	15：00～17：00	所得税法	
3日目	9：00～11：00	国税徴収法	
3日目	12：00～14：00	固定資産税	
3日目	15：00～17：00	住民税または事業税	

　なお、税理士試験は科目合格制をとっており、1科目ずつ受験してもよいことになっています。

☑合格率

　受験案内によれば合格基準点は満点の60％ですが、そもそも採点基準はオープンにされていません。税理士試験の合格率（全科目合計）は次のとおり、年によってばらつきはありますが、おおむね15％前後で推移しています。現実的には、受験者中、上位10％前後に入れば合格できる試験といえるでしょう。

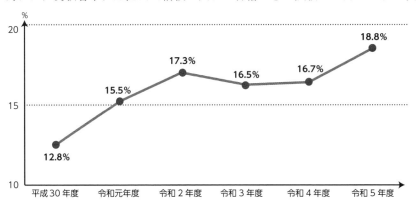

☑出題傾向と時間配分について

　税理士試験の簿記論は3問構成です。一方、試験時間は2時間であり、全部の問題にまんべんなく手をつけるには絶対的に時間が足りません。そこで、戦略的な時間配分が必要となります。

	第1問	第2問	第3問
配　点	25点	25点	50点
主な 出題内容	会計基準の知識を問う問題や構造的な問題	会計基準の知識を問う問題や構造的な問題	資料の与えられ方が独特な総合問題

　では、どのように時間配分をすればよいでしょうか。ここで、配点に注目してみましょう。上記のとおり、第1問と第2問は25点、第3問が50点です。過去の出題傾向を見ると、配点が高い問題ほど解答箇所が多く設定され、点数の差がつきやすいといえます。

　したがって、1点でも多く点数を取る（合格点に近づく）ためには、配点の高い問題に多く時間をかけ、1問でも多く正答する必要があるといえます。

　そこで、配点が2倍の第3問には倍の時間をかけ、かつ、1問あたり最低でも30分は確保するという戦略から、簿記論の時間配分は、以下のようにするのがよいでしょう。

第1問	第2問	第3問
30分	30分	60分

　ただ、これは一つの目安です。簿記論の問題の難易度は一定しておらず、上記の時間配分通りにいかないということが、起こりえます。

　仮に、難易度の高い問題が出た場合は、第3問に60分かけるというスタンスだけは崩さないようにすれば、必要最低限の点数は確保できるでしょう。

目次

試験合格のためには、基礎的な知識の理解のもと、網羅的な学習が必要とされます。しかし、試験範囲は幅広く、学習を効率的に進める必要もあります。目次の★マークは過去10年の出題頻度を示すものです。効率的に学習する参考にしてください。

出題頻度（過去10年)	
★★★	4回以上出題
★★	2〜3回出題
★	1回出題
―	未出題

CHAPTER 1

会計上の変更・誤謬の訂正

ここでは会計方針の変更・誤謬の訂正について学習します。

会計方針の変更・誤謬の訂正はイメージがしづらい論点ですので、会計処理を丸暗記するのではなく、しっかり理解して学習するように心掛けましょう。

構造論点・その他の論点

会計上の変更・誤謬の訂正

≫ 誤謬の訂正は財務諸表のミスの訂正です！

学習スケジュール

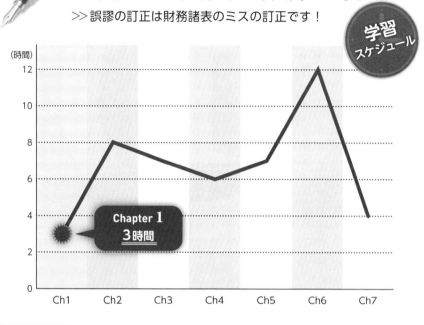

Chapter **1**
3時間

Check List

- ☐ 会計方針の変更の会計処理を理解しているか？
- ☐ 会計上の見積りの変更の会計処理を理解しているか？
- ☐ 過去の誤謬の訂正の会計処理を理解しているか？

Link to ▶ 財務諸表論④　**Chapter1 会計上の変更・誤謬の訂正**

　財務諸表論では、会社法に基づいた場合の取扱いや表示方法の変更について学習します。簿記論の学習内容と関連づけることでより理解が深まります。

1：会計上の変更とは

Rank **B**

▌会計上の変更の意義

　会計上の変更とは、会計方針の変更、表示方法の変更および会計上の見積りの変更のことです。

> 本書では、本試験での出題可能性を考慮して、会計方針の変更と会計上の見積りの変更を学習します。また、2020年に会計基準の一部が改正され、会計方針の開示に関する規定が追加されました。ただし、簿記論での重要性は低いと考えられますので、本書では省略します。

▌遡及処理

　会計方針や表示方法の変更があった場合には、過去の財務諸表を新たな会計方針や表示方法で遡及処理します。

Point ▶ 会計上の変更

分　　　類		原則的な処理
会計上の変更	会計方針の変更	遡及処理する（遡及適用）
	表示方法の変更	遡及処理する（財務諸表の組替え）
	会計上の見積りの変更	遡及処理しない

> 遡及処理とは、過去の財務諸表にさかのぼって会計上の変更を反映させることをいいます。

3

2：会計方針の変更とは

▶ 会計方針の意義

会計方針とは、財務諸表の作成にあたって採用した会計処理の原則および手続のことです。

Point ▶ 会計方針の具体例

会計方針の具体例としては、次のようなものがあります。
・有価証券の評価基準および評価方法
・棚卸資産の評価基準および評価方法
・費用・収益の計上基準

▶ 会計方針の変更の意義

会計方針の変更とは、従来採用していた会計方針から他の会計方針に変更することです。

▶ 帳簿上の取扱い 🚩

当期より前の期間に関する遡及適用による累積的影響額は、帳簿上、当期首の資産、負債および純資産の額に反映させます。

過去の累積的影響額は、あくまで過去の修正なので、当期の損益とはせず、繰越利益剰余金として修正します。

例題 ▶ 会計方針の変更―帳簿上の取扱い

次の資料に基づいて、決算整理後残高試算表を作成しなさい。

CHAPTER
1

会計上の変更・誤謬の訂正

[資 料]

決算整理前残高試算表			（単位：千円）
繰 越 商 品	70,000	繰越利益剰余金	35,000
仕 入	1,102,500		

（注） 繰越利益剰余金の前期繰越高は108,500千円であった。

　当期（第7期）より、商品の評価方法を総平均法から先入先出法に変更したが、会計処理は未処理である。なお、商品の残高について、従来の方法である総平均法による金額と先入先出法を遡及適用した場合の金額は次のとおりである。

	第7期期首残高	第7期期末残高
総平均法（従来の方法）	70,000千円	92,750千円
先入先出法（遡及適用）	87,500千円	113,750千円

解答

決算整理後残高試算表			（単位：千円）
繰 越 商 品	113,750	繰越利益剰余金	52,500
仕 入	1,076,250		

（仕訳の単位：千円）

(1) 会計方針の変更

（繰 越 商 品）	17,500*	（繰越利益剰余金）	17,500

＊　先入先出法による当期首残高87,500千円
　　－総平均法による当期首残高70,000千円＝17,500千円

(2) 売上原価の算定

（仕　　　入）	87,500	（繰 越 商 品）	87,500
（繰 越 商 品）	113,750*	（仕　　　入）	113,750

＊　先入先出法による当期末残高

遡及処理を行った結果、繰越利益剰余金の第7期期首残高は126,000千円（＝前期繰越高108,500千円＋17,500千円）となります。

▶ 財務諸表上の取扱い 🚩

　会計方針の変更が行われた場合には、<u>原則として新たな会計方針を過去の期間のすべてに遡及適用します</u>。

Point ▶ **財務諸表上の取扱い**

　①　前期首の金額に累積的影響額を反映させる

		表示期間	
		前期	当期
財務諸表 X4年4月 1日 〜 X5年3月31日	財務諸表 X5年4月 1日 〜 X6年3月31日	財務諸表 X6年4月 1日 〜 X7年3月31日	財務諸表 X7年4月 1日 〜 X8年3月31日

②　　　　　　新たな会計方針

※　表示期間とは、当期の財務諸表と、これにあわせて過去の財務諸表が表示されている場合の、その表示された期間をいいます。

①　表示期間より前の期間に関する遡及適用による累積的影響額は、財務諸表上の前期首の資産、負債および純資産の額に反映させます。

②　前期の財務諸表には、その期間の影響額を反映させます。

本書では、金融商品取引法に基づく開示制度を前提に解説します。

遡及処理の必要性

　財務諸表は、有価証券報告書などを通じて開示されます。

　一般的に当期の財務諸表と前期の財務諸表の2期分を並べて表示しますが、会計上の変更や誤謬が見つかった場合に当期の財務諸表にのみ反映させて前期の財務諸表に反映させないと、財務諸表の期間比較が難しくなります。そこで、過去の財務諸表に遡及適用し、修正します。

例題 会計方針の変更─財務諸表上の取扱い

　次の資料に基づいて、会計方針の変更による累積的影響額および遡及処理後における第6期期末の繰越利益剰余金の金額を求めなさい。

［資　料］

1. 当社は、金融商品取引法に基づき2期分の財務諸表の開示が求められている。

2. 当期（第7期）より、商品の評価方法を総平均法から先入先出法に変更した。

3. 前期（第6期）の商品の増減について、従来の方法である総平均法により算定した金額と先入先出法を遡及適用した場合の金額は次のとおりである。

	第6期期首残高	仕　入　高	売上原価	第6期期末残高
総平均法 （従来の方法）	24,500千円	1,111,250千円	1,065,750千円	70,000千円
先入先出法 （遡及適用）	35,000千円	1,111,250千円	1,058,750千円	87,500千円

4. 前期に作成した2期分の財務諸表（一部）は次のとおりである。

損　益　計　算　書　　　　　（単位：千円）

	第5期	第6期
売　　　　　上　　　　　高	×××	1,750,000
期 首 商 品 棚 卸 高	×××	24,500
当 期 商 品 仕 入 高	×××	1,111,250
期 末 商 品 棚 卸 高	24,500	70,000
販売費及び一般管理費	×××	663,250
当 期 純 利 益	×××	21,000

株主資本等変動計算書　　　　（単位：千円）

	第5期	第6期
繰 越 利 益 剰 余 金		
当 期 首 残 高	×××	87,500
当 期 変 動 額		
当 期 純 利 益	×××	21,000
当 期 末 残 高	87,500	108,500

貸 借 対 照 表		（単位：千円）
	第5期	第6期
商　　　　　　　品	24,500	70,000
繰 越 利 益 剰 余 金	87,500	108,500

 解答　会計方針の変更による累積的影響額：10,500千円

遡及処理後における第6期期末の繰越利益剰余金：126,000千円

（仕訳の単位：千円）

(1)　第6期期首商品棚卸高の修正

（期首商品棚卸高）	10,500	（繰越利益剰余金）	10,500*
売上原価		会計方針の変更による累積的影響額	

＊　先入先出法による第6期期首残高35,000千円
　　－総平均法による第6期期首残高24,500千円＝10,500千円

(2)　第6期期末商品棚卸高の修正

（商　　　　品）	17,500*	（期末商品棚卸高）	17,500
		売上原価	

＊　先入先出法による第6期期末残高87,500千円
　　－総平均法による第6期期末残高70,000千円＝17,500千円

(3)　遡及処理後における第6期期首の繰越利益剰余金

　　87,500千円＋累積的影響額10,500千円＝98,000千円

(4)　遡及処理後における第6期当期純利益

　　売上高1,750,000千円－売上原価1,058,750千円

　　－販売費及び一般管理費663,250千円＝28,000千円

(5)　遡及処理後における第6期期末の繰越利益剰余金

　　98,000千円＋28,000千円＝126,000千円

問題 ≫≫≫ 問題編の**問題1**に挑戦しましょう！

3 : 会計上の見積りの変更とは
Rank **B**

会計上の見積りの意義

会計上の見積りとは、資産および負債や収益および費用等の額に不確実性がある場合において、財務諸表作成時に入手可能な情報に基づいて、その合理的な金額を算出することです。

会計上の見積りの変更の意義

会計上の見積りの変更とは、新たに入手可能となった情報に基づいて、過去に財務諸表を作成する際に行った会計上の見積りを変更することです。

Point ▶ 会計上の見積りの変更の具体例

会計上の見積りの変更の具体例としては、次のようなものがあります。
・ポイント制度における使用されると見込むポイント総数の変更
・工事契約（一定期間にわたり充足される履行義務）における工事進捗度の変更
・有形固定資産等の耐用年数の変更
・状況の変化による償却済債権の回収（償却債権取立益）
・状況の変化による前期末債権の貸倒時に生じる貸倒引当金の不足額（貸倒損失）
・状況の変化による貸倒引当金の過剰額（貸倒引当金戻入益）

上記の論点は、すでに学習済みです。忘れてしまっている場合は、復習しておきましょう。

▶ 会計上の見積りの変更の取扱い

　会計上の見積りの変更が変更期間のみに影響する場合には、<u>変更期間に会計</u><u>処理を行い</u>、変更が将来の期間にも影響する場合には、<u>将来にわたって会計処</u><u>理を行います</u>。

> 通常、本試験では、会計上の見積りの変更がどの期間に影響するのか、問題文に指示が入ります。また、問題文に「当期に会計上の見積りを変更した」とある場合には、当期首に変更したものと考えて解答しましょう。

Point ▶ 有形固定資産等の耐用年数の変更時点による処理の違い

　有形固定資産等の耐用年数の変更について、特に指示がないときは、耐用年数の変更時点により次のように処理します。

(1) 当期首に耐用年数の変更をした場合

　当期首に耐用年数の変更をした場合には、当期の減価償却費は変更**後**の耐用年数による残存耐用年数に基づいて計算します。

(2) 当期末に耐用年数の変更をした場合

　当期末に耐用年数の変更をした場合には、当期の減価償却費は変更**前**の耐用年数に基づいて計算します。また、翌期以降の減価償却費は変更**後**の耐用年数による残存耐用年数に基づいて計算します。

	変更 ▼	
前　期	当　期	翌　期

会計処理　旧──────────────→新──────→

減価償却方法の変更

　減価償却方法は会計方針の変更に該当しますが、その変更（定額法から定率法への変更など）は会計方針の変更を会計上の見積りの変更と区別することが困難な場合とされています。このような場合、会計処理上は、会計上の見積りの変更と同様に取り扱い、遡及処理は行いません。

 例題 ### 会計上の見積りの変更

　機械（前期末までに３年経過）は、耐用年数８年、残存価額を０円とする定額法により減価償却を行ってきたが、新たに得られた情報に基づき耐用年数を６年に見直すこととした。このとき、(1)当期首に耐用年数の変更を行った場合と(2)当期末に耐用年数の変更を行った場合の当期における機械の減価償却費を求めなさい。

決算整理前残高試算表		（単位：千円）
機　　　　械	19,800	機械減価償却累計額　　　7,425

解答
(1) **当期首に耐用年数の変更を行った場合：4,125千円**
(2) **当期末に耐用年数の変更を行った場合：2,475千円**

（仕訳の単位：千円）

(1)　当期首に耐用年数の変更を行った場合

（機械減価償却費）	4,125*	（機械減価償却累計額）	4,125

$$* \quad (19,800千円 - 7,425千円) \times \frac{1年}{変更後の耐用年数\,6年 - 償却済年数\,3年}$$
$$= 4,125千円$$

(2) 当期末に耐用年数の変更を行った場合

| （機械減価償却費） | 2,475* | （機械減価償却累計額） | 2,475 |

$$* \quad 19,800\text{千円} \times \frac{1\,\text{年}}{8\,\text{年}} = 2,475\text{千円}$$

〈参　考〉

　当期末に耐用年数の変更を行った場合の翌期における決算整理は次のとおりとなります。

| （機械減価償却費） | 4,950* | （機械減価償却累計額） | 4,950 |

$$* \quad (19,800\text{千円} - 9,900\text{千円}) \times \frac{1\,\text{年}}{\text{変更後の耐用年数 6 年} - \text{償却済年数 4 年}}$$
$$= 4,950\text{千円}$$

問題　>>> 問題編の**問題2**に挑戦しましょう！

4：過去の誤謬の訂正とは

▌誤謬の意義

　誤謬とは、原因となる行為が意図的であるかどうかにかかわらず、財務諸表作成時に入手可能な情報を使用しなかった、または入手した情報を誤用したことによる誤りのことです。また、**誤謬の訂正**とは、その誤りを正すことです。

Point ▶ 誤謬の例示

　誤謬の例としては、次のようなものがあります。

・財務諸表の基礎となるデータの収集または処理上の誤り

・事実の見落しや誤解から生じる会計上の見積りの誤り

・会計方針の適用の誤りまたは表示方法の誤り

　誤謬の結果、過年度における減価償却費の過不足などが生じます。なお、過去の見積りの方法がその見積りの時点で合理的なものであり、それ以降の見積りの変更も合理的な方法に基づく場合は、過去の誤謬の訂正には該当しません。

▌帳簿上の取扱い 🚩

　当期より前の期間に関する誤謬の訂正による累積的影響額は、帳簿上、当期首の資産、負債および純資産の額に反映させます。

次の資料に基づいて、決算整理後残高試算表を作成しなさい。なお、当期はX7年4月1日からX8年3月31日までである。

[資　料]

決算整理前残高試算表			（単位：千円）
建　　　　物	132,000	建物減価償却累計額	34,760
備　　　　品	17,600	備品減価償却累計額	7,920
		繰越利益剰余金	44,000

（注）　繰越利益剰余金の前期繰越高は136,400千円であった。

当期首において、建物と備品について償却過不足があることが判明した。

種　　　類	償却方法	償却率	残存価額	事業供用日
建　　物	定額法	0.050	取得価額の10%	X1年4月1日
備　　品	定率法	0.250	0円	X5年4月1日

 解答

決算整理後残高試算表			（単位：千円）
建　　　　物	132,000	建物減価償却累計額	41,580
備　　　　品	17,600	備品減価償却累計額	10,175
減 価 償 却 費	8,415	繰越利益剰余金	43,340

（仕訳の単位：千円）

(1)　建物

①　過去の誤謬の訂正

（繰越利益剰余金）	880*	（建物減価償却累計額）	880
前期繰越高			

*　試算表の減価償却累計額：　　　　　34,760千円 ┐償却不足
　　適正な期首減価償却累計額：　　　　　　　　　 │880千円
　　132,000千円×0.9×0.050×6年＝35,640千円 ◄┘

②　減価償却

（減 価 償 却 費）	5,940*	（建物減価償却累計額）	5,940

　　*　132,000千円×0.9×0.050＝5,940千円

(2)　備品

①　過去の誤謬の訂正

（備品減価償却累計額）	220*	（繰越利益剰余金）	220
		前期繰越高	

　　*　試算表の減価償却累計額：　　　　　　　　　　　7,920千円 ⎤
　　　　適正な期首減価償却累計額：　　　　　　　　　　　　　　　　　償却過大
　　　　１年目：　　　　17,600千円×0.250＝4,400千円 ⎤　　　　　220千円
　　　　２年目：　　　　　　　　　　　　　　　　　　　　　⎦7,700千円 ◀
　　　　（17,600千円－4,400千円）×0.250＝3,300千円 ⎦

②　減価償却

（減 価 償 却 費）	2,475*	（備品減価償却累計額）	2,475

　　*　（17,600千円－7,700千円）×0.250＝2,475千円

遡及処理を行った結果、繰越利益剰余金の第7期期首残高は135,740千円（＝前期繰越高136,400千円－880千円＋220千円）となります。

▶ 財務諸表上の取扱い

過去の誤謬が発見された場合には、**修正再表示**します。

 修正再表示とは、過去の財務諸表における誤謬の訂正を財務諸表に反映することです。

Point ▶ 財務諸表上の取扱い

① 前期首の金額に累積的影響額を反映させる

表示期間

→ 前期　　　　　　　当期

財務諸表	財務諸表	財務諸表	財務諸表
X4年4月 1日	X5年4月 1日	X6年4月 1日	X7年4月 1日
〜	〜	〜	〜
X5年3月31日	X6年3月31日	X7年3月31日	X8年3月31日

②

① 表示期間より前の期間に関する修正再表示による累積的影響額は、財務諸表上の前期首の資産、負債および純資産の額に反映させます。

② 前期の財務諸表には、その期間の影響額を反映させます。

CHAPTER
1

会計上の変更・誤謬の訂正

例題 過去の誤謬の訂正―財務諸表上の取扱い

　次の資料に基づいて、修正処理後における第6期の販売費及び一般管理費および第6期期末の繰越利益剰余金の金額を求めなさい。

［資　料］

1．当社は、金融商品取引法に基づき2期分の財務諸表の開示が求められている。

2．当期（第7期）において、前期（第6期）の誤謬が発見された。その誤謬の内容は、第6期における建物の減価償却費（販売費及び一般管理費として表示）について900千円の償却不足、備品の減価償却費（販売費及び一般管理費として表示）について償却過大225千円が生じているというものであった。

3．前期に作成した2期分の財務諸表（一部）は、次のとおりである。

損　益　計　算　書　　　　（単位：千円）

	第5期	第6期
売　　　　上　　　　高	×××	2,250,000
期 首 商 品 棚 卸 高	×××	31,500
当 期 商 品 仕 入 高	×××	1,428,750
期 末 商 品 棚 卸 高	31,500	90,000
販売費及び一般管理費	×××	852,750
当 　期 　純 　利 　益	×××	27,000

株主資本等変動計算書　　　　（単位：千円）

	第5期	第6期
繰 越 利 益 剰 余 金		
当 　期 　首 　残 　高	×××	112,500
当 　期 　変 　動 　額		
当 　期 　純 　利 　益	×××	27,000
当 　期 　末 　残 　高	112,500	139,500

貸　借　対　照　表　　　　（単位：千円）

	第5期	第6期
減 価 償 却 累 計 額	34,875	43,650
繰 越 利 益 剰 余 金	112,500	139,500

解答 修正処理後における第6期の販売費及び一般管理費：853,425千円

修正処理後における第6期期末の繰越利益剰余金：138,825千円

（仕訳の単位：千円）

(1) 第6期財務諸表に関する修正

　① 建物

| （販売費及び一般管理費） | 900 | （減価償却累計額） | 900 |

　② 備品

| （減価償却累計額） | 225 | （販売費及び一般管理費） | 225 |

(2) 修正処理後における第6期の販売費及び一般管理費

852,750千円＋900千円－225千円＝853,425千円

(3) 修正処理後における第6期当期純利益

売上高2,250,000千円－売上原価（31,500千円＋1,428,750千円－90,000千円）

－販売費及び一般管理費853,425千円＝26,325千円

(4) 修正処理後における第6期期末の繰越利益剰余金

112,500千円＋26,325千円＝138,825千円

問題 >>> 問題編の**問題3**に挑戦しましょう！

☐ **会計上の変更等の会計処理**

分　　　類		原則的な処理
会計上の変更	会計方針の変更	遡及処理する（遡及適用）
	表示方法の変更	遡及処理する（財務諸表の組替え）
	会計上の見積りの変更	遡及処理しない
過去の誤謬の訂正		遡及処理する（修正再表示）

☐ **有形固定資産の耐用年数の変更時点による処理の違い**

　有形固定資産等の耐用年数の変更について、特に指示がないときは、耐用年数の変更時点により次のように処理します。

(1) 当期首に耐用年数の変更をした場合

　当期首に会計上の見積りの変更をした場合には、当期は変更後の見積りに基づいて処理します。

変更
▼

前　期	当　期	翌　期

会計処理　旧ーーーーー→新ーーーーーーーーーーーーーーーー→

(2) 当期末に耐用年数の変更をした場合

　当期末に会計上の見積りの変更をした場合には、当期は変更前の見積りに基づいて処理します。

変更
▼

前　期	当　期	翌　期

会計処理　旧ーーーーーーーーーーーーーーーーーー→新ーーーー→

CHAPTER 2

外貨建取引等

ここでは、外貨建取引等の換算方法や会計処理方法について学習します。

外貨建取引等の換算・会計処理は、円換算にあたりどの時点の為替レートを適用するかが大切になってきますので、そこに注意して学習していきましょう。

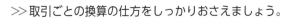

構造論点・その他の論点

外貨建取引等

>> 取引ごとの換算の仕方をしっかりおさえましょう。

学習スケジュール

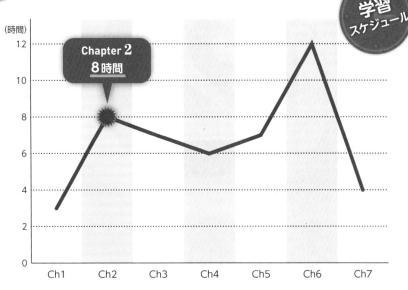

Check List

☐ 外貨建取引の換算方法を理解しているか？
☐ 外貨建取引の決算時の会計処理を理解しているか？
☐ 外貨建有価証券の計算を理解しているか？
☐ 為替予約の独立処理の計算を理解しているか？
☐ 為替予約の振当処理の計算を理解しているか？
☐ 予定取引に為替予約を付した場合の会計処理を理解しているか？

Link to ▶ 財務諸表論④ **Chapter2 外貨換算会計**

　財務諸表論では、外貨換算会計の会計処理の理論的な根拠を学習します。理論的な根拠をおさえることで計算の理解が深まりますので、関連づけて学習しましょう。

1：外貨建取引の換算

外貨建取引の意義

外貨建取引とは、取引価額が外国通貨で表示されている取引をいいます。外貨建取引を会計帳簿に記録するにあたり、外貨で表示されている金額を円貨の金額に変更しなければなりません。これを**換算**といい、次のように計算します。

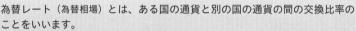

円換算額＝外貨建取引額×為替レート

為替レート（為替相場）とは、ある国の通貨と別の国の通貨の間の交換比率のことをいいます。
現在、為替相場は変動相場制が採用されているため、①外貨建取引発生時、②外貨建金銭債権・債務の決済時、③決算時の各時点でどの為替相場を適用するかが問題となります。

取引発生時の会計処理 🚩

外貨建取引の発生時には、原則として、取引発生時の為替相場により換算します。

決済にともなう損益の会計処理 🚩

外貨建資産・負債のうち、外貨建金銭債権・債務が決済された場合には現金収支をともないます。この決済にともなう収入・支出は、決済時の為替相場により換算します。

なお、取引発生時と代金決済時の為替相場の差額は、**為替差損益**（為替差益または為替差損）として処理します。

外貨建金銭債権・債務とは、契約上の債権額または債務額が外国通貨で表示されている金銭債権・債務のことです。

23

Point ▸ 取引決済時の為替相場

〈金銭債権の場合〉

```
┌─────────────┐              ┌──────────────┐
│             │              │    100円      │ ┐為替差損
│             │       ┌──────┼──────────────┤ ┘
│ 10ドル×@100円│       │      │ 10ドル×@90円  │
│ ＝1,000円    │       │      │ ＝900円       │
│             │       │      │              │
└─────────────┘       └──────┴──────────────┘
   取引発生時                     決済時
```

外貨建取引で用いる省略記号

外貨建取引で用いる省略記号には、次のようなものがあります。

	為替レート	略　　　号
時期の違いによる分類	取引発生時レート	HR　(Historical Rate)
	決算時レート	CR　(Current Rate)
	期中平均レート	AR　(Average Rate)
相場の種類による分類	直物レート	SR　(Spot Rate)
	予約レート	FR　(Forward Rate)
原　価　お　よ　び　時　価	外貨による取得原価	HC　(Historical Cost)
	外貨による時価	CC　(Current Cost)

例題 輸入取引と輸出取引

次の各取引の仕訳を示しなさい。

(1) ① 商品300千ドルを輸入し、代金は掛けとした(取引発生時レート98円/ドル)。

② 上記①の掛け代金を現金で決済した(取引発生時レート102円/ドル)。

(2) ① 商品400千ドルを輸出し、代金は掛けとした(取引発生時レート98円/ドル)。

② 上記①の掛け代金を現金で決済した(取引発生時レート102円/ドル)。

解答
(仕訳の単位:千円)

(1) ① **仕入時**

(仕 入)	29,400*	(買 掛 金)	29,400

* 300千ドル×HR98円=29,400千円

② **代金決済時**

(買 掛 金)	29,400	(現 金)	30,600*¹
(為 替 差 損 益)	1,200*²		

*1 300千ドル×HR102円=30,600千円
*2 貸借差額

(2) ① **売上時**

(売 掛 金)	39,200*	(売 上)	39,200

* 400千ドル×HR98円
=39,200千円

② **代金決済時**

(現 金)	40,800*¹	(売 掛 金)	39,200
		(為 替 差 損 益)	1,600*²

*1 400千ドル×HR102円=40,800千円
*2 貸借差額

為替差損益は、損益計算書の営業外収益または営業外費用の区分に純額で表示します。本問では為替差益が1,600千円、為替差損が1,200千円発生しているため、純額表示される損益計算書には、為替差益として400千円が計上されます。

▶ 前渡金・前受金の会計処理 🚩

(1) 前渡金支払時および前受金受取時の会計処理

外貨で支払った前渡金は、支払時の為替相場により換算し、外貨で受け取った前受金は、受取時の為替相場により換算します。

前渡金は、将来、財又はサービスの提供を受ける費用性資産であり、前受金は、将来、財又はサービスの提供を行う収益性負債なので、外貨建金銭債権・債務ではありません。

(2) 輸入時の会計処理（前渡金がある場合）

外貨建ての仕入金額のうち、前渡金が充当される部分については、前渡金の支払時の為替相場により円換算した額とし、残りの部分については、取引発生時の為替相場により換算します。

例題 **輸入取引─前渡金がある場合**

次の各取引の仕訳を示しなさい。

(1) 商品300千ドルの売買契約を締結し、前渡金30千ドルを現金で支払った（取引発生時レート110円／ドル）。

(2) 上記(1)の商品を受け取り、前渡金を除いた残額を掛けとした（取引発生時レート100円／ドル）。

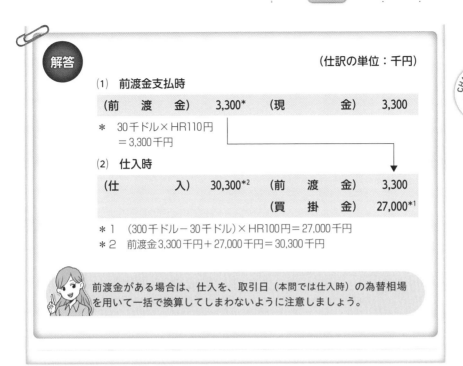

解答

（仕訳の単位：千円）

(1) 前渡金支払時

（前　渡　金）	3,300*	（現　　　金）	3,300

＊　30千ドル×HR110円
　　＝3,300千円

(2) 仕入時

（仕　　　入）	30,300*2	（前　渡　金）	3,300
		（買　掛　金）	27,000*1

＊1　（300千ドル－30千ドル）×HR100円＝27,000千円
＊2　前渡金3,300千円＋27,000千円＝30,300千円

前渡金がある場合は、仕入を、取引日（本問では仕入時）の為替相場を用いて一括で換算してしまわないように注意しましょう。

(3) 輸出時の会計処理（前受金がある場合）

　外貨建ての売上金額のうち、前受金が充当される部分については、前受金の受取時の為替相場により円換算した額とし、残りの部分については、取引発生時の為替相場により換算します。

例題　輸出取引―前受金がある場合

　次の各取引の仕訳を示しなさい。

(1) 商品300千ドルの売買契約を締結し、前受金30千ドルを現金で受け取った（取引発生時レート110円／ドル）。

(2) 上記(1)の商品を引き渡し、前受金を除いた残額を掛けとした（取引発生時レート100円／ドル）。

外貨建取引等

解答

（仕訳の単位：千円）

(1) 前受金受取時

（現　　　　金）	3,300	（前　受　金）	3,300*

* 30千ドル×HR110円＝3,300千円

(2) 売上時

（前　受　金）	3,300	（売　　　　上）	30,300*²
（売　掛　金）	27,000*¹		

*1 （300千ドル－30千ドル）×HR100円＝27,000千円
*2 前受金3,300千円＋27,000千円＝30,300千円

前受金がある場合、売上を、取引日（本問では売上時）の為替相場を
用いて一括で換算してしまわないように注意しましょう。

問題 >>> 問題編の**問題1**に挑戦しましょう！

2：決算時の処理

▶ 換算替え 🚩

　外国通貨および外貨建金銭債権・債務（外貨預金も含みます）などの貨幣項目は、決算にあたって帳簿価額を決算時の為替相場による円換算額に修正し、換算によって生じた換算差額を、原則として当期の為替差損益とします。これを**換算替え**といいます。

Point ▶ 資産、負債の換算替え

　決算時の換算替えは、貨幣項目か非貨幣項目かによって処理が異なります。

分　　類		項　　目	換　算
貨幣項目	資産	外国通貨、外貨預金、受取手形、売掛金、未収金、未収収益など	決算時の為替相場
	負債	支払手形、買掛金、未払金、社債、借入金、未払費用など	
非貨幣項目	資産	棚卸資産、前払金、前払費用、固定資産など	取引発生時の為替相場
	負債	前受金、前受収益など	

外国通貨および外貨建金銭債権・債務は、帳簿価額に将来の金銭の受渡額を適正に反映させるために換算替えを行います。また、前渡金、前受金および有形固定資産などは、将来における金銭の受渡しがないため、取引発生時の為替相場による円換算額のまま据え置きます。

S 決算時の換算替え

なぜ、前受金・前受収益・前払金・前払費用は決算時に換算替えをしないのに、未収金・未収収益・未払金・未払費用は換算替えをするのですか？

前受金・前受収益・前払金・前払費用は、金銭の受払いが済んでいますね。なので、決算日以降に為替が変動してもその後の決済額に影響がないから換算替えをしません。しかし、未収金・未収収益・未払金・未払費用は、まだ金銭の受払いが済んでいないため、為替の変動によって決済額が変わる可能性があるので換算替えをします。

例題 決算時の換算替え

次の資料に基づいて、決算時の仕訳を示しなさい。なお、決算時レートは100円／ドルである。

［資　料］

			決算整理前残高試算表				（単位：千円）
売　掛　金			262,500	支　払　手　形			192,600
前　渡　金			9,180	長　期　借　入　金			153,000

〈決算整理事項等〉

(1)　売掛金のうち28,500千円は、外貨建売掛金300千ドルであり、取引発生時レート95円／ドルで換算したものである。

(2)　前渡金は、すべて翌期に仕入れる商品の手付金90千ドルである。

(3)　支払手形のうち16,200千円は、外貨建支払手形180千ドルであり、取引発生時レート90円／ドルで換算したものである。

(4)　長期借入金は、すべて外貨建長期借入金1,500千ドルであり、取引発生時レート102円／ドルで換算したものである。なお、3カ月分の支払利息について、見越処理を行う（利子率：年6％）。

（仕訳の単位：千円）

(1) 外貨建売掛金

（売 掛 金）	1,500*	（為 替 差 損 益）	1,500

* 売掛金300千ドル×CR100円－帳簿価額28,500千円＝1,500千円

(2) 外貨建前渡金

仕 訳 な し*

* 前渡金は、金銭債権・債務には該当しないので、期末換算替えはしません。

(3) 外貨建支払手形

（為 替 差 損 益）	1,800	（支 払 手 形）	1,800*

* 支払手形180千ドル×CR100円－帳簿価額16,200千円＝1,800千円

(4) 外貨建長期借入金

（長 期 借 入 金）	3,000*1	（為 替 差 損 益）	3,000
（支 払 利 息）	2,250*2	（未 払 利 息）	2,250

*1 長期借入金1,500千ドル×CR100円－帳簿価額153,000千円
＝△3,000千円

*2 $1,500千ドル×6％×\frac{3カ月}{12カ月}×CR100円＝2,250千円$

換算替えが必要な項目および不要な項目を正確におさえましょう。なお、未払利息は決算日レートで換算しますが、決算日に計上されるので、換算替えによる為替差損益は計上されません。

為替差益と為替差損の判断方法

為替レートが変動した結果、換算差額が為替差益となる
のか為替差損となるのか迷ってしまうのですが、何か良
い方法はないでしょうか？

換算差額は、為替レートの変動が企業にとって有利なら為替差益、
不利なら為替差損と考えると判断が楽になります。たとえば、前
例題で売掛金は換算替えが行われた結果1,500千円増加していま
す。売掛金が増加すれば、企業に入るお金も増えて企業に
とって有利、つまり為替差益になると判断できます。

問題 >>> 問題編の**問題2**に挑戦しましょう！

3：外貨建有価証券

売買目的有価証券

売買目的有価証券は、外貨による時価を決算時の為替相場により換算した額で評価し、換算差額は有価証券評価損益として処理します。

> 売買目的有価証券で損益が生じた場合は、為替差損益ではなく、有価証券評価損益で処理する点に注意しましょう。

Point ▶ 売買目的有価証券の評価方法

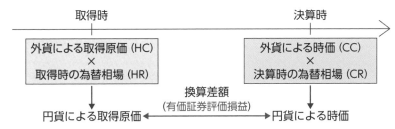

```
          取得時                              決算時
  ┌─────────────────┐        ┌─────────────────┐
  │外貨による取得原価 (HC) │        │ 外貨による時価 (CC) │
  │        ×         │        │        ×        │
  │取得時の為替相場 (HR) │        │ 決算時の為替相場 (CR) │
  └─────────────────┘        └─────────────────┘
                      換算差額
                  (有価証券評価損益)
  円貨による取得原価 ←─────────────→ 円貨による時価
```

① 円貨による取得原価
　　＝外貨による取得原価(HC)×取得時の為替相場(HR)
② 円貨による時価＝外貨による時価(CC)×決算時の為替相場(CR)
③ 換算差額(有価証券評価損益)＝②－①

33

例題 売買目的有価証券

次の資料に基づいて、決算時の仕訳を示しなさい。

[資　料]

決算整理前残高試算表	（単位：千円）
有　価　証　券　　　　36,000	

1. 有価証券は、期中においてA社株式（取得原価300千ドル、取得時レート120円/ドル）を売買目的で取得した際に計上したものである。
2. A社株式の期末時価は360千ドル、決算時レートは105円/ドルである。

解答

（仕訳の単位：千円）

（有　価　証　券）	1,800	（有価証券評価損益）	1,800*

* 円貨時価（360千ドル×CR105円）－円貨取得原価36,000千円
  ＝1,800千円

> 有価証券評価損益は、有価証券運用損益勘定で処理することもあります。

```
                                          ┌── 円貨による時価
                                          │    37,800千円
CR@105円  ┌─────────────────────────────┐
          │     有価証券評価損益1,800千円     │
HR@120円  ├──────────────────┐           │
          │                  │           │
          │  円貨による取得原価  │           │
          │    36,000千円     │           │
          └──────────────────┘───────────┘
                               HC300千ドル  CC360千ドル
```

> 外貨建有価証券は、下書用紙に上記のようなボックス図を書くと、効率的に解答できます。

▌ 満期保有目的の債券 🚩

満期保有目的の債券は、決算時の為替相場により換算します。ただし、償却原価法を適用しない場合と適用する場合とで、換算方法が異なります。

⑴ 償却原価法を適用しない場合

満期保有目的の債券について、償却原価法を適用せず、取得原価で評価する場合には、外貨による取得原価を決算時の為替相場により換算した額で評価し、換算差額は、当期の為替差損益として処理します。

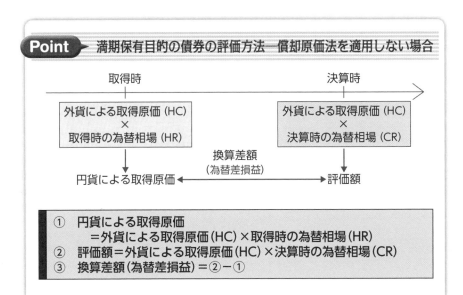

Point 満期保有目的の債券の評価方法─償却原価法を適用しない場合

① 円貨による取得原価
　＝外貨による取得原価 (HC) ×取得時の為替相場 (HR)
② 評価額＝外貨による取得原価 (HC) ×決算時の為替相場 (CR)
③ 換算差額 (為替差損益) ＝②−①

CHAPTER **2** 外貨建取引等

(2) 償却原価法を適用する場合

満期保有目的の債券について、償却原価法を適用する場合には、金利調整差額の償却額は外貨による償却額を期中平均相場により換算します。また、外貨による償却原価を決算時の為替相場により換算した額で評価し、換算差額（評価差額）は為替差損益として処理します。

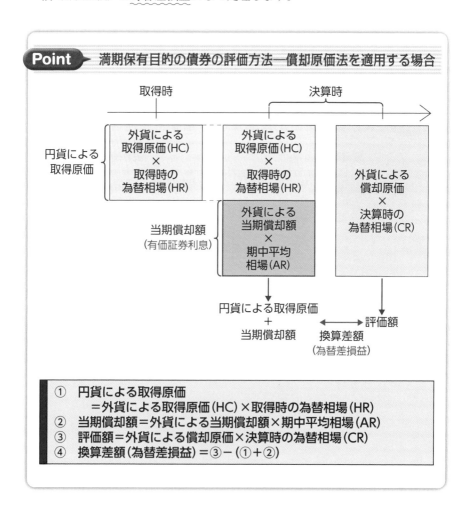

① 円貨による取得原価
　＝外貨による取得原価(HC)×取得時の為替相場(HR)
② 当期償却額＝外貨による当期償却額×期中平均相場(AR)
③ 評価額＝外貨による償却原価×決算時の為替相場(CR)
④ 換算差額（為替差損益）＝③－（①＋②）

例題　**満期保有目的の債券**

　次の資料に基づいて、決算時の仕訳を示しなさい。当期は３月31日を決算日とする１年間である。なお、決算時レートは110円／ドル、期中平均レートは105円／ドルである。

［資　料］

決算整理前残高試算表	（単位：千円）
投資有価証券　　108,000	

　投資有価証券は、X1年４月１日に満期保有目的の債券として取得したB社社債であり、その内容は次に示すとおりである。

１．債券金額：1,200千ドル

２．取得原価：1,080千ドル（取得時レート100円／ドル）

３．償還期限：X4年３月31日

４．債券金額と取得価額の差額は、すべて金利調整差額と認められるため、定額法による償却原価法を適用する。

５．クーポン利息は考慮外とする。

解答

　　　　　　　　　　　　　　　　　　　　（仕訳の単位：千円）

① 　金利調整差額の償却

（投資有価証券）	4,200	（有価証券利息）	4,200*

＊　外貨償却額：$(1,200千ドル－1,080千ドル) \times \dfrac{12カ月}{36カ月} = 40千ドル$

　　円貨償却額：40千ドル×AR105円＝4,200千円

② 　期末換算替え

（投資有価証券）	11,000	（為替差損益）	11,000*

＊　外貨償却原価：
　　HC1,080千ドル＋外貨償却額40千ドル＝1,120千ドル
　　評　価　額：1,120千ドル×CR110円＝123,200千円
　　為替差損益：
　　123,200千円－（円貨取得原価108,000千円＋円貨償却額4,200千円）
　　＝11,000千円

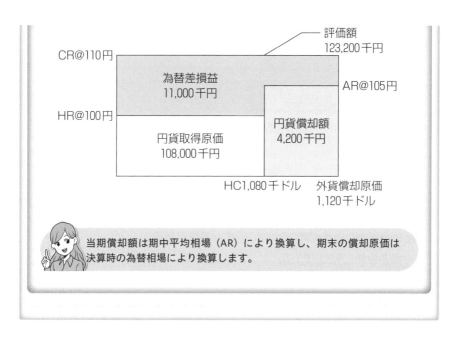

当期償却額は期中平均相場（AR）により換算し、期末の償却原価は決算時の為替相場により換算します。

▶ 子会社株式および関連会社株式

　子会社株式および関連会社株式は、外貨による取得原価を取得時の為替相場により換算した額で評価します。したがって、決算時の会計処理は不要です。

子会社株式・関連会社株式は、毎期取得時の為替相場で換算するため、決算整理仕訳は不要となります。

| 例題 | 子会社株式および関連会社株式 |

　次の資料に基づいて、決算時の仕訳を示しなさい。なお、決算時レートは125円／ドルである。

［資　料］

決算整理前残高試算表	（単位：千円）
関係会社株式　　38,400	

1. 関係会社株式は、子会社株式として取得したC社株式320千ドル（取得時レート120円/ドル）である。
2. C社株式の期末時価は280千ドルである。

解答　　　　　　　　　　　仕　訳　な　し

その他有価証券

(1) 市場価格のない株式等以外

　　その他有価証券のうち、市場価格のない株式等以外のものは、外貨による時価を決算時の為替相場により換算した額で評価し、換算差額は税効果会計を適用したうえでその他有価証券評価差額金として処理します。

Point ▶ その他有価証券の評価方法—市場価格のない株式等以外

```
       取得時                              決算時
  ┌──────────────────┐            ┌──────────────────┐
  │ 外貨による取得原価(HC) │            │  外貨による時価(CC)  │
  │        ×        │            │        ×        │
  │ 取得時の為替相場(HR) │            │ 決算時の為替相場(CR) │
  └──────────────────┘            └──────────────────┘
                          換算差額
                   (その他有価証券評価差額金)
  円貨による取得原価 ◀──────────────▶ 円貨による時価
```

①　円貨による取得原価
　　＝外貨による取得原価(HC)×取得時の為替相場(HR)
②　円貨による時価＝外貨による時価(CC)×決算時の為替相場(CR)
③　換算差額(その他有価証券評価差額金)＝②－①

外貨建債券に償却原価法を適用する場合は、前述の満期保有目的債券と同様の方法で当期償却額を換算します。

39

部分純資産直入法を適用した場合の評価差損は、当期の損失（評価損）として処理します。

(2) 市場価格のない株式等

その他有価証券のうち、市場価格のない株式等は、外貨による取得原価を決算時の為替相場により換算した額で評価し、換算差額は税効果会計を適用したうえでその他有価証券評価差額金として処理します。

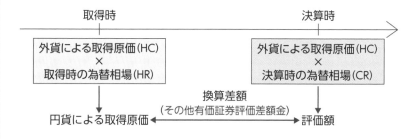

Point その他有価証券の評価方法—市場価格のない株式等

① 円貨による取得原価
　＝外貨による取得原価（HC）×取得時の為替相場（HR）
② 評価額＝外貨による取得原価（HC）×決算時の為替相場（CR）
③ 換算差額（その他有価証券評価差額金）＝②－①

 (1)と同様に、部分純資産直入法を適用した場合の評価差損は、当期の損失（評価損）として処理します。

例題 その他有価証券

次の資料に基づいて、決算時の仕訳を示しなさい。なお、決算時レートは110円/ドルであり、法人税等の法定実効税率は30%である。

[資 料]

決算整理前残高試算表	（単位：千円）
投資有価証券	152,000

投資有価証券は、「その他有価証券」として取得したD社株式およびE社株式であり、全部純資産直入法により期末評価を行う。

銘 柄	市場価格	取得原価	期末簿価	期末時価
D社株式	有	600千ドル	60,000千円	640千ドル
E社株式	無	800千ドル	92,000千円	——

解答　　　　　　　　　　　　　　　　　　　　　（仕訳の単位：千円）

① D社株式（評価差益）

（投資有価証券）	10,400*1	（繰延税金負債）	3,120*2
		（その他有価証券評価差額金）	7,280*3

*1 外貨時価640千ドル×CR110円－60,000千円＝10,400千円
*2 評価差額10,400千円×30%＝3,120千円
*3 貸借差額

② E社株式（評価差損）

（繰延税金資産）	1,200*2	（投資有価証券）	4,000*1
（その他有価証券評価差額金）	2,800*3		

*1 外貨取得原価800千ドル×CR110円－92,000千円
　　＝△4,000千円
*2 評価差額4,000千円×30%＝1,200千円
*3 貸借差額

① D社株式

CR@110円
HR@100円
円貨による時価 70,400千円
評価差額 10,400千円
取得原価 60,000千円
HC600千ドル　CC640千ドル

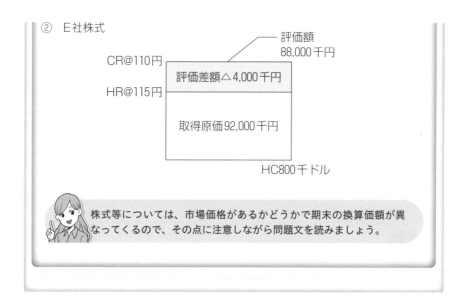

② E社株式

評価額
88,000千円

CR@110円

評価差額△4,000千円

HR@115円

取得原価92,000千円

HC800千ドル

株式等については、市場価格があるかどうかで期末の換算価額が異なってくるので、その点に注意しながら問題文を読みましょう。

減損処理

外貨建有価証券について、時価の著しい下落または実質価額の著しい低下により評価額の切下げが求められる場合、外貨建有価証券は、<u>外貨による時価または実質価額を決算時の為替相場により換算した額で評価</u>し、評価損は投資有価証券評価損益や関係会社株式評価損などの勘定で処理します。

① 円貨による取得原価
　＝外貨による取得原価(HC)×取得時の為替相場(HR)
② 円貨による時価または実質価額
　＝外貨による時価または実質価額(CC)×決算時の為替相場(CR)
③ 評価損＝②－①

減損処理を行うかどうかを判断する場合に、取得原価と時価（実質価額）の比較は外貨ベースで行います。

例題 有価証券の減損処理

次の資料に基づいて、決算時の仕訳を示しなさい。なお、決算時レート
は125円/ドルである。

[資 料]

決算整理前残高試算表		（単位：千円）
投 資 有 価 証 券	36,000	
関 係 会 社 株 式	84,000	

(1) 投資有価証券は、その他有価証券として取得したF社株式300千ドル
（取得時レート120円/ドル）である。F社株式の期末時価は120千ドルで、
期末時価は著しく下落しており、回復する見込みもないため、減損処理
を行うこととする。

(2) 関係会社株式は、関連会社株式として取得した市場価格のないG社
株式700千ドル（取得時レート120円/ドル、40株取得）である。G社
株式は、G社の財政状態の悪化により実質価額が著しく低下しており、
その1株あたりの実質価額は6千ドルである。

解答

（仕訳の単位：千円）

(1) その他有価証券（F社株式）

（投資有価証券評価損）	21,000*	（投 資 有 価 証 券）	21,000

* 期末時価120千ドル×CR125円－取得原価36,000千円
＝△21,000千円

(2) 関連会社株式（G社株式）

（関係会社株式評価損）	54,000*	（関 係 会 社 株 式）	54,000

* 1株あたりの実質価額6千ドル×40株×CR125円
－取得原価84,000千円＝△54,000千円

問題 >>> 問題編の**問題3〜問題6**に挑戦しましょう！

4 : 為替予約とは

▶ 為替予約の意義

為替予約とは、取引の当事者間で定めた将来の受渡時にあらかじめ約束したレートで外貨の購入または売却を行う契約のことです。

 為替予約のうち、外貨を購入する契約を「買予約」といい、予約レートによる円貨を支払います。また、外貨を売却する契約を「売予約」といい、予約レートによる円貨を受け取ります。

▶ ヘッジ目的の為替予約

ヘッジ目的の為替予約とは、外貨建金銭債権・債務について、為替変動から生じる影響を減らすこと（為替変動リスクのヘッジ）を目的として締結する為替予約のことです。

Point 為替予約

《為替の変動》

〈通常〉

円安
（@110円）

取引時：10,000円
（100ドル×@100円）

決済時：11,000円
（100ドル×@110円）

円高
（@90円）

決済時：9,000円
（100ドル×@90円）

〈為替予約をした場合〉

取引時：10,000円
（100ドル×@100円）

1ドル＝105円
で為替予約

決済時：10,500円
（100ドル×@105円）

為替予約の額で決済額が固定されるため、為替相場の変動リスクを回避できます。

会計処理

ヘッジ目的の為替予約の会計処理方法には、**独立処理**と**振当処理**の2つがあります。

独 立 処 理 （原　則）	ヘッジ対象である外貨建金銭債権・債務とヘッジ手段である為替予約をそれぞれ独立した取引として会計処理を行う方法
振 当 処 理 （特　例）	予約レートにより外貨建金銭債権・債務を換算し、直物レートによる換算額との差額を、為替予約等の契約締結日から外貨建金銭債権・債務の決済日までの期間にわたり配分する方法

デリバティブ取引である為替予約は、原則として期末に時価評価を行う独立処理を適用しますが、ヘッジ会計の要件を満たしている場合には、振当処理を適用することもできます。

5 ：独立処理

▶ 独立処理の会計処理 🚩

⑴ 外貨建取引（ヘッジ対象）

外貨建金銭債権・債務については、為替予約とは独立した取引として会計処理します。

 1：外貨建取引の換算および**2：決算時の処理**で学習した会計処理を行うだけです。

⑵ 為替予約（ヘッジ手段）

① 契約締結時

為替予約締結時には、財産の増減変化は生じないため、会計処理は不要です。

 デリバティブ取引は、契約締結日の価値はゼロであるため、会計処理は行いません。忘れてしまっていた方は、簿記論2に戻って復習しましょう。

② 決算時

為替予約はデリバティブ取引であるため、正味の債権および債務について時価評価します。為替予約時の予約レートと決算時の予約レートとの換算差額を為替差損益として処理し、相手勘定を為替予約とします。

③ 決済時

為替予約締結時の予約レートによる換算額と決済時の予約レートによる換算額との差額に相当する金額だけ決済額を調整します。また、決済時に為替予約が終了するため、計上していた為替予約を取り崩し、貸借差額を為替差損益として処理します。

Point ▶ 独立処理の会計処理

	取引日	予約日	決算日
ヘッジ対象 (外貨建取引)	認識	──	CR 換算替え
ヘッジ手段 (為替予約)	──	認識	時価評価

例題 **独立処理**

次の各取引日における仕訳を示しなさい。

(1) X1年1月31日　当社は商品30千ドルのドル建輸入取引を行った。当該輸入取引は掛けで行われ、買掛金の決済日はX1年5月31日である。

(2) X1年2月28日　上記(1)の輸入取引によって生じた買掛金の増加をヘッジする目的で、X1年5月31日を決済日とする30千ドルの買予約を行った。なお、為替予約については、独立処理により会計処理を行う。

(3) X1年3月31日　決算日を迎えた。

(4) X1年5月31日　買掛金および為替予約が決済された。

なお、直物レートおよびX1年5月31日を決済日とする予約レートは、次のとおりである。

日　　付	直物レート	予約レート
X1年1月31日（仕　入　日）	100円	──
X1年2月28日（為替予約日）	101円	98円
X1年3月31日（決　算　日）	102円	99円
X1年5月31日（決　済　日）	104円	104円

解答

（仕訳の単位：千円）

(1) X1年1月31日（仕入日）

（仕 入）	3,000*	（買 掛 金）	3,000

* 30千ドル×SR100円＝3,000千円

(2) X1年2月28日（為替予約日）

仕 訳 な し

(3) X1年3月31日（決算日）

① 買掛金の換算

（為 替 差 損 益）	60*	（買 掛 金）	60

* 30千ドル×CR102円－帳簿価額3,000千円＝60千円

② 為替予約の時価評価

（為 替 予 約）	30	（為 替 差 損 益）	30*

* 30千ドル×（決算日FR99円－予約日FR98円）＝30千円

(4) X1年5月31日（決済日）

① 買掛金の決済

（買 掛 金）	3,060	（現 金 預 金）	3,120*
（為 替 差 損 益）	60		

* 30千ドル×SR104円＝3,120千円

② 為替予約の決済

（現 金 預 金）	180*	（為 替 予 約）	30
		（為 替 差 損 益）	150

* 30千ドル×（決済日FR104円－予約日FR98円）＝180千円

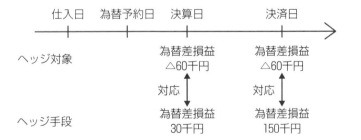

独立処理では、決算時と決済時において、買掛金から認識された為替差損益と為替予約から認識された為替差損益が、おのおの同時に損益に計上されます。それにより、ヘッジの効果が適切に損益に反映されていることがわかります。

CHAPTER 2

外貨建取引等

為替予約の時価評価

為替予約の時価評価にあたり、為替差益と為替差損の状況は次のようになります。

	円安の場合*1	円高の場合*2
外貨買予約	為替差益	為替差損
外貨売予約	為替差損	為替差益

* 1　円安とは、たとえば100円/ドルが110円/ドルとなるように、外貨為替相場で円貨が外貨に対して相対的に価値が低くなることをいいます。

* 2　円高とは、たとえば100円/ドルが90円/ドルとなるように、外貨為替相場で円貨が外貨に対して相対的に価値が高くなることをいいます。

問題 >>> 問題編の**問題7～問題8**に挑戦しましょう！

6：振当処理

Rank A

振当処理の会計処理

振当処理の会計処理は、外貨建取引発生後に為替予約を付した場合と外貨建取引発生時（まで）に為替予約を付した場合で会計処理が異なります。

振当処理は特例で認められているものですが、本試験の出題頻度は高いのでしっかりおさえましょう。

外貨建取引発生後に為替予約を付した場合

(1)　取引発生時の会計処理

外貨建取引発生後に為替予約を付した場合、取引発生時には、取引全体を取引発生時の為替レートで換算します。

(2)　契約締結時の会計処理

契約締結時には、外貨建金銭債権・債務について、予約レートによって換算替えし、取引発生時の直物為替相場による円換算額と予約レートによる円換算額との差額を認識します。

この差額を取引発生時と為替予約締結時の直物為替相場による円換算額の差額（**直々差額**）と為替予約締結時の直物為替相場による円換算額と予約レートによる円換算額との差額（**直先差額**）に分けて処理します。

直々差額	為替予約締結時までに生じている為替相場の変動による差額であるため、当期分の損益として為替差損益で処理します。
直先差額	予約日から決済日までの期間にわたって配分し、各期の損益として処理します。そのため予約時点では（長期）前払費用または（長期）前受収益で処理します。

CHAPTER
2

外貨建取引等

(3) 決算時の会計処理

直先差額のうち当期分を（長期）前払費用または（長期）前受収益から為替差損益に振り替えます。

> 直先差額は、償却原価法に準じて利息法または定額法により処理し、利息の調整項目（支払利息または受取利息）とすることもできます。

(4) 決済時の会計処理

決済時には、外貨建金銭債権・債務を予約レート（FR）により換算した金額で決済すると同時に、直先差額のうち（長期）前払費用または（長期）前受収益を為替差損益に振り替えます。

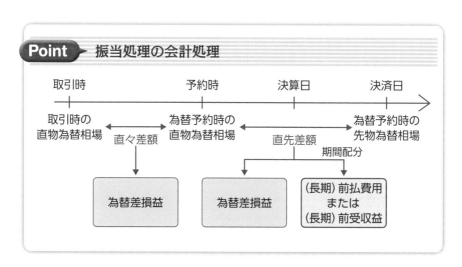

Point ▶ 振当処理の会計処理

| 取引時 | 予約時 | 決算日 | 決済日 |

| 取引時の直物為替相場 | 為替予約時の直物為替相場 | | 為替予約時の先物為替相場 |

直々差額　　　　　直先差額　　　期間配分

為替差損益　　　　為替差損益　　　（長期）前払費用または（長期）前受収益

経過勘定の処理・区分

振当処理における直先差額は、為替予約時に必ず経過勘定を計上しなければいけないのですか？
それから、長期の直先差額は、一年基準に基づいて前払費用と長期前払費用（前受収益と長期前受収益）に区分しなくてもよいのですか？

計算結果は同じなので、どの方法が正しくて、どの方法が間違っているということはありません。法令等で会計処理が規定されているわけではないから、問題文の指示に従って会計処理を行うことになります。

振当処理—取引発生後に為替予約を付した場合

次の各取引日の仕訳を示しなさい。

(1) X1年1月31日　当社は商品30千ドルのドル建輸入取引を行った。当該輸入取引は掛けで行われ、買掛金の決済日はX1年5月31日である。

(2) X1年2月28日　上記(1)の輸入取引によって生じた買掛金の増加をヘッジする目的で、X1年5月31日を決済日とする30千ドルの買予約を行った。なお、為替予約については、振当処理により会計処理を行う。

(3) X1年3月31日　決算日を迎えた。

(4) X1年5月31日　買掛金および為替予約が決済された。

なお、直物レートおよびX1年5月31日を決済日とする予約レートは、次のとおりである。

日　　付	直物レート	予約レート
X1年1月31日（仕　入　日）	100円	──
X1年2月28日（為替予約日）	101円	98円
X1年3月31日（決　算　日）	102円	99円
X1年5月31日（決　済　日）	104円	104円

解答

（仕訳の単位：千円）

(1)　**X1年1月31日（仕入日）**

（仕　　　　　入）	3,000*	（買　掛　金）	3,000

*　30千ドル×SR100円＝3,000千円

(2)　**X1年2月28日（為替予約日）**

①　直々差額

（為 替 差 損 益）	30*	（買　掛　金）	30

*　30千ドル×予約日SR101円－帳簿価額3,000千円＝30千円

②　直先差額

（買　掛　金）	90*	（前 受 収 益）	90

*　30千ドル×（予約日FR98円－予約日SR101円）＝△90千円

(3)　**X1年3月31日（決算日）**

（前 受 収 益）	30*	（為 替 差 損 益）	30

*　直先差額90千円×$\dfrac{1 \text{カ月}}{3 \text{カ月}}$＝30千円

(4)　**X1年5月31日（決済日）**

（買　掛　金）	2,940	（現 金 預 金）	2,940*1
（前 受 収 益）	60	（為 替 差 損 益）	60*2

*1　30千ドル×予約日FR98円＝2,940千円

*2　直先差額90千円×$\dfrac{2 \text{カ月}}{3 \text{カ月}}$＝60千円

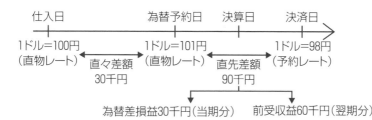

仕入日	為替予約日	決算日	決済日
1ドル＝100円 （直物レート）	1ドル＝101円 （直物レート）		1ドル＝98円 （予約レート）
	直々差額 30千円	直先差額 90千円	

為替差損益30千円（当期分）　　前受収益60千円（翌期分）

外貨建取引等

CHAPTER 2

決済時においては、外貨建金銭債権・債務を予約レート（FR）により換算した金額をもって決済するのと同時に、直先差額のうち決済日に残った金額を「為替差損益」に振り替えます。

外貨建取引発生時（まで）に為替予約を付した場合

⑴ 取引発生時の会計処理

外貨建取引発生時（まで）に為替予約を付した場合、取引発生日において、現金収支額は取引時の直物レートで換算し、外貨建金銭債権・債務のみを予約レートで換算し直先差額を（長期）前払費用または（長期）前受収益として処理します。

外貨建取引発生時（まで）に為替予約を付した場合には、取引日と予約日が実質的に同一と考えられ、為替レートの変動は生じないことから、直々差額は生じません。

⑵ 決算時の会計処理

直先差額のうち当期分を（長期）前払費用または（長期）前受収益から為替差損益に振り替えます。

例題　振当処理―取引発生時（まで）に為替予約を付した場合

次の各問における各取引日の仕訳を示しなさい。

⑴ X2年2月1日　ドル建インパクト・ローン900千ドル（返済日：X3年1月31日、利率：年6％、利息後払い）を調達し、円安による返済額の増加をヘッジする目的で、借入れと同時に為替予約を行った。なお、為替予約については、振当処理により会計処理を行う。

⑵ X2年3月31日　決算日を迎えた。

なお、直物レートおよびX3年1月31日を決済日とする予約レートは、次のとおりである。

日　付	直物レート	予約レート
X2年2月1日（借入日・予約日）	100円	98円
X2年3月31日（決　算　日）	102円	99円

問1　元本相当額について為替予約を行った場合

問2　元利総額（元本＋利息）について為替予約を行った場合

解答

（仕訳の単位：千円）

問1　元本相当額について為替予約を行った場合

⑴　**X2年2月1日（借入日・為替予約日）**

（現　金　預　金）	90,000*1	（借　　入　　金）	88,200*2
		（前　受　収　益）	1,800*3

＊1　900千ドル×SR100円＝90,000千円

＊2　900千ドル×FR98円＝88,200千円

＊3　直先差額。借入れと同時に為替予約を行っているため、直々差額はゼロ。

⑵　**X2年3月31日（決算日）**

①　**直先差額の振替処理**

（前　受　収　益）	300*	（為　替　差　損　益）	300

＊　$1,800千円 \times \dfrac{2カ月}{12カ月} = 300千円$

②　**支払利息の見越計上**

（支　払　利　息）	918*	（未　払　費　用）	918

＊　$900千ドル \times 6\% \times \dfrac{2カ月}{12カ月} \times CR102円 = 918千円$

問2　元利総額（元本＋利息）について為替予約を行った場合

(1)　X2年2月1日（借入日・為替予約日）

（現　金　預　金）	90,000*1	（借　　入　　金）	88,200*2
		（前　受　収　益）	1,800*3

* 1　900千ドル×SR100円＝90,000千円
* 2　900千ドル×FR98円＝88,200千円
* 3　直先差額。借入れと同時に為替予約を行っているため、直々差額はゼロ。

(2)　X2年3月31日（決算日）

　①　直先差額の振替処理

（前　受　収　益）	300*	（為　替　差　損　益）	300

$*\quad 1,800千円 \times \dfrac{2\ カ月}{12\ カ月} = 300千円$

　②　支払利息の見越計上

（支　払　利　息）	882*	（未　払　費　用）	882

$*\quad 900千ドル \times 6\% \times \dfrac{2\ カ月}{12\ カ月} \times FR98円 = 882千円$

元本だけでなく利息についても為替予約を行った場合、決算時において支払利息を見越計上する際には、決算時の為替相場ではなく、予約レート（FR）により計算します。なお、インパクト・ローンとは、資金使途に制限のない外貨建借入金のことです。

　仮に、直先差額のうち当期負担分を利息の調整項目として処理する場合は、決算時の直先差額の振替処理は次のようになります。

（前　受　収　益）	300	（支　払　利　息）	300

直先差額のうち当期負担分を利息の調整項目として処理するため、その分だけ支払利息が増減し、また、為替差損益は計上されません。

利息に対しても為替予約を行う場合

外貨建借入金に対して為替予約を行う場合、利息に対しても為替予約を行う場合と行わない場合がありますが、判断基準はありますか？

利息に対して為替予約を行う場合、資料に「元利総額について為替予約を行う」等の指示があります。「利」という文言があるかどうかで判断してください。

▶ 同時予約の簡便的な処理

振当処理では原則として為替予約差額を期間配分しますが、外貨建取引に対して同時に為替予約を行った場合には、実務上の煩雑性を勘案し、外貨建取引および金銭債権・債務等に予約レートによる円換算額を付すことができます。

独立処理の場合、ヘッジ対象である外貨建金銭債権・債務とヘッジ手段である為替予約は別個のものとして処理するため、このような簡便的な処理はありません。

例題　簡便処理

次の各取引日の仕訳を示しなさい。

(1)　X1年1月31日　商品30千ドルのドル建輸入取引を行った。当該輸入取引は掛けで行われ、買掛金の決済日はX1年5月31日である。なお、当社はドル建輸入取引と同時に、円安によるコスト増加をヘッジする目的で、買掛金の決済が行われる予定であるX1年5月31日を決済日とする30千ドルの買予約を行った。なお、為替予

約については、振当処理の簡便的な処理により会計
　　　処理を行う。
(2)　X1年3月31日　決算日を迎えた。
(3)　X1年5月31日　買掛金および為替予約が決済された。
　　なお、直物レートおよびX1年5月31日を決済日とする予約レートは、
　次のとおりである。

日　　付	直物レート	予約レート
X1年1月31日（仕入日・予約日）	100円	97円
X1年3月31日（決　　算　　日）	102円	99円
X1年5月31日（決　　済　　日）	104円	104円

解答

（仕訳の単位：千円）

(1)　X1年1月31日（仕入日）

（仕　　　　　入）	2,910*	（買　掛　金）	2,910

＊　30千ドル×FR97円＝2,910千円

(2)　X1年3月31日（決算日）

仕　訳　な　し

(3)　X1年5月31日（決済日）

（買　掛　金）	2,910	（現　金　預　金）	2,910

非資金取引（取引発生時に資金の増加および減少をともなわない取引）
で取引発生時に為替予約の契約をしている場合には、実務上の煩雑さ
を考えて、外貨建取引および外貨金銭債権・債務等に予約レートによ
る円換算額を付すことができます。

問題　>>>　問題編の**問題9～問題11**に挑戦しましょう！

7：予定取引

予定取引の意義

予定取引とは、取引が行われる予定はあるものの、まだ行われていない取引のことをいいます。

> ヘッジ会計の論点がかかわってきますので、教科書2をあわせて復習しておきましょう。

予定取引の会計処理

繰延ヘッジを適用したことにより繰り延べられたヘッジ手段に係る損益は、外貨建ての予定取引の内容に応じた処理をします。

> 本書では、棚卸資産の購入に関する会計処理を例にして解説していきます。なお、ヘッジ対象である外貨建取引が有形固定資産の購入である場合には、仕入勘定ではなく、各有形固定資産の勘定を使用します。

(1) 決算時

外貨建ての予定取引に対して為替予約を行った場合には、繰延ヘッジを適用し、ヘッジ対象である外貨建取引に係る損益が認識されるまで、ヘッジ手段である為替予約に係る損益または評価差額を繰延ヘッジ損益として純資産の部に繰り延べます。

(2) 取引実行時

取引実行時に繰延ヘッジ損益を仕入勘定に加減算し、棚卸資産の取得価額が費用計上される期の損益に反映させます。

予定取引

次の各取引について、必要な仕訳を示しなさい。

(1) X1年2月28日　当社はX1年4月30日に予定されている商品30千ドルのドル建輸入取引について、円安によるコスト増加をヘッジする目的で、買掛金の決済が行われる予定であるX1年5月31日を決済日とする30千ドルの買予約を行った。この商品のドル建輸入取引は実行されることが確実であり、繰延ヘッジを適用する。なお、法人税等の法定実効税率は30%である。

(2) X1年3月31日　決算日を迎えた。

(3) X1年4月30日　商品30千ドルのドル建輸入取引を行った。当該輸入取引は掛けで行われ、買掛金の決済日はX1年5月31日である。

(4) X1年5月31日　買掛金および為替予約が決済された。

なお、直物レートおよびX1年5月31日を決済日とする予約レートは、次のとおりである。

日　　付	直物レート	予約レート
X1年2月28日（為替予約日）	101円	98円
X1年3月31日（決　算　日）	102円	99円
X1年4月30日（仕　入　日）	103円	100円
X1年5月31日（決　済　日）	104円	104円

解答

（仕訳の単位：千円）

(1) X1年2月28日（為替予約日）

仕　訳　な　し

(2) X1年3月31日（決算日）

（為　替　予　約）	30*1	（繰延税金負債）	9*2
		（繰延ヘッジ損益）	21*3

＊1　30千ドル×（決算日FR99円－予約日FR98円）＝30千円
＊2　30千円×30％＝9千円
＊3　貸借差額

 為替予約について時価評価して、評価差額を繰り延べます。

(3) X1年4月30日（仕入日）

① 商品の輸入取引

（仕　　　　　入）	3,090	（買　　掛　　金）	3,090*

＊　30千ドル×SR103円＝3,090千円

② 為替予約の時価評価（前期末→仕入日）

（為　替　予　約）	30*1	（繰延税金負債）	9*2
		（繰延ヘッジ損益）	21*3

＊1　30千ドル×（取引日FR100円－決算日FR99円）＝30千円
＊2　30千円×30％＝9千円
＊3　貸借差額

③ 繰延ヘッジ損益（累計）による減殺処理

（繰延税金負債）	18*1	（仕　　　　　入）	60*3
（繰延ヘッジ損益）	42*2		

＊1　前期末9千円＋仕入時9千円＝累計18千円
＊2　前期末21千円＋仕入時21千円＝累計42千円
＊3　借方合計

 予約日から取引実行時までに生じた評価差額と仕入を相殺します。

(4) X1年5月31日（決済日）

① 買掛金の決済

（買　　掛　　金）	3,090	（現　金　預　金）	3,120*
（為 替 差 損 益）	30		

＊　30千ドル×SR104円＝3,120千円

② 為替予約の決済

（現　金　預　金）	180*	（為　替　予　約）	60
		（為 替 差 損 益）	120

＊　30千ドル×（SR104円－予約日FR98円）＝180千円

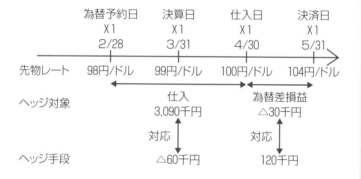

	為替予約日 X1 2/28	決算日 X1 3/31	仕入日 X1 4/30	決済日 X1 5/31
先物レート	98円/ドル	99円/ドル	100円/ドル	104円/ドル
ヘッジ対象		仕入 3,090千円	為替差損益 △30千円	
		対応	対応	
ヘッジ手段		△60千円	120千円	

仕入れた商品のすべてを当期に販売した場合、商品の取得価額が売上原価3,030千円（3,090千円－60千円）として費用計上されるため、予約日から仕入日までのヘッジの効果は当期の損益に反映されることになります。

問題 >>> 問題編の**問題12**に挑戦しましょう！

参考　満期保有目的の債券（為替予約付、振当処理）

▌外貨建満期保有目的の債券に為替予約を付し、振当処理を採用している場合

　額面金額と取得原価が異なる外貨建の満期保有目的債券に為替予約を付し、振当処理を採用した場合、額面金額を先物為替相場（FR）で円換算し、取得原価との差額を償還までの期間にわたって合理的な方法により配分し、各期の損益とします。

例題　満期保有目的の債券（為替予約付、振当処理）

　以下の取引について、決算日（X1年3月31日）の仕訳を示しなさい。

　X1年1月1日（120円／ドル）、X社社債を960ドル（額面1,000ドル、満期日X3年12月31日）で満期保有目的の債券として取得した。なお、取得と同時に当該社債の額面金額に対して、為替予約（126円／ドル）を付した。また、振当処理を採用しており、為替予約差額の期間配分は月割計算する。決算日（X1年3月31日）の直物為替相場は122円／ドルであった。

解答

（長期前受収益）　　900*　　（為替差損益）　　900

* 10,800円 × $\frac{3カ月（X1. 1／1～X1. 3/31）}{36カ月（X1. 1／1～X3. 12/31）}$ ＝900円

X1年1月1日（取得日、為替予約締結）

　額面金額を先物為替相場により円換算して、取得原価との差額を償還までの期間にわたって配分し、各期の損益とします。

（投資有価証券）　126,000*1　（現　金　預　金）　115,200*2
　　　　　　　　　　　　　　　（長期前受収益）　　10,800*3

* 1　1,000ドル×FR126円／ドル＝126,000円
* 2　HC960ドル×HR120円／ドル＝115,200円
* 3　貸借差額

63

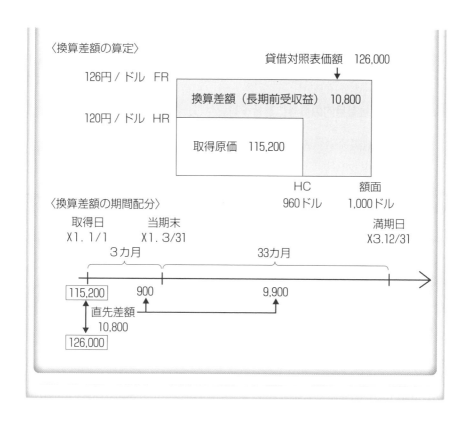

〈換算差額の算定〉

貸借対照表価額　126,000

126円／ドル　FR

換算差額（長期前受収益）　10,800

120円／ドル　HR

取得原価　115,200

HC　　　　　額面
960ドル　　1,000ドル

〈換算差額の期間配分〉

取得日　　　　当期末　　　　　　　　　　　　　　　　満期日
X1.1/1　　　 X1.3/31　　　　　　　　　　　　　　　　X3.12/31

　3カ月　　　　　　　　　33カ月

115,200　　900　　　　　　9,900

直先差額
10,800

126,000

問題 >>> 問題編の**問題13〜問題14**に挑戦しましょう！

☐ **外貨建取引の換算方法**

> **円換算額＝外貨建取引額×為替レート**

取引発生時		取引発生時の為替相場
決 済 時		決済時の為替相場
決算時	貨 幣 項 目	決算時の為替相場
	非貨幣項目	取引発生時の為替相場

☐ **外貨建取引の決算時の会計処理**

分　　類		項　　目	換　算
貨 幣 項 目	資産	外国通貨、外貨預金、受取手形、売掛金、未収金、未収収益など	決算時の為替相場
	負債	支払手形、買掛金、未払金、社債、借入金、未払費用など	
非貨幣項目	資産	棚卸資産、前払金、前払費用、固定資産など	取引発生時の為替相場
	負債	前受金、前受収益など	

☐ 外貨建売買目的有価証券の評価方法

① 円貨による取得原価
　　＝外貨による取得原価（HC）×取得時の為替相場（HR）
② 円貨による時価＝外貨による時価（CC）×決算時の為替相場（CR）
③ 換算差額（有価証券評価損益）＝②－①

☐ 外貨建満期保有目的の債券の評価方法

(1) 償却原価法を適用しない場合

① 円貨による取得原価
　　＝外貨による取得原価（HC）×取得時の為替相場（HR）
② 評価額＝外貨による取得原価（HC）×決算時の為替相場（CR）
③ 換算差額（為替差損益）＝②－①

(2) 償却原価法を適用する場合

① 円貨による取得原価
　　＝外貨による取得原価（HC）×取得時の為替相場（HR）
② 当期償却額＝外貨による当期償却額×期中平均相場（AR）
③ 評価額＝外貨による償却原価×決算時の為替相場（CR）
④ 換算差額（為替差損益）＝③－（①＋②）

☐ 外貨建その他有価証券の評価方法

(1) 市場価格のない株式等以外

① 円貨による取得原価
＝外貨による取得原価（HC）×取得時の為替相場（HR）
② 円貨による時価＝外貨による時価（CC）×決算時の為替相場（CR）
③ 換算差額（その他有価証券評価差額金）＝②－①

(2) 市場価格のない株式等

① 円貨による取得原価
＝外貨による取得原価（HC）×取得時の為替相場（HR）
② 評価額＝外貨による取得原価（HC）×決算時の為替相場（CR）
③ 換算差額（その他有価証券評価差額金）＝②－①

☐ 減損処理

① 円貨による取得原価
＝外貨による取得原価（HC）×取得時の為替相場（HR）
② 円貨による時価または実質価額
＝外貨による時価または実質価額（CC）×決算時の為替相場（CR）
③ 評価損＝②－①

☐ 為替予約の会計処理方法

独 立 処 理 （原　則）	ヘッジ対象である外貨建金銭債権・債務とヘッジ手段である為替予約をそれぞれ独立した取引として会計処理を行う方法
振 当 処 理 （特　例）	予約レートにより外貨建金銭債権・債務を換算し、直物レートによる換算額との差額を、為替予約等の契約締結日から外貨建金銭債権・債務の決済日までの期間にわたり配分する方法

☐ 為替予約の独立処理の計算方法

☐ 為替予約の振当処理の計算方法

直 々 差 額	為替予約締結時までに生じている為替相場の変動による差額であるため、当期分の損益として為替差損益で処理します。
直 先 差 額	予約日から決済日までの期間にわたって配分し、各期の損益として処理します。そのため予約時点では（長期）前払費用または（長期）前受収益で処理します。

☐ **予定取引の会計処理**

決　算　時	ヘッジ手段である為替予約に係る損益または評価差額を、繰延ヘッジ損益として純資産の部にて繰り延べます。
取引実行時	取引実行時に繰延ヘッジ損益を仕入勘定（または各有形固定資産勘定）に加減算します。

CHAPTER 3

ここでは、本支店会計について学習します。会社全体の利益はどのようにして算定するのか、また、会社としての公表用財務諸表はどのようにして作成するのかということを、簿記一巡をつねに意識しながら学習しましょう。

また、本支店間取引、未達取引、内部利益の調整は本支店特有の論点なので、しっかりとおさえましょう。

構造論点・その他の論点

本支店会計

>> 支店をもつ大規模な企業会計について学習します。

学習スケジュール

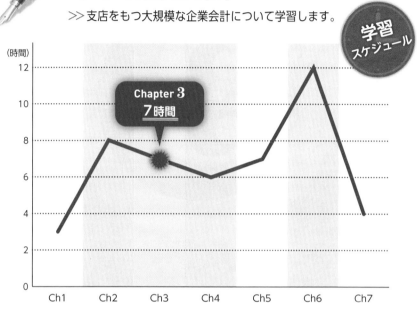

Chapter 3
7時間

Check List

☐ 支店独立会計制度を理解しているか？
☐ 本支店間取引の会計処理を理解しているか？
☐ 決算手続の流れを理解しているか？
☐ 未達取引の会計処理を理解しているか？
☐ 内部利益の調整方法を理解しているか？
☐ 本支店合併財務諸表の作成の流れを理解しているか？
☐ 在外支店の換算方法を理解しているか？

Link to

財務諸表論では、本支店会計が出題される可能性が低いため、簿記論特有の論点となります。

1：本店集中会計制度と支店独立会計制度

Rank A

▌本店集中会計制度と支店独立会計制度

本支店会計では会計単位の違いにより、**本店集中会計制度**と**支店独立会計制度**の2つの会計制度があります。

⑴　本店集中会計制度

本店集中会計制度とは、本店のみが会計単位となる会計制度であり、支店で行われた取引はすべて伝票などによって本店に報告され、本店の帳簿に記録されます。

⑵　支店独立会計制度

支店独立会計制度とは、支店が独立した会計単位となる会計制度であり、支店は独立した帳簿組織を備えて取引を記録し、決算を行って独自の業績を把握します。

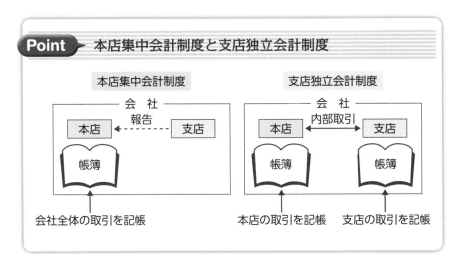

Point ▶ 本店集中会計制度と支店独立会計制度

学習上は、支店独立会計制度を前提としてみていきます。

CHAPTER **3** 本支店会計

2 ：本支店間取引

▶ 支店勘定と本店勘定 🚩

　支店独立会計制度では、本支店間取引を会社内における貸借関係つまり債権・債務関係とみなし、本店では支店勘定を、支店では本店勘定を設定して会計処理を行います。

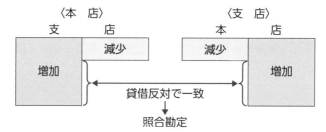

Point ▶ **支店勘定と本店勘定**

〈本　店〉 支店
〈支　店〉 本店

増加 / 減少
減少 / 増加

貸借反対で一致
↓
照合勘定

① 　本店における支店勘定は、通常、借方残高となり支店に対する債権を示しますが、その本質は本店から支店への投資額を意味します。

② 　支店における本店勘定は、通常、貸方残高となり本店に対する債務を示しますが、その本質は支店の純資産額を意味します。

支店勘定と本店勘定は、貸借反対で金額は必ず一致します。この支店勘定と本店勘定のことを照合勘定といいます。本支店会計の問題の多くは、この関係を利用して解くことになります。

▶ 送金取引

　本支店間で資金を合理的に運用するため、資金に余裕のある本店から資金が不足している支店へ送金するというように、本支店間で送金取引が行われることがあります。

例題 送金取引

次の取引について、本店および支店に係る仕訳を示しなさい。

本店は支店に現金22,500円を送金した。

解答

本　店

（支　　　店）	22,500	（現　　　金）	22,500

支　店

（現　　　金）	22,500	（本　　　店）	22,500

本支店会計を学ぶうえでは、2つの視点から考えることが大切です。
① 会社全体としてみると、現金の保管場所を移動させただけです。
② 本店や支店を個々でみると、債権・債務関係が発生しています。

▶ 債権・債務の決済取引

　本支店間では、本店が支店に代わって支店の売掛金や受取手形を回収したり、支店の買掛金や支払手形を決済したりすることがあります。また、支店が本店に代わってこのような取引を行うこともあります。

CHAPTER 3 本支店会計

例題 債権・債務の決済取引

次の各取引について、本店および支店に係る仕訳を示しなさい。

⑴ 本店は支店の得意先より売掛金52,500円を現金で回収した。

⑵ 支店は本店の仕入先へ買掛金37,500円を小切手を振り出して支払った。

解答 ⑴ 債権の決済取引

本 店

|（現 金）|52,500|（支 店）|52,500|

支 店

|（本 店）|52,500|（売 掛 金）|52,500|

⑵ 債務の決済取引

本 店

|（買 掛 金）|37,500|（支 店）|37,500|

支 店

|（本 店）|37,500|（当 座 預 金）|37,500|

▌▶ 費用・収益の立替取引

本支店間では、本店が支店の費用を立替払いしたり、支店の収益の一部を受け取ったりすることがあります。また、支店が本店に代わってこのような取引を行うこともあります。

例題 **費用・収益の立替取引**

次の各取引について、本店および支店に係る仕訳を示しなさい。

(1) 本店は支店従業員の出張旅費15,000円を現金で立替払いした。

(2) 支店は本店が管理している建物の賃貸料12,000円を本店に代わって現金で受け取った。

解答 (1) **費用の立替取引**

本 店

(支 店)	15,000	(現 金)	15,000

支 店

(旅 費 交 通 費)	15,000	(本 店)	15,000

(2) **収益の立替取引**

本 店

(支 店)	12,000	(受 取 賃 貸 料)	12,000

支 店

(現 金)	12,000	(本 店)	12,000

▌▶ 商品の受払取引

　本支店間では、本店が外部から商品を仕入れて支店へ送付したり、逆に支店が外部から商品を仕入れて本店に送付する場合があります。この場合、商品の送付価格（振替価格）を原価とするか、または原価に一定の利益を加算した価格とするかで会計処理が異なります。

原価に一定の利益を加算することで、本店および支店の独自の業績が把握できるため、一般的には原価に一定の利益を加算した価格を振替価格とします。なお、本書では原価に一定の利益を加算した価格を振替価格とする方法を前提に解説します。

▶ 原価に一定の利益を加算した価格を振替価格とする方法 🚩

　商品発送側は売上として、商品受入側は仕入として会計処理を行います。この場合、本支店間取引と他社との取引を区別するため、本店では支店売上勘定または支店仕入勘定が、支店では本店売上勘定または本店仕入勘定が設定されます。

Point ▶ **原価に一定の利益を加算した価格を振替価格とする方法**

　例）　本店が仕入れた商品 30,000 円に 10%の利益を加算した価格を振替価格として支店に送付し、支店が 45,000 円で得意先に販売した場合

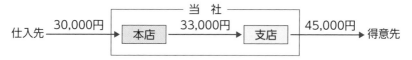

(本店)	損　益　計　算　書		(支店)	損　益　計　算　書	
売上原価 30,000	支店売上 33,000		売上原価 33,000	売　　上 45,000	
利　　益　 3,000			利　　益 12,000		

①本支店間取引と他社との取引を区別する考え方と②本店と支店の独自の業績を把握する考え方は重要です。

 商品の受払取引

次の取引の本店および支店に係る仕訳を示しなさい。

本店は仕入原価30,000円の商品を支店に送付した。なお、本店は支店に仕入原価の10%増の価格で商品を送付している。

 本 店

（支 店）	33,000	（支 店 売 上）	33,000*

支 店

（本 店 仕 入）	33,000*	（本 店）	33,000

＊ 30,000円×1.1＝33,000円

プラスα 原価を振替価格とする方法

商品送付側の仕入原価をもって振替価格とする場合、送付側も受入れ側も仕入勘定により会計処理を行います。

仮に、前例題を商品送付側の仕入原価をもって振替価格とする場合、次のような仕訳になります。

本 店

（支 店）	30,000	（仕 入）	30,000

支 店

（仕 入）	30,000	（本 店）	30,000

この場合、本店は仕入活動を行い、会社全体の収益に貢献しているにもかかわらず、利益はゼロとなり、まったく評価されないことになってしまいます。

 日商簿記2級で学習した方法は原価を振替価格とする方法です。

▌▶ 直接仕入取引

　本来、本店を通して仕入れている商品を、支店が直接本店の仕入先から仕入れることがあります。このような場合でも、本店を通して仕入れた場合と同様の会計処理を、本店・支店それぞれで行います。

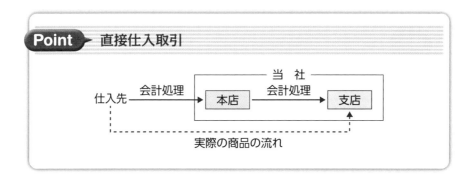

▌▶ 直接販売取引

　本来、支店を通して販売している商品を、本店が直接支店の得意先に販売することがあります。このような場合でも、支店を通して販売した場合と同様の会計処理を、本店・支店それぞれで行います。

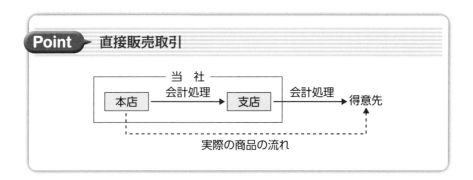

CHAPTER
3

本支店会計

| 例題 | **直接仕入取引・直接販売取引** |

次の各取引の仕訳を示しなさい。

(1) 支店は本店の仕入先より商品30,000円（仕入原価）を直接掛けにより仕入れ、これを本店に連絡した。なお、本店は支店に仕入原価の10%増の価格で商品を送付している。

(2) 本店は支店の得意先に商品45,000円を直接掛けにより売り上げ、これを支店に連絡した。なお、この商品の本店仕入原価は30,000円であり、本店は支店に仕入原価の10%増の価格で商品を送付している。

| 解答 | (1) **直接仕入取引** |

本　店

| （仕　　　　　　入） | 30,000 | （買　　掛　　金） | 30,000 |
| （支　　　　　店） | 33,000 | （支　店　売　上） | 33,000* |

支　店

| （本　店　仕　入） | 33,000* | （本　　　　　店） | 33,000 |

＊　30,000円×1.1＝33,000円

(2) **直接販売取引**

本　店

| （支　　　　　店） | 33,000 | （支　店　売　上） | 33,000* |

支　店

| （本　店　仕　入） | 33,000* | （本　　　　　店） | 33,000 |
| （売　　掛　　金） | 45,000 | （売　　　　　上） | 45,000 |

＊　30,000円×1.1＝33,000円

| 問題 | ⟩⟩⟩ 問題編の**問題1**に挑戦しましょう！

3：決算整理

▌決算手続

　本支店会計における決算手続は、基本的には通常の決算手続と同じですが、未達取引、支店純損益の振替えおよび内部利益の整理について、本支店会計特有の会計手続を行います。

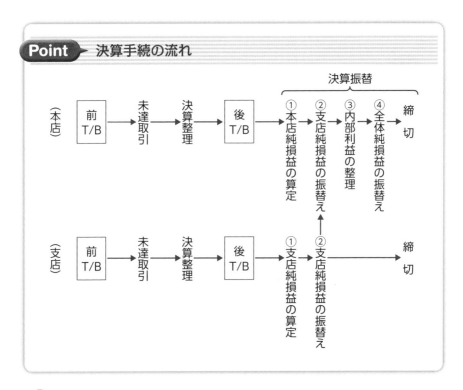

Point 　決算手続の流れ

決算振替

（本店）　→ 前 T/B → 未達取引 → 決算整理 → 後 T/B → ① 本店純損益の算定 → ② 支店純損益の振替え → ③ 内部利益の整理 → ④ 全体純損益の振替え → 締切

（支店）　→ 前 T/B → 未達取引 → 決算整理 → 後 T/B → ① 支店純損益の算定 → ② 支店純損益の振替え → 締切

この図は重要ですので、何度も見返しましょう。

未達取引の意義

　未達取引とは、本支店間の取引のうち、本店または支店のいずれか一方が記帳済みであるにもかかわらず、決算日現在、もう一方では記帳されていない取引のことです。

 照合勘定である支店勘定と本店勘定の残高は、貸借反対で一致するはずですが、決算にあたり不一致となっていることがあります。この原因として未達取引があげられます。

Point ▶ 未達取引

　支店勘定と本店勘定は貸借反対で金額は必ず一致します。したがって、不一致である場合は、決算整理を行う前に一致させる会計処理が必要となります。

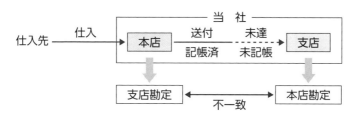

未達取引の会計処理 🚩

　未達取引は、決算時に到着したものとみなして未達側が会計処理を行うことになります。

 たとえば、商品の未達であれば、未達側が商品を送った側に合わせて会計処理を行います。問題を解くときは、正しい数値を把握している側がどちらかを考え、正しい数値に合わせるようにしましょう。

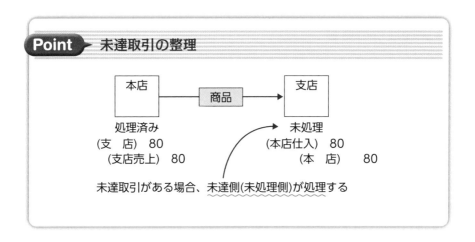

本店 ──[商品]──→ 支店

処理済み　　　　　　　　　　　未処理
（支　店）　80　　　　　　　　（本店仕入）　80
　　（支店売上）　80　　　　　　　　（本　店）　80

未達取引がある場合、未達側(未処理側)が処理する

　未達取引がある場合、支店勘定と本店勘定、支店売上勘定と本店仕入勘定の各残高は一致していませんが、未達取引を整理することにより、これらの残高が一致します。

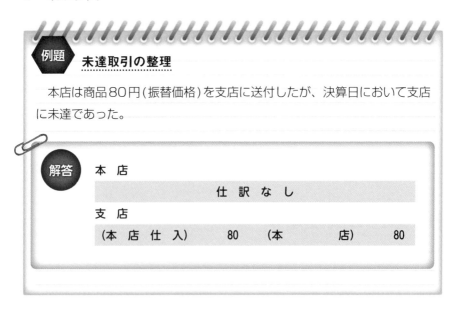

例題　未達取引の整理

　本店は商品80円（振替価格）を支店に送付したが、決算日において支店に未達であった。

解答

本　店

仕　訳　な　し			

支　店

（本　店　仕　入）	80	（本　　　店）	80

84

▌▶ 決算整理

　未達取引の会計処理を行った後に、本店および支店のそれぞれが通常の決算整理を行います。

例題 **未達取引および決算整理**

　次の資料に基づいて、(1)未達取引および(2)決算整理の仕訳を示しなさい。

[資　料]

決算整理前残高試算表　　　　　　（単位：千円）

借　　方	本　店	支　店	貸　　方	本　店	支　店
現 金 預 金	3,375	2,046	買 　掛 　金	1,200	750
売 　掛 　金	1,800	900	貸 倒 引 当 金	15	6
繰 越 商 品	900	630	繰 延 内 部 利 益	30	―
支 　　　店	2,100	―	本 　　　店	―	1,980
仕 　　　入	12,000	3,000	資 　本 　金	3,000	―
本 店 仕 入	―	3,300	利 益 準 備 金	600	―
営 　業 　費	3,600	1,860	繰 越 利 益 剰 余 金	300	―
			売 　　　上	15,000	9,000
			支 店 売 上	3,630	―
合 　　　計	23,775	11,736	合 　　　計	23,775	11,736

1．本店は支店に対して、毎期仕入原価の10％増の価格で商品を送付している。

2．未達取引

　①　本店は支店に商品330千円（振替価格）を発送したが、支店に未達である。

　②　本店は支店の営業費90千円を立替払いしたが、支店に未達である。

　③　支店は本店の売掛金300千円を回収したが、本店に未達である。

3．決算整理

　①　期末商品棚卸高（未達商品は含まれていない）

　　　本店：1,200千円

　　　支店：　630千円（うち本店仕入分330千円）

売上原価は、売上原価勘定で算定する。

② 期末売上債権に対して 2 ％の貸倒引当金を差額補充法により設定
する。

（仕訳の単位：千円）

(1) 未達取引

本 店

（支 店）	300	（売 掛 金）	300

支 店

（本 店 仕 入）	330	（本 店）	330
（営 業 費）	90	（本 店）	90

(2) 決算整理

① 売上原価の算定

本 店

（売 上 原 価）	900	（繰 越 商 品）	900
（売 上 原 価）	12,000	（仕 入）	12,000
（繰 越 商 品）	1,200	（売 上 原 価）	1,200

支 店

（売 上 原 価）	630	（繰 越 商 品）	630
（売 上 原 価）	3,000	（仕 入）	3,000
（売 上 原 価）	3,630	（本 店 仕 入）	3,630*1
（繰 越 商 品）	960*2	（売 上 原 価）	960

* 1　3,300千円＋未達分330千円＝3,630千円
* 2　630千円＋未達分330千円＝960千円

② 貸倒引当金の設定

本 店

（貸倒引当金繰入額）	15*	（貸 倒 引 当 金）	15

*　（1,800千円－未達分300千円）× 2 ％－15千円＝15千円

支 店

（貸倒引当金繰入額）	12*	（貸 倒 引 当 金）	12

*　900千円× 2 ％－ 6 千円＝12千円

〈照合勘定〉

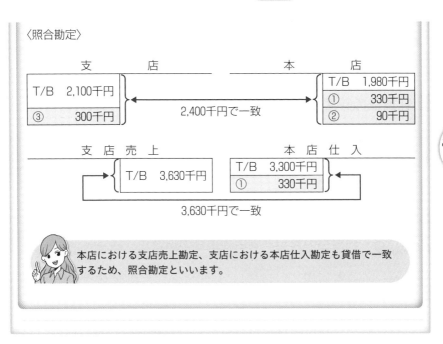

```
          支         店                              本         店
┌─────────────────┐                       ┌─────────────────┐
│ T/B   2,100千円  │◄──────────────────►   │ T/B   1,980千円  │
├─────────────────┤     2,400千円で一致     ├─────────────────┤
│ ③      300千円  │                       │ ①      330千円  │
└─────────────────┘                       ├─────────────────┤
                                          │ ②       90千円  │
                                          └─────────────────┘

          支  店  売  上                          本  店  仕  入
     ┌─────────────────┐                   ┌─────────────────┐
  ──►│ T/B   3,630千円  │                   │ T/B   3,300千円  │◄──
     └─────────────────┘                   ├─────────────────┤
                                          │ ①      330千円  │◄──
                                          └─────────────────┘
                      3,630千円で一致
```

本店における支店売上勘定、支店における本店仕入勘定も貸借で一致するため、照合勘定といいます。

問題 ⟫⟫⟫ 問題編の**問題2〜問題3**に挑戦しましょう！

4：決算振替

▌▶ 純損益の算定と支店純損益の振替え

　本支店会計における決算振替では、まず本店および支店がそれぞれ独自の純損益を算定します。その後に、会社全体の純損益を算定するため、本店の損益勘定に支店純損益を振り替えます。

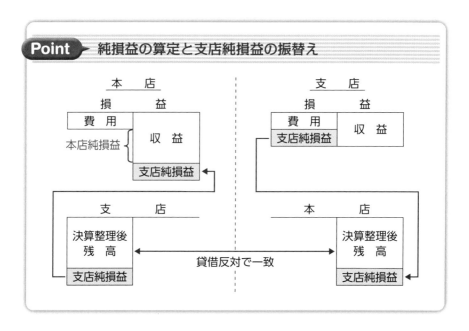

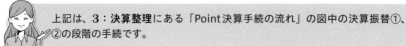

上記は、**3：決算整理**にある「Point 決算手続の流れ」の図中の決算振替①、②の段階の手続です。

▮▶ 内部利益の意義

本支店間の商品の受払取引にあたり、原価に一定の利益を加算した価格を振替価格としている場合、決算日現在、本店または支店で在庫となっている商品には、加算された利益が含まれています。この利益を**内部利益**といいます。

▮▶ 内部利益の整理 🚩

内部利益が生じている場合には、本店と支店の純損益の合計は会社全体の純損益と一致しないため、本店の帳簿上、内部利益の整理を行います。

⑴ **期末商品に含まれる内部利益**

期末商品に含まれる内部利益を繰延内部利益勘定に繰り入れます。なお、相手勘定は繰延内部利益控除として借方に記入します。

そして、繰延内部利益控除は、利益の控除として損益勘定へ振り替えます。

$$繰延内部利益控除 = 期末商品に含まれる内部仕入高 \times \frac{内部利益率}{1+内部利益率}$$

⑵ **期首商品に含まれる内部利益**

期首商品に含まれる内部利益は、当期において販売されたことで実現したと仮定し、前期末に繰り延べた繰延内部利益を当期の利益として戻し入れます。なお、相手勘定は繰延内部利益戻入として貸方に記入します。

そして、繰延内部利益戻入は、利益に加算するため、損益勘定へ振り替えます。

$$繰延内部利益戻入 = 期首商品に含まれる内部仕入高 \times \frac{内部利益率}{1+内部利益率}$$

期首試算表や決算整理前残高試算表および決算整理後残高試算表に計上される繰延内部利益は、本店の期首繰延内部利益を表しています。

CHAPTER **3** 本支店会計

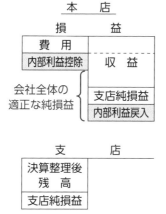

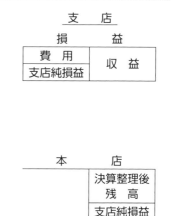

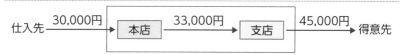

上記は、**3：決算整理**にある「Point 決算手続の流れ」の図中の決算振替③の段階の手続です。

内部利益の発生・実現

本店は30,000円で商品を仕入れ、支店に33,000円で販売したときの内部利益の発生と実現についてみていきましょう。

(1) 内部利益が生じない場合

仕入先 ──30,000円→ 本店 ──33,000円→ 支店 ──45,000円→ 得意先

　支店が商品を外部者である得意先へと販売している場合、本店の利益3,000円（＝33,000円－30,000円）は会社全体の利益15,000円（＝45,000円－30,000円）の一部として実現します。

(2) 内部利益が生じる場合

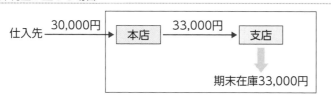

支店において商品が売られずに期末在庫となった場合、会社全体の利益は0円となるため、本店の利益3,000円は内部利益となります。

(3) 内部利益が翌期に実現する場合（(2)の翌期）

期末在庫となった商品を翌期に外部へ販売した場合、会社全体の利益は15,000円となるため、未実現だった内部利益3,000円が実現します。

例題　決算振替

次の資料に基づいて、決算振替に関する仕訳を示しなさい。

[資　料]

決算整理後残高試算表　　　　（単位：千円）

借　　方	本　店	支　店	貸　　方	本　店	支　店
現 金 預 金	3,375	2,046	買 掛 金	1,200	750
売 掛 金	1,500	900	貸 倒 引 当 金	30	18
繰 越 商 品	1,200	960	繰 延 内 部 利 益	30	―
支 店	2,400	―	本 店	―	2,400
売 上 原 価	11,700	6,300	資 本 金	3,000	―
営 業 費	3,600	1,950	利 益 準 備 金	600	―
貸倒引当金繰入額	15	12	繰 越 利 益 剰 余 金	300	―
			売 上	15,000	9,000
			支 店 売 上	3,630	―
合 　 計	23,790	12,168	合 　 計	23,790	12,168

1．本店は支店に対して、毎期仕入原価の10％増の価格で商品を送付している。
2．支店の期末商品棚卸高のうち本店仕入分は660千円である。

解答

（仕訳の単位：千円）

(1) 収益・費用の振替え

本　店

（売 上）	15,000	（損 益）	18,630
（支 店 売 上）	3,630		

（損 益）	15,315	（売 上 原 価）	11,700
		（営 業 費）	3,600
		（貸倒引当金繰入額）	15

支　店

（売 上）	9,000	（損 益）	9,000

（損 益）	8,262	（売 上 原 価）	6,300
		（営 業 費）	1,950
		（貸倒引当金繰入額）	12

(2) 支店純損益の振替え

本　店

（支 店）	738	（損 益）	738

支　店

（損 益）	738*	（本 店）	738

＊　9,000千円－8,262千円＝738千円

(3) 内部利益の整理

本　店

（繰 延 内 部 利 益）	30*1	（繰延内部利益戻入）	30
（繰延内部利益控除）	60	（繰 延 内 部 利 益）	60*2

＊1　期首繰延内部利益

＊2　$660千円 \times \dfrac{0.1}{1.1} = 60千円$

| （繰延内部利益戻入） | 30 | （損　　　　益） | 30 |
| （損　　　　益） | 60 | （繰延内部利益控除） | 60 |

⑷　**全体純損益の振替え**

本　店

| （損　　　　益） | 4,023 | （繰越利益剰余金） | 4,023 |

〈勘定記入〉

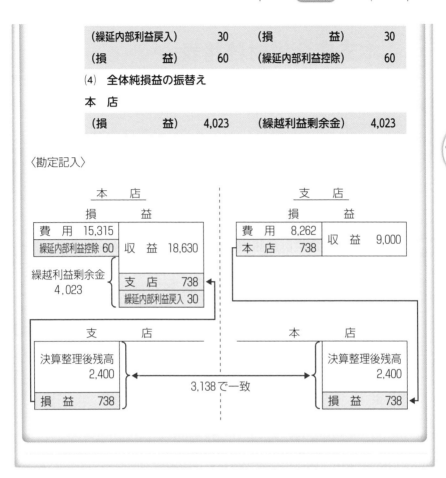

```
          本    店                          支    店
        損         益                      損         益
┌─────────────┬──────────┐       ┌──────────┬──────────┐
│費  用 15,315│          │       │費  用 8,262│          │
├─────────────┤収 益 18,630│       ├──────────┤収 益 9,000│
│繰延内部利益控除 60│          │       │本  店  738│          │
└─────────────┼──────────┤       └──────────┴──────────┘
繰越利益剰余金      │支  店   738│
   4,023         ├──────────┤
                │繰延内部利益戻入 30│◄─────────────────┐
                └──────────┘                          │
          支    店                          本    店      │
┌─────────────┬──────────┐       ┌──────────┬──────────┐
│決算整理後残高   │          │◄──────►│          │決算整理後残高 │
│       2,400  │ 3,138で一致 │       │          │       2,400│
├─────────────┤          │       ├──────────┤          │
│損  益   738  │          │       │          │損  益   738│◄─┘
└─────────────┴──────────┘       └──────────┴──────────┘
```

問題 ⟫⟫⟫ 問題編の**問題4**に挑戦しましょう！

CHAPTER 3

本支店会計

5：本支店合併財務諸表

本支店合併財務諸表

　本店では、帳簿により会社全体の損益計算を行うとともに、外部公表用の本支店合併財務諸表を作成します。この本支店合併財務諸表の作成の流れは、次のようになります。

Point　本支店合併財務諸表の作成の流れ

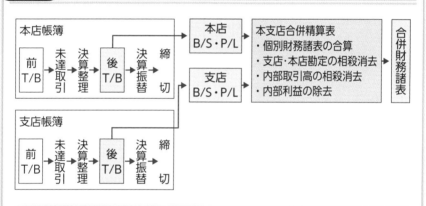

① 本支店合併精算表（帳簿外）で作成します。
② 決算整理後残高試算表に基づいて作成された本店および支店の個別財務諸表を合算します。
③ 支店勘定、本店勘定を相殺消去します。
④ 支店売上勘定、本店仕入勘定、その他の内部取引高を相殺消去します。
⑤ 損益計算書の期首商品棚卸高、期末商品棚卸高および貸借対照表の商品から内部利益を除去します。

例題　**本支店合併財務諸表**

次の資料に基づいて、本支店合併財務諸表を作成しなさい。

[資　料]

1．個別財務諸表

貸　借　対　照　表　　　　　　（単位：千円）

借　　方	本　店	支　店	貸　　方	本　店	支　店
現 金 預 金	3,375	2,046	買 　 掛 　 金	1,200	750
売 　 掛 　 金	1,500	900	貸 倒 引 当 金	30	18
商 　 　 　 品	1,200	960	繰 延 内 部 利 益	30	—
支 　 　 　 店	2,400	—	本 　 　 店	—	2,400
			資 　 本 　 金	3,000	—
			利 益 準 備 金	600	—
			繰越利益剰余金	300	—
			当 期 純 利 益	3,315	738
合 　 　 　 計	8,475	3,906	合 　 　 　 計	8,475	3,906

損　益　計　算　書　　　　　　（単位：千円）

借　　方	本　店	支　店	貸　　方	本　店	支　店
期 首 商 品	900	630	売 　 　 　 上	15,000	9,000
当 期 仕 入	12,000	3,000	支 店 売 上	3,630	—
本 店 仕 入	—	3,630	期 末 商 品	1,200	960
営 　 業 　 費	3,600	1,950			
貸倒引当金繰入額	15	12			
当 期 純 利 益	3,315	738			
合 　 　 　 計	19,830	9,960	合 　 　 　 計	19,830	9,960

2．本店は支店に対して、毎期仕入原価の10%増の価格で商品を送付している。

3．支店の期末商品棚卸高のうち本店仕入分は660千円である。

解答

本支店合併貸借対照表　　　（単位：千円）

現 金 預 金	5,421	買 掛 金	1,950
売 掛 金	2,400	貸 倒 引 当 金	48
商 品	2,100	資 本 金	3,000
		利 益 準 備 金	600
		繰越利益剰余金	4,323
	9,921		9,921

本支店合併損益計算書　　　（単位：千円）

期 首 商 品	1,500	売 上	24,000
当 期 仕 入	15,000	期 末 商 品	2,100
営 業 費	5,550		
貸倒引当金繰入額	27		
当 期 純 利 益	4,023		
	26,100		26,100

（仕訳の単位：千円）

(1) 照合勘定の相殺消去

　① 本店勘定と支店勘定の相殺消去

（本　　　店）	2,400	（支　　　店）	2,400

　② 内部取引高の相殺消去

（支 店 売 上）	3,630	（本 店 仕 入）	3,630

(2) 内部利益の除去

　① 期首商品に含まれる内部利益

（繰延内部利益）	30*	（期 首 商 品）	30

　＊　本店の貸借対照表より

　② 期末商品に含まれる内部利益

（期 末 商 品）	60	（商　　　品）	60*

　＊　$660千円 \times \dfrac{0.1}{1.1} = 60千円$

　③ 繰越利益剰余金

　　個別B/S繰越利益剰余金300千円＋当期純利益4,023千円＝4,323千円

解説の仕訳はあくまでも組替仕訳なので、本店および支店のいずれの帳簿にも記入されません。なお、組替仕訳とは、簡単にいうと、財務諸表を作成する際に行う便宜上の仕訳をいいます。

CHAPTER

3

本支店会計

問題 >>> 問題編の**問題5**に挑戦しましょう！

6：支店相互間取引

支店相互間取引

支店が複数ある場合、本支店間取引のほかに支店相互間取引が行われることがあります。この場合の処理方法には、**支店分散計算制度**と**本店集中計算制度**の2つの方法があります。

 支店が複数ある場合でも、合併財務諸表の作成方法などは変わりません。

支店分散計算制度

支店分散計算制度とは、支店相互間取引を、それぞれの支店において相手の支店名をつけた支店勘定を用いて処理する方法です。

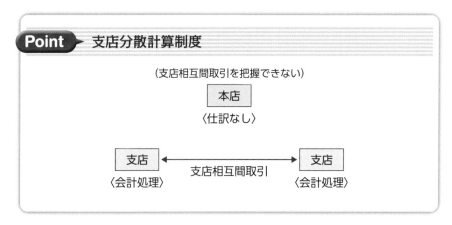

Point ▶ 支店分散計算制度

（支店相互間取引を把握できない）

本店
〈仕訳なし〉

支店　　　　　　　　　　　　　　支店
〈会計処理〉　　支店相互間取引　　〈会計処理〉

 支店分散計算制度は、処理は簡便ですが、本店が支店相互間取引を直接把握することができず、支店を管理するうえでは不便です。

▶ 本店集中計算制度

　本店集中計算制度とは、支店相互間取引を、それぞれの支店が本店を通して取引したものとみなして処理する方法です。

CHAPTER

3

本支店会計

Point ─ **本店集中計算制度**

（支店相互間取引を把握できる）

本店
〈会計処理〉

支店　　　　　　　　　　　　支店
〈会計処理〉　支店相互間取引　〈会計処理〉

◀──▶：会計処理上の流れ
◀- - - -▶：実際の流れ

本店集中計算制度は、本店が支店相互間取引を直接把握することができるため、支店を管理するうえで有効です。

例題　**支店相互間取引**

　次の取引について、各問における仕訳を示しなさい。

⑴　A支店は、B支店に現金2,500千円を送金した。

⑵　A支店は、B支店に商品550千円（振替価格）を発送した。

　問1　支店分散計算制度を採用している場合の本店、A支店、B支店の仕訳

　問2　本店集中計算制度を採用している場合の本店、A支店、B支店の仕訳

解答

（仕訳の単位：千円）

問1　支店分散計算制度

⑴　送金取引

本　店

仕　訳　な　し			

A支店

（B　支　店）	2,500	（現　　　金）	2,500

B支店

（現　　　金）	2,500	（A　支　店）	2,500

⑵　商品の受払取引

本　店

仕　訳　な　し			

A支店

（B　支　店）	550	（B支店売上）	550

B支店

（A支店仕入）	550	（A　支　店）	550

問2　本店集中計算制度

⑴　送金取引

本　店

（B　支　店）	2,500	（A　支　店）	2,500

A支店

（本　　　店）	2,500	（現　　　金）	2,500

B支店

（現　　　金）	2,500	（本　　　店）	2,500

⑵　商品の受払取引

本　店

（B　支　店）	550	（A　支　店）	550

A支店

| （本 店） | 550 | （本 店 売 上） | 550 |

B支店

| （本 店 仕 入） | 550 | （本 店） | 550 |

問題 >>> 問題編の**問題6**に挑戦しましょう！

7：在外支店の財務諸表項目の換算

換算の原則 🚩

　在外支店における外貨建取引については、原則として、本店と同様に処理します。ただし、外国通貨で表示されている在外支店の財務諸表に基づき本支店合併財務諸表を作成する場合には、収益および費用（前受金から売上への振替額や前受収益から収益への振替額などの収益性負債の収益化額および減価償却費などの費用性資産の費用化額を除く）の換算については、<u>期中平均相場</u>によって処理することができます。

　なお、本店と異なる方法により生じた換算差額は、<u>当期の為替差損益</u>として処理します。

Point ▶ 換算の原則

借方科目		換算レート	貸方科目		換算レート
資 産	現 金 預 金	CR	負債および評価勘定	金 銭 債 務	CR
	金 銭 債 権	CR		貸 倒 引 当 金	CR
	前 渡 金	HR		前 受 金	HR
	固 定 資 産	HR		減価償却累計額	HR
	その他の資産	HR		その他の負債	HR
			本 店 勘 定		HR
費 用	減 価 償 却 費	HR	収 益	収 益	HR (AR)
	貸倒引当金繰入額	CR			
	その他の費用	HR (AR)		為 替 差 損 益	差額

 支店が海外にあっても、本店勘定は必ず支店勘定と同額になります。また、固定資産、減価償却費および減価償却累計額については、固定資産の取得時のレートで換算します。

CHAPTER **3**

本支店会計

▌ 換算の特例

　外国通貨で表示された在外支店の財務諸表項目の換算にあたって、棚卸資産や有形固定資産などの非貨幣項目の額に重要性がない場合には、すべての貸借対照表項目（本店勘定等を除く）について決算時の為替相場により円換算した額とすることができます。この場合、損益項目についても決算時の為替相場により円換算した額とすることができます。

　なお、本店と異なる方法で換算することによって生じた換算差額は、当期の為替差損益として処理します。

Point ▶ 換算の特例

借 方 科 目	換算レート	貸 方 科 目	換算レート
資　　　　産	CR	負　　　　債	CR
		本 店 勘 定	HR
費　　　　用	HR (AR) (CR)	収　　　　益	HR (AR) (CR)
		為 替 差 損 益	差額

費用および収益の換算方法については、問題文の指示に従いましょう。

在外支店の換算基準

在外支店の財務諸表の各項目を、全部、決算時の為替相場で換算してはいけないのですか？

在外支店の財務諸表は会社全体の財務諸表の構成要素となるので、日本にある本店の外貨建項目の換算基準と整合性があるほうがいいのです。ちなみに、この方法をテンポラル法といいます。

▌在外支店の財務諸表の換算の流れ 🚩

　在外支店の財務諸表を換算する場合、為替差損益を損益計算書で認識するため、貸借対照表の貸借差額で当期純利益を算定します。

Point **財務諸表作成の流れ**

在外支店貸借対照表

諸　資　産 CR・HR	諸　負　債 CR・HR
	本　店　勘　定 HR
	当期純利益 （貸借差額）

P/Lへ移記

在外支店損益計算書

諸　費　用 AR・CR・HR	諸　収　益 AR・CR・HR
	為替差損益 （貸借差額）
当期純利益 （B/Sより）	

在外支店の換算は、「貸借対照表→損益計算書」の順番で行います。必ず覚えておきましょう。

例題　**在外支店の財務諸表項目の換算**

次の資料に基づいて、円換算後の支店の貸借対照表および損益計算書を作成しなさい。

［資　料］

シアトル支店	決算整理後残高試算表		（単位：千ドル）
現　金　預　金	1,350	前　受　金	300
売　　掛　　金	1,500	本　　　　店	1,800
繰　越　商　品	1,800	売　　　　上	11,700
備　　　　　品	960		
売　上　原　価	5,100		
営　　業　　費	2,820		
減　価　償　却　費	270		
	13,800		13,800

1．当社は、東京本店とシアトル支店からなり、支店独立会計制度を採用している。

2．本店は商品を毎期外部仕入原価の20%増の価格で支店に送付しており、支店が取り扱う商品は、すべて本店から供給されている。

3．商品は、先入先出法により評価している。

　①　期首商品棚卸高は1,500千ドルであり、すべて前期の1月10日に送付されたものである（取引日レート：90円/ドル）。

　②　当期における本店仕入高は5,400千ドルであり、すべて当期の2月20日に送付されたものである（取引日レート105円/ドル）。

　③　期末商品棚卸高は1,800千ドルであり、減耗等は生じていない。

4．本店勘定の期首残高は1,200千ドル（126,000千円）であり、当期の本支店間取引は、本店から支店への商品の送付取引および支店から本店への4,800千ドルの送金取引のみである（送金時の取引日レート：102円/ドル）。

5．上記以外で換算に必要な為替レートは、次のとおりである。なお、売上および営業費は期中平均レートにより換算する。

　　備品購入時：1ドル＝150円　　　期中平均：1ドル＝96円
　　前受金受取時：1ドル＝104円　　当　期　末：1ドル＝102円

解答

支店貸借対照表			(単位：千円)
現　金　預　金	137,700	前　　受　　金	31,200
売　　掛　　金	153,000	本　　　　　店	203,400
商　　　　　品	189,000	当 期 純 利 益	389,100
備　　　　　品	144,000		
	623,700		623,700

支店損益計算書			(単位：千円)
期　首　商　品	135,000	売　　　　　上	1,123,200
本　店　仕　入	567,000	期　末　商　品	189,000
営　　業　　費	270,720	為　替　差　益	90,120
減 価 償 却 費	40,500		
当 期 純 利 益	389,100		
	1,402,320		1,402,320

(1) 貸借対照表項目の換算

現金預金：1,350千ドル×CR102円＝137,700千円

売 掛 金：1,500千ドル×CR102円＝153,000千円

商　　品：1,800千ドル×仕入時HR105円＝189,000千円

備　　品：960千ドル×購入時HR150円＝144,000千円

前 受 金：300千ドル×受取時HR104円＝31,200千円

本　　店：本店勘定は、本店における支店勘定と同額とするか、取引ごと
にHR換算して算定します。

106

(2) 当期純利益の算定

389,100千円（貸借対照表の貸借差額）

本問では、先入先出法を採用しているため、支店貸借対照表の商品は当期仕入分となります。そのため、当期の2月20日のレートである105円/ドルで換算します。

(3) 損益計算書項目の換算

売上原価の内訳項目：売上原価の内訳項目は、一括換算するのではなく、売上原価の内訳項目をそれぞれ換算します。

円換算後商品原価

| 1,500千ドル ×90円 → | 期首 135,000千円 | 売上原価 513,000千円 ← 貸借差額 |
| 5,400千ドル ×105円 → | 本店仕入 567,000千円 | 期末 189,000千円 ← 1,800千ドル ×105円 |

営業費：2,820千ドル × AR96円＝270,720千円

減価償却費：270千ドル×購入時HR150円＝40,500千円

売上：11,700千ドル× AR96円＝1,123,200千円

(4) 為替差損益の算定

90,120千円（損益計算書の貸借差額）

当期純利益と為替差損益は、貸借差額で求める点、および換算に用いるレートは問題文の指示で変化する点に注意しましょう。

問題 >>> 問題編の**問題7**に挑戦しましょう！

Chapter 3 のまとめ

☐ **支店勘定と本店勘定（照合勘定）**

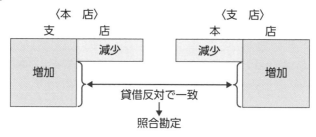

〈本　店〉

支	店
増加	減少

〈支　店〉

本	店
減少	増加

貸借反対で一致
↓
照合勘定

☐ **決算手続の流れ**

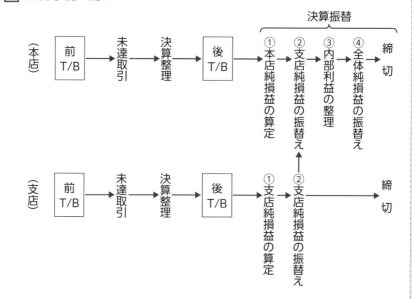

決算振替

（本店）　前T/B → 未達取引 → 決算整理 → 後T/B → ①本店純損益の算定 → ②支店純損益の振替え → ③内部利益の整理 → ④全体純損益の振替え → 締切

（支店）　前T/B → 未達取引 → 決算整理 → 後T/B → ①支店純損益の算定 → ②支店純損益の振替え → 締切

☐ **未達取引**

　支店勘定と本店勘定は貸借反対で金額は必ず一致します。したがって、不一致である場合は、決算整理を行う前に一致させる会計処理が必要となります。

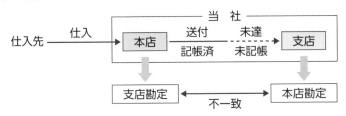

☐ **純損益の算定と支店純損益の振替え**

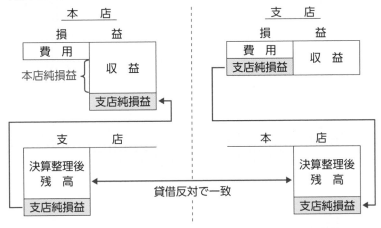

内部利益の整理

⑴ 期末商品に含まれる内部利益

　期末商品に含まれる内部利益を繰延内部利益勘定に繰り入れ、相手勘定は繰延内部利益控除として借方に記入します。

$$繰延内部利益控除 = 期末商品に含まれる内部仕入高 \times \frac{内部利益率}{1 + 内部利益率}$$

⑵ 期首商品に含まれる内部利益

　期首商品に含まれる内部利益は、当期において販売されたことで実現したと仮定し、前期末に繰り延べた繰延内部利益を当期の利益として戻し入れ、相手勘定は繰延内部利益戻入として貸方に記入します。

$$繰延内部利益戻入 = 期首商品に含まれる内部仕入高 \times \frac{内部利益率}{1 + 内部利益率}$$

本支店合併財務諸表

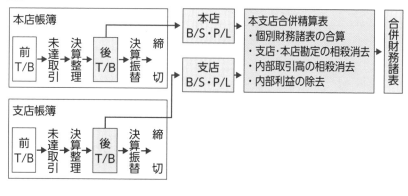

□ 支店相互間取引

支店分散 計算制度	支店相互間取引を、それぞれの支店において相手の支店名をつけた支店勘定を用いて処理する方法
本店集中 計算制度	支店相互間取引を、それぞれの支店が本店を通して取引したものとみなして処理する方法

□ 在外支店の換算方法

(1) 原則

借方科目		換算レート	貸方科目		換算レート
資　産	現 金 預 金	CR	負債および評価勘定	金 銭 債 務	CR
	金 銭 債 権	CR		貸 倒 引 当 金	CR
	前 　渡　 金	HR		前 　受　 金	HR
	固 　定 資　 産	HR		減価償却累計額	HR
	その他の資産	HR		その他の負債	HR
			本　店　勘　定		HR
費　用	減 価 償 却 費	HR	収　益	収　　　益	HR (AR)
	貸倒引当金繰入額	CR			
	その他の費用	HR (AR)		為 替 差 損 益	差額

(2) 特例

借方科目	換算レート	貸方科目	換算レート
資　　　産	CR	負　　　債	CR
		本　店　勘　定	HR
費　　　用	HR (AR) (CR)	収　　　益	HR (AR) (CR)
		為 替 差 損 益	差額

☐ 在外支店の財務諸表の換算の流れ

在外支店貸借対照表

諸 資 産 CR・HR	諸 負 債 CR・HR
	本 店 勘 定 HR
	当期純利益 （貸借差額）

P/Lへ移記

在外支店損益計算書

| 諸 費 用
AR・CR・HR | 諸 収 益
AR・CR・HR |
| 当期純利益
（B/Sより） | 為替差損益
（貸借差額） |

製造業会計では、原価計算制度を採用して行われる簿記を「完全工業簿記」といい、原価計算制度を採用することなく、商業簿記の記帳手続により簡便的に行う簿記を「商的工業簿記」といいます。税理士試験では、このうち「商的工業簿記」のみが出題されます。

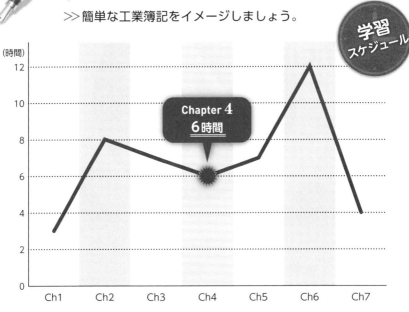

Chapter **4**

構造論点・その他の論点

製造業会計

≫簡単な工業簿記をイメージしましょう。

学習スケジュール

Chapter **4**
6時間

Check List

☐ 製造業会計における勘定連絡を理解しているか？
☐ 期末仕掛品原価、期末製品の評価を理解しているか？
☐ 異常減損費の会計処理を理解しているか？
☐ 正常減損費の会計処理を理解しているか？

Link to ▶ 財務諸表論④ **Chapter3 製造業会計**

財務諸表論では、製造原価報告書をより詳しく学習します。製造業会計の理解を深めるためにあわせて学習しましょう。

1 ：商的工業簿記

▌製造業会計

製造業では、製品の製造工程、つまり、材料に加工を加えて製品を製造する過程について、会計処理を行う点が特徴です。

なお、製造工程の中途段階にあるものを仕掛品とよびます。

CHAPTER
4

製造業会計

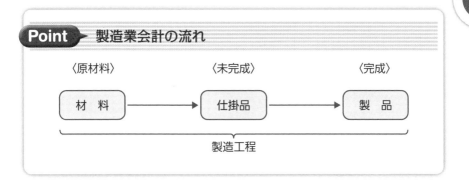

Point 製造業会計の流れ

〈原材料〉　　　　　　　　〈未完成〉　　　　　　　　〈完成〉

材　料　──────→　仕掛品　──────→　製　品

製造工程

▌商的工業簿記の特徴

商的工業簿記では、同一工程において同種製品を連続生産することが前提となっており、会計処理にあたっては、製造活動についての記帳は期中に行わず、期末に一括して記録・計算を行います。

たとえば、材料を消費したとしても、消費時には会計処理は行わず、決算時にまとめて会計処理します。

Chapter4 で学習する製造業会計は、本試験では10年に1回出題されるかどうかという論点です。そのため、学習時間の取れない方は後回しにしてもかまいません。

勘定体系 🚩

製造業会計の勘定連絡は、次のようになります。

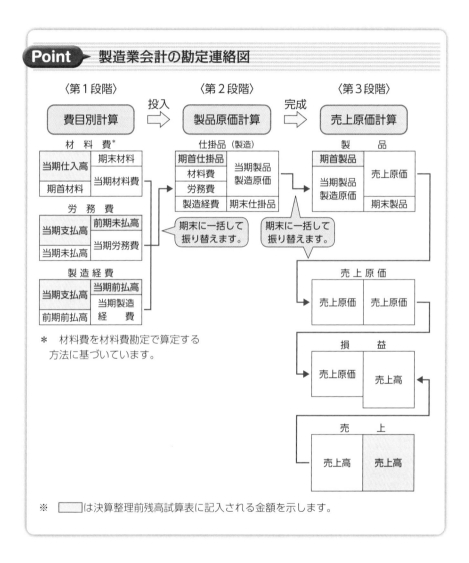

Point 製造業会計の勘定連絡図

〈第1段階〉 投入 〈第2段階〉 完成 〈第3段階〉

費目別計算 → 製品原価計算 → 売上原価計算

材 料 費*

当期仕入高	期末材料
	当期材料費
期首材料	

労 務 費

	前期未払高
当期支払高	当期労務費
当期未払高	

製 造 経 費

	当期前払高
当期支払高	当期製造
前期前払高	経 費

仕掛品（製造）

期首仕掛品	
材料費	当期製品 製造原価
労務費	
製造経費	期末仕掛品

製 品

期首製品	
	売上原価
当期製品 製造原価	
	期末製品

期末に一括して振り替えます。

期末に一括して振り替えます。

売 上 原 価

| 売上原価 | 売上原価 |

損 益

| 売上原価 | 売上高 |

売 上

| 売上高 | 売上高 |

＊ 材料費を材料費勘定で算定する
方法に基づいています。

※ □□□は決算整理前残高試算表に記入される金額を示します。

116

2：材料費

材料費の意義

材料費とは、製品を製造するために材料を消費することによって発生する原価をいい、次の算式で算定します。

> **材料費＝期首材料棚卸高＋当期材料仕入高－期末材料棚卸高**

材料費の種類

材料費に該当するものには、次のようなものがあります。

素材費（または原料費）	製品の基本的実体を構成する物品などの消費額
買入部品費	購入してそのまま製品に取り付けられる物品などの消費額
材料仕入諸掛	材料を仕入れるために要した付随費用

材料仕入時の会計処理 📌

材料を仕入れたときには、**材料仕入勘定**で処理します。

 材料の仕入は、製造活動ではなく購買活動なので、会計処理は決算時ではなく、仕入時に行います。

決算時の会計処理 📌

⑴ 材料費の振替方法

材料費は決算時に仕掛品勘定へ振り替えます。なお、仕掛品への振替方法には、材料費を材料仕入勘定で算定する場合と材料費勘定で算定する場合が

117

あります。

① **材料費を材料仕入勘定で算定する場合**

期首材料と当期材料仕入分を材料仕入勘定に集計するとともに、未使用の材料は、材料仕入勘定から材料勘定へ振り替えて、材料費を材料仕入勘定で算定します。

材料費は、材料仕入勘定から仕掛品勘定へ振り替えます。

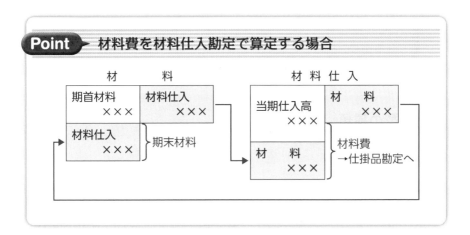

Point 材料費を材料仕入勘定で算定する場合

② **材料費を材料費勘定で算定する場合**

期首材料と当期材料仕入分を材料費勘定に集計するとともに、未使用の材料を、材料費勘定から材料勘定へ振り替えて、材料費を材料費勘定で算定します。

材料費は、材料費勘定から仕掛品勘定へ振り替えます。

材料費は、仕掛品勘定ではなく製造勘定に振り替える場合もあります。

Point 材料費を材料費勘定で算定する場合

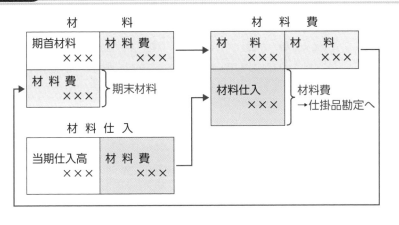

> 上記の2つの方法は、材料費を集計する勘定科目が違うだけで、材料費と期末材料の金額は同じになりますが、本書では、材料費を材料仕入勘定で算定する場合を主に扱います。

例題 **材料費―仕入時および決算時**

次の資料に基づいて、①材料仕入時および②決算時の仕訳を示しなさい。

[資　料]

1. 材料36,900千円を掛けで仕入れた。
2. 期首材料棚卸高3,600千円、期末材料棚卸高2,400千円
3. 材料費は材料仕入勘定で算定する方法によること。

解答

(仕訳の単位：千円)

① 材料仕入時

| (材 料 仕 入) | 36,900 | (買 掛 金) | 36,900 |

② 決算時

（材 料 仕 入）	3,600	（材	料）	3,600
（材 料）	2,400	（材 料 仕 入）	2,400
（仕 掛 品）	38,100*	（材 料 仕 入）	38,100

＊ 期首材料3,600千円＋当期仕入36,900千円－期末材料2,400千円
＝38,100千円

〈勘定連絡図〉

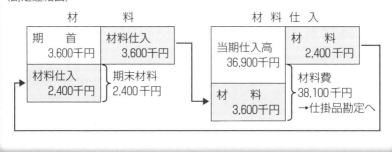

---

(2) **期末材料の評価**

期末材料の評価では、棚卸減耗費を把握します。

棚卸減耗費は、毎期経常的かつ必然的に発生し、原価性がある場合には、製造経費として処理を行います。

① **期末評価**

材料の棚卸減耗がある場合、材料勘定から材料棚卸減耗費勘定へ振り替えます。

② **製造経費としての振替処理**

原価性がある棚卸減耗は、材料棚卸減耗費勘定から仕掛品勘定へ振り替えることで最終的に製品原価に含めます。

通常起こりうる範囲を超える棚卸減耗費は、原価性がないと判断されます。原価性がない棚卸減耗は、損益勘定に振り替えます。

//

例題 **材料費—期末材料の評価**

次の資料に基づいて、決算時の仕訳を示しなさい。

［資　料］

決算整理前残高試算表	（単位：千円）
材　　　　　料	3,600
材　料　仕　入	36,900

1．決算整理事項

　①　期末材料帳簿棚卸高2,400千円

　②　期末材料実地棚卸高2,100千円

　③　材料棚卸減耗費のうち50%については、原価性があるため製造経費として処理を行う。

2．材料費は材料仕入勘定で算定する。

3．材料費および製造経費は、仕掛品勘定に振り替える。

解答　　　　　　　　　　　　　　　　　　　　　（仕訳の単位：千円）

⑴　**材料費の算定**

（材　料　仕　入）	3,600	（材　　　　　料）	3,600
（材　　　　　料）	2,400	（材　料　仕　入）	2,400
（仕　　掛　　品）	38,100*	（材　料　仕　入）	38,100

＊　期首材料3,600千円＋当期仕入36,900千円－期末材料2,400千円
　　＝38,100千円

⑵　**期末材料の評価**

（材料棚卸減耗費）	300*1	（材　　　　　料）	300
（仕　　掛　　品）	150*2	（材料棚卸減耗費）	150

＊1　期末帳簿棚卸高2,400千円－期末実地棚卸高2,100千円＝300千円

＊2　棚卸減耗費300千円 ┌→原価性あり（50%）150千円　（仕掛品勘定へ）
　　　　　　　　　　　　└→原価性なし（50%）150千円　（損益勘定へ）

CHAPTER 4　製造業会計

仕掛品勘定に記入した棚卸減耗費は製造原価報告書（C/R）に記載され、損益勘定に記入した棚卸減耗費は損益計算書（P/L）に記載されます。なお、損益勘定への振替処理は、決算振替として行われます。

3：労務費・製造経費

▶ 労務費の種類

労務費とは、製品を製造するために労働力を消費することによって発生する原価をいい、具体的には次のようなものがあります。

賃　　　　　金	製造活動に従事する作業員に対して支払われる給与
給　　　　　料	管理職・事務職などの職員に対して支払われる給与
従業員賞与手当	従業員に対して支払われる賞与手当
賞与引当金繰入額	賞与引当金の当期負担額
退職給付費用	退職給付引当金の当期負担額
法定福利費	社会保険料の事業主負担額

▶ 労務費の会計処理 🚩

労務費には、各勘定科目を用いた独立勘定により処理する場合と、労務費などの統制勘定で処理する場合があります。

> 同種同質の勘定を統括して単一の勘定科目で処理するために用いられる勘定を統制勘定といいます。なお、統制勘定を用いる場合、その内訳明細については、補助元帳を設け、そこに記帳することになります。

(1)　**独立勘定により処理する場合**

独立勘定により処理する場合、賃金や従業員賞与手当などを支払ったときはそれぞれの独立勘定で処理し、決算時には消費した労務費をそれぞれの独立勘定から仕掛品勘定へ振り替えます。

賃金と給料は、別々の勘定で処理せずに、賃金給料勘定を設けて処理することもあります。

(2) **労務費などの統制勘定で処理する場合**

労務費などの**統制勘定**で処理する場合、賃金や従業員賞与手当などを支払ったときには労務費勘定で処理し、決算時には消費した労務費を労務費勘定から仕掛品勘定へ振り替えます。

▌製造経費の種類

製造経費とは、製品を製造するために材料・労働力以外のものを消費することによって発生する原価をいい、具体的には次のようなものがあります。

外 注 加 工 費	外部者に材料を支給して加工を行わせた場合の加工賃
特 許 権 使 用 料	外部の者が所有する特許権を用いて製造する場合の使用料
福利施設負担額	従業員のための福利施設の事業主負担額
減 価 償 却 費	工場建物、機械等の製造関係の減価償却費
材料棚卸減耗費	原価性がある場合のみ
そ　　の　　他	電力料、修繕費、保険料、水道光熱費など

▌製造経費の会計処理 🚩

製造経費も、労務費と同様に外注加工費や特許権使用料などの**独立勘定**により処理する場合と、製造経費などの**統制勘定**で処理する場合の2つの方法があります。

労務費と製造経費を合わせて加工費とすることもあります。

▶ 労務費・製造経費の配賦 🚩

　賃金給料のうち製品を製造する従業員に対するものは製造原価となりますが、製品を販売する従業員に対するものは製造原価とはなりません。

　したがって、賃金や給料をその支給時にまとめて処理している場合には、製品原価計算を行うにあたって、<u>製造関係と営業関係に振り分ける処理が必要</u>となります。これを「配賦」といいます。

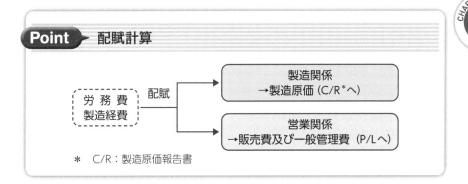

```
Point ▶ 配賦計算

                          ┌─────────────────────────┐
                    ┌────→│      製造関係            │
  ┌─────────┐  配賦 │     │ →製造原価（C/R*へ）      │
  │ 労 務 費 │─────┤     └─────────────────────────┘
  │ 製造経費 │      │     ┌─────────────────────────┐
  └─────────┘      └────→│      営業関係            │
                          │ →販売費及び一般管理費（P/Lへ）│
                          └─────────────────────────┘

  ＊　C/R：製造原価報告書
```

材料は必ず製品を製造するために消費されますが、賃金給料や減価償却費といった労務費や製造経費は、すべてが製品を製造するために発生するものではありません。そのため、配賦計算が必要になります。

CHAPTER
4

製造業会計

次の資料に基づいて、決算時に必要な仕訳を示しなさい。

[資　料]

決算整理前残高試算表			(単位：千円)
材　　　　料	3,600	退職給付引当金	150,000
材　料　仕　入	36,900	減価償却累計額	135,000
賃　金　給　料	349,500		
退職給付費用	15,000		
支　払　保　険　料	49,500		

1．決算整理事項

① 期末材料棚卸高：2,400千円

② 未払賃金給料：10,500千円

③ 前払保険料：4,500千円

④ 減価償却費：15,000千円

⑤ 製造関係と営業関係の配賦割合は、次に示すとおりである。

	製造関係	営業関係
賃　金　給　料	60%	40%
退職給付費用	60%	40%
支　払　保　険　料	80%	20%
減価償却費	70%	30%

2．材料費は材料仕入勘定で算定する。

3．材料費、労務費および製造経費は、仕掛品勘定に振り替える。

解答

(仕訳の単位：千円)

(1) 材料費

(材　料　仕　入)	3,600	(材　　　　料)	3,600
(材　　　　料)	2,400	(材　料　仕　入)	2,400
(仕　　掛　　品)	38,100*	(材　料　仕　入)	38,100

* 期首材料3,600千円＋材料仕入36,900千円−期末材料2,400千円
　＝38,100千円

(2)　**労務費**

①　**賃金給料**

（賃　金　給　料）	10,500	（未払賃金給料）	10,500
（仕　　掛　　品）	216,000*	（賃　金　給　料）	216,000

＊　前T/B賃金給料349,500千円＋未払賃金給料10,500千円
　　＝360,000千円

賃金給料　┌→製造関係（60%）216,000千円（仕掛品勘定へ）
360,000千円└→営業関係（40%）144,000千円（損益勘定へ）

②　**退職給付費用**

（仕　　掛　　品）	9,000*	（退職給付費用）	9,000

＊　退職給付費用　┌→製造関係（60%）9,000千円（仕掛品勘定へ）
　　15,000千円　└→営業関係（40%）6,000千円（損益勘定へ）

(3)　**製造経費**

①　**支払保険料**

（前 払 保 険 料）	4,500	（支 払 保 険 料）	4,500
（仕　　掛　　品）	36,000*	（支 払 保 険 料）	36,000

＊　前T/B支払保険料49,500千円－前払保険料4,500千円＝45,000千円
　　支払保険料　┌→製造関係（80%）36,000千円（仕掛品勘定へ）
　　45,000千円　└→営業関係（20%）　9,000千円（損益勘定へ）

②　**減価償却費**

（減 価 償 却 費）	15,000	（減価償却累計額）	15,000
（仕　　掛　　品）	10,500*	（減 価 償 却 費）	10,500

＊　減価償却費　┌→製造関係（70%）10,500千円（仕掛品勘定へ）
　　15,000千円　└→営業関係（30%）　4,500千円（損益勘定へ）

労務費と製造経費は、決算整理前残高試算表から独立勘定により処理
をしていると判断します。
なお、損益勘定への振替処理は、決算振替として行われます。

問題 ▶▶▶ 問題編の**問題1**に挑戦しましょう！

4：当期製品製造原価・売上原価

当期製品製造原価の意義

　製造業会計では、費目別計算に続いて製品原価計算を行いますが、この製品原価計算における完成品原価を当期製品製造原価といいます。当期製品製造原価は、次の算式で算定します。

> **当期製品製造原価**
> **＝期首仕掛品棚卸高＋当期総製造費用－期末仕掛品棚卸高**

 当期総製造費用とは、材料費、労務費および製造経費の総称です。

当期製品製造原価の会計処理 🚩

　当期製品製造原価の会計処理には、仕掛品勘定のみで処理する場合と、仕掛品勘定と製造勘定で処理する場合の2つの方法があります。

(1) 仕掛品勘定のみで処理する場合

　当期総製造費用を仕掛品勘定に集計して、当期製品製造原価を算定します。当期製品製造原価は、仕掛品勘定から製品勘定へ振り替えます。

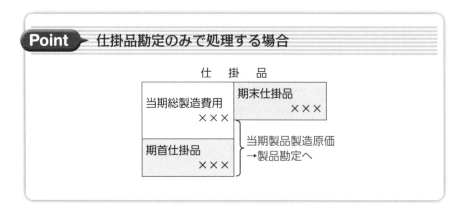

Point ▶ 仕掛品勘定のみで処理する場合

(2) **仕掛品勘定と製造勘定で処理する場合**

期首仕掛品と当期総製造費用を製造勘定に集計するとともに、期末仕掛品を製造勘定から仕掛品勘定へ振り替えて、当期製品製造原価を算定します。

当期製品製造原価は、製造勘定から製品勘定へ振り替えます。

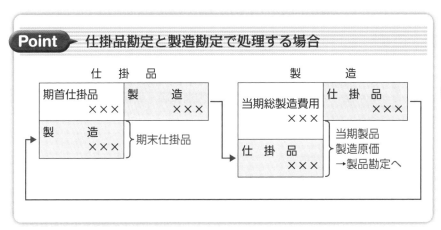

Point ▶ 仕掛品勘定と製造勘定で処理する場合

仕掛品勘定と製造勘定で処理する場合、材料費、労務費、製造経費は仕掛品勘定ではなく製造勘定に振り替える点に注意しましょう。

CHAPTER 4

製造業会計

129

▶ 売上原価 ✈

　製造業会計では、製品原価計算に続いて売上原価計算を行います。売上原価の算定方法は、商品販売業と同様に次の計算式で求めます。

Point ▶ 売上原価の算定

売上原価
　＝期首製品棚卸高＋当期製品製造原価－期末製品棚卸高

製	品
期首製品　　××× 当期製品製造原価 　（完成品原価） 　　　　　　××× 	売上原価 　　　　　　××× 期末製品　×××

 商品販売業では売上原価の計算を仕入勘定で行いましたが、製造業では製品勘定で行います。

例題　当期製品製造原価および売上原価

　前例題において、次の資料が追加された場合の当期製品製造原価および売上原価の金額を求めなさい。

　［資　料］

4．仕掛品棚卸高および製品棚卸高

	仕掛品	製　品
期首	93,000千円	36,000千円
期末	81,000千円	45,000千円

5．当期製品製造原価は、仕掛品勘定のみで処理する。

解答 当期製品製造原価：321,600千円
売　上　原　価：312,600千円

（仕訳の単位：千円）

(1)　当期製品製造原価

（製　　　　品)	321,600*	（仕　掛　品)	321,600

＊　当期総製造費用：
　材料費38,100千円＋労務費（216,000千円＋9,000千円)
　＋製造経費（36,000千円＋10,500千円）＝309,600千円
　当期製品製造原価：
　期首仕掛品93,000千円＋当期総製造費用309,600千円
　－期末仕掛品81,000千円＝321,600千円

(2)　売上原価

（売　上　原　価)	312,600*	（製　　　　品)	312,600

＊　期首製品36,000千円＋当期製品製造原価321,600千円
　－期末製品45,000千円＝312,600千円

(3)　勘定記入

仕　掛　品　（単位：千円）

前　期　繰　越	93,000	製　　　　品	321,600
材　料　仕　入	38,100	次　期　繰　越	81,000
賃　金　給　料	216,000		
退　職　給　付　費　用	9,000		
支　払　保　険　料	36,000		
減　価　償　却　費	10,500		
	402,600		402,600

製　　　品　（単位：千円）

前　期　繰　越	36,000	売　上　原　価	312,600
仕　　掛　　品	321,600	次　期　繰　越	45,000
	357,600		357,600

〈参考〉

　この例題を仕掛品勘定と製造勘定で処理した場合は、次のようになります。

(1)　当期製品製造原価

(製　　　造)	93,000	(仕　掛　品)	93,000
(仕　掛　品)	81,000	(製　　　造)	81,000
(製　　　品)	321,600	(製　　　造)	321,600

(2)　売上原価

(売　上　原　価)	312,600	(製　　　品)	312,600

(3)　勘定記入

仕　掛　品			(単位：千円)
前　期　繰　越	93,000	製　　　造	93,000
製　　　造	81,000	次　期　繰　越	81,000
	174,000		174,000

製　　　造			(単位：千円)
材　料　仕　入	38,100	仕　掛　品	81,000
賃　金　給　料	216,000	製　　　品	321,600
退　職　給　付　費　用	9,000		
支　払　保　険　料	36,000		
減　価　償　却　費	10,500		
仕　掛　品	93,000		
	402,600		402,600

 仕掛品勘定と製造勘定で処理する場合でも、当期製品製造原価および売上原価の金額は仕掛品勘定のみで処理する場合と同じです。また、製品勘定も、仕掛品勘定のみで処理する場合と同じです。

製造原価報告書

　製造業会計では、損益計算書の添付書類として製造原価報告書（Cost Report ＝C/R）を作成します。製造原価報告書は、当期製品製造原価の内訳明細書であり、仕掛品勘定または製造勘定の記入内容を報告式に記載したものです。前例題に基づいて製造原価報告書を作成すると、次のようになります。

製 造 原 価 報 告 書　　　　（単位：千円）

Ⅰ　材　料　費		
期首材料棚卸高	3,600	
当期材料仕入高	36,900	
合　　計	40,500	
期末材料棚卸高	2,400	
当期材料費		38,100
Ⅱ　労　務　費		
賃　金　給　料	216,000	
退職給付費用	9,000	
当期労務費		225,000
Ⅲ　製　造　経　費		
支払保険料	36,000	
減価償却費	10,500	
当期製造経費		46,500
当期総製造費用		309,600
期首仕掛品棚卸高		93,000
合　　計		402,600
期末仕掛品棚卸高		81,000
当期製品製造原価		321,600

問題 ≫≫ 問題編の**問題2**に挑戦しましょう！

5：期末仕掛品の評価

　商的工業簿記では、原価計算制度を採用していないので、当期製品製造原価や売上原価を算定するために、期末仕掛品や期末製品をなんらかの方法で評価する必要があります。

　本書では、重要度を考慮して完成度換算法をみていきます。

▶ 完成度換算法 🚩

　完成度換算法とは、期末仕掛品の完成度がどの程度であるかを見積もり、期末仕掛品数量を完成品数量に換算して、期末仕掛品原価を算定する方法です。その評価方法には、総平均法と先入先出法があります。

総　平　均　法	期首仕掛品と当期に投入したものが、平均的に完成したものと仮定して計算する方法
先　入　先　出　法	期首仕掛品から順次加工されて完成し、期末仕掛品は当期に投入されたものが残っていると仮定して計算する方法

　工業簿記で学習した、完成品換算量と加工進捗度の論点を思い出しましょう。

完成度換算法を用いる理由

なぜ、期末仕掛品数量を完成品数量に換算してから期末仕掛品原価を求めるのですか？

加工の進み具合に応じて原価が発生する場合、期末仕掛品には加工が進んだ分の原価しか含まれていないから、仕掛品数量によって按分計算することができません。だから、仕掛品数量に加工進捗度を掛けた完成品換算数量を用います。

CHAPTER **4**

製造業会計

材料の投入方法

完成度換算法により期末仕掛品の評価を行う場合、材料の投入方法の違いによって製造原価の発生の仕方が異なるため、計算方法を区別しなければなりません。

この材料の投入方法には、工程の始点で投入する方法と工程を通じて平均的に投入する方法の2つの方法があります。

材料始点投入	製造工程のはじめに、製品を製造するのに必要なすべての材料を投入する方法
材料平均投入	材料を製品の製造過程で徐々に投入する方法

詳細は、**6：材料始点投入**と**7：材料平均投入**でみていきます。

6：材料始点投入

材料始点投入

　材料始点投入の場合、材料と加工費（労務費と製造経費）で原価の発生割合が異なるため、期末仕掛品は、材料費と加工費に分けて計算しなければなりません。

Point ▶ **材料始点投入の配分計算**

(1) 材料費

加工進捗度を考慮しない完成品数量で計算します。

＊　完成品数量（進捗度を考慮しない数量）を用います。

(2) 加工費

加工進捗度を考慮した完成品換算数量により計算します。

完成品換算数量＝仕掛品数量×加工進捗度

＊1　完成品換算数量を用います。
＊2　逆算で算定します。

136

例題　材料始点投入

　次の資料に基づいて、各問における当期製品製造原価の金額を求めなさい。

[資　料]

1．原価データ

① 期首仕掛品原価：39,600千円

　　　　　　（内訳は、材料費30,000千円、加工費9,600千円）

② 当期総製造費用：420,000千円

　　　　　　（内訳は、材料費144,000千円、労務費165,000千円、製造経費111,000千円）

2．生産データ

期首仕掛品	200個	（加工進捗度20%）
当期投入量	800個	
合　計	1,000個	
期末仕掛品	100個	（加工進捗度60%）
完成品数量	900個	

3．材料は工程の始点で投入している。

問1　総平均法の場合

問2　先入先出法の場合

解答 問1　総平均法の場合：424,350千円

問2　先入先出法の場合：423,600千円

問1　総平均法の場合

① 期末仕掛品原価の算定

（イ）材料費

仕掛品（材料費）

期　首　200個 30,000千円	完　成　　900個
投　入　800個 144,000千円	期　末　　100個
1,000個 174,000千円	

$\rightarrow 174,000$千円$\times \dfrac{100個}{1,000個}$

$= 17,400$千円

（ロ）加工費

仕掛品（加工費）

期　首　　40個*1 9,600千円	完　成　　900個
投　入　（920個）*3 276,000千円（労務費＋製造経費）	期　末　　60個*2
960個 285,600千円	

$\rightarrow 285,600$千円$\times \dfrac{60個}{960個}$

$= 17,850$千円

＊1　200個×20％＝40個

＊2　100個×60％＝60個

＊3　当月投入量：900個＋60個－40個＝920個

（ハ）期末仕掛品原価

材料費17,400千円＋加工費17,850千円＝35,250千円

② 当期製品製造原価の算定

期首仕掛品39,600千円＋当期総製造費用420,000千円

－期末仕掛品35,250千円＝424,350千円

問2　先入先出法の場合

① 期末仕掛品原価の算定

(イ)　材料費

仕掛品（材料費）

期　首　　200個	完　成　　900個
投　入　　800個 　　　144,000千円	期　末　　100個

$\rightarrow 144,000\text{千円} \times \dfrac{100\text{個}}{800\text{個}}$

$= 18,000\text{千円}$

(ロ)　加工費

仕掛品（加工費）

期　首　　40個	完　成　　900個
投　入　（920個） 　　　276,000千円 （労務費＋製造経費）	期　末　　60個

$\rightarrow 276,000\text{千円} \times \dfrac{60\text{個}}{920\text{個}}$

$= 18,000\text{千円}$

(ハ)　期末仕掛品原価

材料費18,000千円＋加工費18,000千円＝36,000千円

② 当期製品製造原価の算定

期首仕掛品39,600千円＋当期総製造費用420,000千円

－期末仕掛品36,000千円＝423,600千円

完成品は加工進捗度100％として計算します。また、加工費に関する
当期投入量は原則として貸借差額で求めます。

問題 >>> 問題編の**問題3**に挑戦しましょう！

7：材料平均投入

材料平均投入

材料平均投入の場合、材料費と加工費で原価の発生割合が同じになるため、期末仕掛品は、材料費と加工費を分けて計算せずに、両方とも<u>完成品換算数量</u>により計算します。

Point ▶ 材料平均投入の配分計算

＊1　完成品換算数量を用います。
＊2　貸借差額で算定します。

 材料平均投入の場合には、材料費も加工費と同じように完成品換算数量（加工換算量）により計算することに注意しましょう。

例題 材料平均投入

　次の資料に基づいて、各問における当期製品製造原価の金額を求めなさい。

[資　料]

1．原価データ

① 期首仕掛品原価：78,000千円

（内訳は、材料費28,200千円、加工費49,800千円）

② 当期総製造費用：615,000千円

（内訳は、材料費216,000千円、労務費246,000千円、製造経費153,000千円）

2．生産データ

期首仕掛品	50個	（加工進捗度40%）
当期投入量	210個	
合　計	260個	
期末仕掛品	80個	（加工進捗度50%）
完成品数量	180個	

3．材料は工程を通して平均的に投入している。

問1　総平均法の場合

問2　先入先出法の場合

解答　問1　総平均法の場合：567,000千円

　　　問2　先入先出法の場合：570,000千円

問1　総平均法の場合

① 期末仕掛品原価の算定

仕掛品（材料費＋加工費）

期　首	20個*1 78,000千円	完　成	180個
投　入	(200個)*3 615,000千円	期　末	40個*2

220個
693,000千円

→ $693,000千円 \times \dfrac{40個}{220個}$

$= 126,000千円$

＊1　50個×40%＝20個

＊2　80個×50%＝40個

＊3　当月投入量：180個＋40個－20個＝200個

② 当期製品製造原価の算定

期首仕掛品78,000千円＋当期総製造費用615,000千円

－期末仕掛品126,000千円＝567,000千円

問2　先入先出法の場合

① 期末仕掛品の評価

仕掛品（材料費＋加工費）

期 首 20個*1 78,000千円	完 成 180個
投 入 （200個）*3 615,000千円	期 末 40個*2

→ 615,000千円 × $\dfrac{40個}{200個}$

＝ 123,000千円

② 当期製品製造原価の算定

期首仕掛品78,000千円＋当期総製造費用615,000千円

－期末仕掛品123,000千円＝570,000千円

平均投入の場合、材料費を労務費や製造経費とあわせて計算することができますが、始点投入の材料と平均投入の材料とが混在している問題の場合には、分けて計算するので気をつけてください。

問題 ≫≫ 問題編の**問題4**に挑戦しましょう！

8：期末製品の評価

期末製品の評価

期末製品の評価方法については、期末仕掛品の評価方法と同様に**総平均法**、**先入先出法**があり、期末仕掛品の評価に準じて計算します。

CHAPTER **4**

製造業会計

> **Point** ► 期末製品の評価

 期末製品の評価も、期末仕掛品原価の評価と同様に、問題文の指示に従って総平均法と先入先出法のどちらを適用するか判断しましょう。

例題　期末製品の評価

次の資料に基づいて、各問における当期の売上原価の金額を求めなさい。

［資　料］

1．期首製品数量　20個（期首製品原価60,000千円）

2．完 成 品 数 量　180個（当期製品製造原価567,000千円）

3．期末製品数量　10個

　問1　総平均法の場合

　問2　先入先出法の場合

解答 問1 総平均法の場合：595,650千円

問2 先入先出法の場合：595,500千円

(1) 総平均法の場合

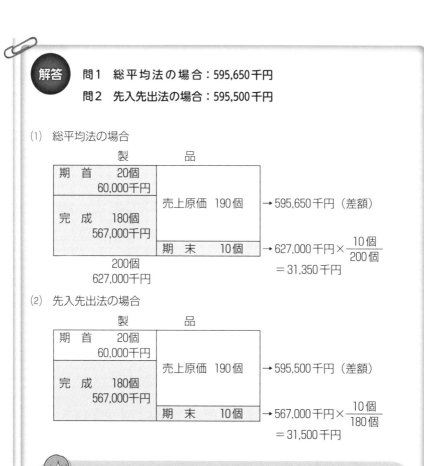

製　品

| 期　首　　20個 60,000千円 | 売上原価　190個 | → 595,650千円（差額） |
| 完　成　　180個 567,000千円 | 期　末　　10個 | → 627,000千円 × $\dfrac{10個}{200個}$ = 31,350千円 |

200個
627,000千円

(2) 先入先出法の場合

製　品

| 期　首　　20個 60,000千円 | 売上原価　190個 | → 595,500千円（差額） |
| 完　成　　180個 567,000千円 | 期　末　　10個 | → 567,000千円 × $\dfrac{10個}{180個}$ = 31,500千円 |

総平均法と先入先出法の計算自体は、期末仕掛品の評価と同様です。

問題 >>> 問題編の**問題5**に挑戦しましょう！

9：減損とは

減損の意義

　減損とは、製造工程に投入された原材料の一部が加工中に蒸発、ガス化などの原因によって消失することをいいます。

　通常不可避的に生じる減損を**正常減損**といい、通常の程度を超えて発生する減損を**異常減損**といいます。

異常減損

　異常減損費は、原価性がないため当期製品製造原価には含めず、特別損失として処理します。この場合、異常減損費がいくらであるかを算定しなければなりません。

Point ▶ 異常減損費の処理

仕　掛　品

期　首	完成品
当期投入	異常減損
	期　末

→期末仕掛品の評価と
　同様の方法で算定

　異常減損費は製品原価計算から除外する必要があるため、その算定は必ず行わなければなりません。

例題　異常減損

　次の資料に基づいて、当期製品製造原価と当期における異常減損費の金額を求めなさい。

　[資　料]

1. 原価データ
　① 期首仕掛品原価：611,400千円

　　　　　　　　　　（内訳は、材料費429,000千円、加工費182,400千円）

　② 当期総製造費用：4,155,000千円

　　　　　　　　　　（内訳は、材料費2,091,000千円、労務費1,500,000

　　　　　　　　　　千円、製造経費564,000千円）

2. 生産データ

期首仕掛品	800個	（加工進捗度20%）
当期投入量	3,400個	
合　計	4,200個	
減　損　量	200個	（加工進捗度80%）
期末仕掛品	400個	（加工進捗度60%）
完成品数量	3,600個	

3. 減損はすべて異常なものである。

4. 材料は工程の始点で投入している。

5. 期末仕掛品の評価は総平均法による。

解答　当期製品製造原価：4,181,760千円

　　　　異　常　減　損　費：　209,856千円

(1) 材料費

仕掛品（材料費）

期　首　800個 429,000千円	完成品 3,600個
投　入 3,400個 2,091,000千円	異常減損200個
	期　末　400個

4,200個
2,520,000千円

→ 2,160,000千円（差額）

→ $2{,}520{,}000千円 \times \dfrac{200個}{4{,}200個}$
= 120,000千円

→ $2{,}520{,}000千円 \times \dfrac{400個}{4{,}200個}$
= 240,000千円

(2) 加工費

仕掛品（加工費）

期　首　160個[*1] 182,400千円	完成品 3,600個
投　入（3,840個）[*4] 2,064,000千円 （労務費＋製造経費）	異常減損160個[*2]
	期　末　240個[*3]

4,000個
2,246,400千円

→ 2,021,760千円（差額）

→ $2{,}246{,}400千円 \times \dfrac{160個}{4{,}000個}$
= 89,856千円

→ $2{,}246{,}400千円 \times \dfrac{240個}{4{,}000個}$
= 134,784千円

* 1　800個×20%＝160個
* 2　200個×80%＝160個
* 3　400個×60%＝240個
* 4　3,600個＋160個＋240個－160個＝3,840個

(3) 当期製品製造原価の算定

材料費2,160,000千円＋加工費2,021,760千円＝4,181,760千円

(4) 異常減損費の算定

材料費120,000千円＋加工費89,856千円＝209,856千円

異常減損費は分離して計算します。期末仕掛品や完成品に負担させないようにしましょう。

▌▶ 正常減損 ✍

　正常減損費は、金額を算定する必要はなく、製品原価に含めて処理をします。この場合、正常減損費を(1)完成品のみに負担させる場合と、(2)完成品と期末仕掛品の両者に負担させる場合の2つの方法があります。

正常減損には原価性があるため、製品原価計算から除外する必要はありません。

(1)　完成品のみに負担させる場合

　期末仕掛品原価を計算し、それを期首仕掛品原価と当期総製造費用の合計から控除することにより、正常減損費を自動的に完成品に負担させます。これによって、当期製品製造原価は、正常減損費を含んだ金額となります。

> **Point** ▶ 正常減損（完成品のみ負担）の処理
>
> ```
>              仕　掛　品
>   ┌─────┬───────────┐
>   │ 期　首 │    完成品    │
>   ├─────┤─ ─ ─ ─ ─ ─┤ }すべて完成品に負担させる
>   │     │    正常減損   │
>   │ 当期投入 │─ ─ ─ ─ ─ ─┤
>   │     │    期　末    │
>   └─────┴───────────┘
> ```

〰〰〰〰〰〰〰〰〰〰〰〰〰〰〰〰〰〰〰〰〰〰〰〰〰〰〰〰〰

例題　正常減損─完成品のみ負担

　前例題の資料3を次のように変更した場合の、当期製品製造原価の金額を求めなさい。

　［資　料］

3．減損は正常なもので、完成品のみに負担させる。

解答　当期製品製造原価：4,391,616千円

(1)　材料費

仕掛品（材料費）

期　首　800個 429,000千円	完成品 3,600個	→ 2,280,000千円（差額）
投　入 3,400個 2,091,000千円	正常減損200個	
	期　末　400個	→ 2,520,000千円× $\dfrac{400個}{4,200個}$ ＝240,000千円

4,200個
2,520,000千円

(2)　加工費

仕掛品（加工費）

期　首　160個 182,400千円	完成品 3,600個	→ 2,111,616千円（差額）
投　入（3,840個） 2,064,000千円	正常減損160個	
	期　末　240個	→ 2,246,400千円× $\dfrac{240個}{4,000個}$ ＝134,784千円

4,000個
2,246,400千円

(3)　当期製品製造原価の算定

材料費2,280,000千円＋加工費2,111,616千円＝4,391,616千円

　正常減損費は完成品原価に含められ、個別に把握しないため、減損費という勘定自体が出てきません。

CHAPTER
4

製造業会計

(2) **完成品と期末仕掛品の両者に負担させる場合**

　正常減損を度外視して期末仕掛品原価と当期製品製造原価を計算することにより、正常減損費を自動的に完成品と期末仕掛品の両者に負担させます。これによって、当期製品製造原価および期末仕掛品原価は、それぞれ正常減損費を含んだ金額となります。

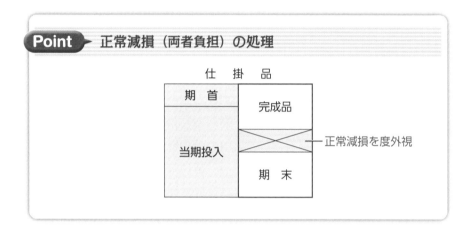

異常減損の処理と異なり、完成品のみ負担、両者負担のどちらの方法によっても、正常減損費を個別に算定することはありません。どちらの方法によるかは、問題文の指示に従ってください。

例題　**正常減損―両者負担**

　前々例題の資料２および３を次のように変更した場合の、当期製品製造原価の金額を求めなさい。

［資　料］

２．生産データ

期首仕掛品	800個	（加工進捗度20%）
当期投入量	3,400個	
合　　計	4,200個	
減　損　量	200個	（加工進捗度40%）
期末仕掛品	400個	（加工進捗度60%）
完成品数量	3,600個	

３．減損は正常なもので、完成品と期末仕掛品の両者に負担させる。

解答　**当期製品製造原価：4,374,000千円**

(1)　材料費

材　料　費

期　首　800個 429,000千円	完成品 3,600個	→2,268,000千円（差額）
投　入（3,200個）* 2,091,000千円	期　末　400個	→2,520,000千円×$\dfrac{400個}{4,000個}$ ＝252,000千円

4,000個
2,520,000千円

*　3,600個＋400個－800個＝3,200個

(2) 加工費

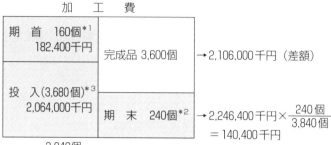

加　工　費

| 期　首　160個*1 182,400千円 | 完成品 3,600個 | → 2,106,000千円（差額） |

投　入(3,680個)*3 2,064,000千円

期　末　240個*2 → $2,246,400千円 \times \dfrac{240個}{3,840個}$ $= 140,400千円$

3,840個
2,246,400千円

* 1　800個×20%＝160個
* 2　400個×60%＝240個
* 3　3,600個＋240個－160個＝3,680個

(3) 当期製品製造原価の算定

材料費2,268,000千円＋加工費2,106,000千円＝4,374,000千円

両者負担の場合、正常減損を度外視するため、あらかじめ投入量から減損量を除いてボックス図を作ります。
なお、正常減損費の負担関係に関する問題文の指示がない場合は、減損発生点と期末仕掛品の進捗度の前後関係で決定します。期末仕掛品の進捗度が減損発生点を超えていれば両者負担、超えていなければ完成品のみ負担と判断します。

問題 >>> 問題編の**問題6**に挑戦しましょう！

Chapter **4** のまとめ

□ **材料費の算定**

> 材料費＝期首材料棚卸高＋当期材料仕入高－期末材料棚卸高

□ **材料費（決算時）の会計処理**

① 材料費を材料仕入勘定で算定する場合

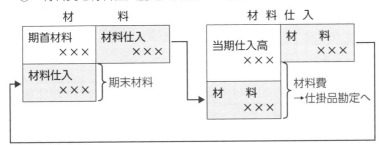

② 材料費を材料費勘定で算定する場合

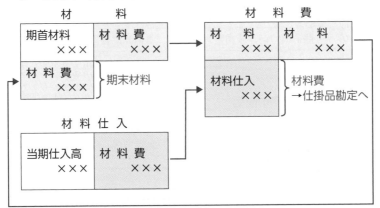

☐ 労務費の分類

賃　　　　　金	製造活動に従事する作業員に対して支払われる給与
給　　　　　料	管理職・事務職などの職員に対して支払われる給与
従業員賞与手当	従業員に対して支払われる賞与手当
賞与引当金繰入額	賞与引当金の当期負担額
退職給付費用	退職給付引当金の当期負担額
法定福利費	社会保険料の事業主負担額

☐ 製造経費の分類

外注加工費	外部者に材料を支給して加工を行わせた場合の加工賃
特許権使用料	外部の者が所有する特許権を用いて製造する場合の使用料
福利施設負担額	従業員のための福利施設の事業主負担額
減価償却費	工場建物、機械等の製造関係の減価償却費
材料棚卸減耗費	原価性がある場合のみ
そ　の　他	電力料、修繕費、保険料、水道光熱費など

☐ 労務費・製造経費の配賦

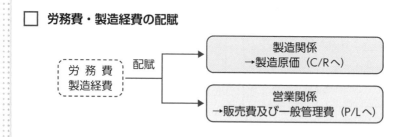

☐ 当期製品製造原価の会計処理

当期製品製造原価
＝期首仕掛品棚卸高＋当期総製造費用－期末仕掛品棚卸高

(1) 仕掛品勘定のみで処理する場合

(2) 仕掛品勘定と製造勘定で処理する場合

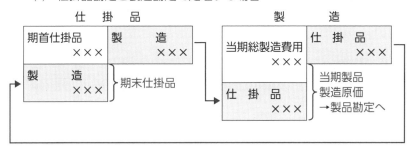

☐ 売上原価の算定

売上原価＝期首製品棚卸高＋当期製品製造原価－期末製品棚卸高

☐ 材料の投入方法

材料始点投入	製造工程のはじめに製品を製造するのに必要なすべての材料を投入する方法 期末仕掛品は、材料費と加工費に分けて計算
材料平均投入	材料を製品の製造過程で徐々に投入する方法 期末仕掛品は、材料費と加工費を分けて計算せずに、両方とも完成品換算数量により計算

☐ 減損の処理方法

〈意義〉

異常減損	通常の程度を超えて発生する減損
正常減損	通常不可避的に生じる減損

〈会計処理〉

異常減損	当期製品製造原価には含めず、特別損失として処理	
正常減損	① 完成品のみに負担させる場合	② 完成品と期末仕掛品の両者に負担させる場合
	期末仕掛品原価を計算し、それを期首仕掛品原価と当期総製造費用の合計から控除することにより、正常減損費を自動的に完成品に負担させる。	正常減損を度外視して期末仕掛品原価と当期製品製造原価を計算することにより、正常減損費を自動的に完成品と期末仕掛品の両者に負担させる。

CHAPTER 5

組織再編

ここでは組織再編について学習します。

組織再編は苦手とされる方が多い論点の一つなので、単に仕訳を暗記するのではなく、取引をイメージしながら学習していきましょう。

構造論点・その他の論点

組織再編

>> 基本的な考え方をおさえましょう。

学習
スケジュール

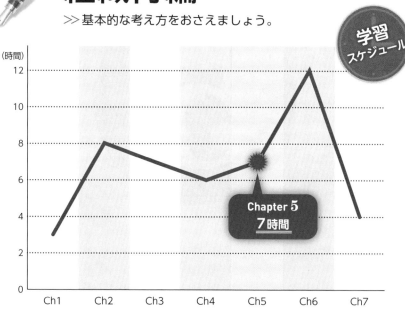

(時間)

Chapter 5
7時間

Ch1　Ch2　Ch3　Ch4　Ch5　Ch6　Ch7

Check List

☐ 企業結合と事業分離の違いを理解しているか？

☐ 事業譲受の会計処理を理解しているか？

☐ 吸収合併の会計処理を理解しているか？

☐ 株式交換の会計処理を理解しているか？

☐ 企業価値の算定方法を理解しているか？

☐ 事業分離の会計処理を理解しているか？

☐ 株式移転の会計処理を理解しているか？

Link to ▶ 財務諸表論④　**Chapter4 企業結合会計／ Chapter5 事業分離会計**

　財務諸表論では、企業結合および事業分離の会計処理の理論的な根拠を学習しま

す。取得の考え方や投資の清算と継続の考え方と関連づけて学習しましょう。

CHAPTER

5

組織再編

1 ：組織再編とは

▮▶ 組織再編の意義

　組織再編とは、会社が他の会社を吸収する行為、他の会社を子会社として支配下に置く行為および会社の特定の事業部門を切り離して独立の会社とする行為などをいいます。

 組織再編は、大きく分けて企業結合および事業分離に区別されます。

Point ▶ 企業結合と事業分離

	定　義	具体例
企業結合	ある企業（またはある企業を構成する事業）と他の企業（または他の企業を構成する事業）とが一つの報告単位（個別財務諸表または連結財務諸表）に統合されること	・事業譲受 ・合併 ・株式交換 ・株式移転
事業分離	ある企業を構成する事業を他の企業に移転すること	・事業譲渡 ・会社分割

2：企業結合とは

▐▶ 企業結合の意義

企業結合とは、ある企業（またはその事業）と他の企業（またはその事業）とが一つの報告単位（個別財務諸表または連結財務諸表）に統合されることをいいます。

▐▶ 企業結合の考え方 🚩

企業結合は、その経済的実態から原則として**取得**（ある企業が他の企業またはその事業に対する支配を獲得して一つの報告単位となること）とされ、**パーチェス法**により会計処理します。

▐▶ 取得の会計処理 🚩

パーチェス法とは、被取得企業から受け入れた資産および引き受けた負債の取得原価を、対価として交付する現金および株式等の時価とする方法です。

 他の企業（またはその事業）を取得する側を取得企業といい、取得される側を被取得企業といいます。

▐▶ 取得に要した支出額の会計処理 🚩

取得関連費用（外部のアドバイザー等に支払った特定の報酬・手数料等）は、発生した事業年度の費用として処理します。

Point パーチェス法の処理方法

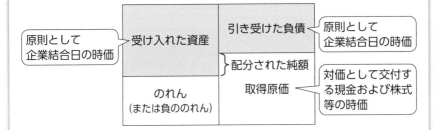

原則として
企業結合日の時価 → 受け入れた資産

引き受けた負債 ← 原則として
企業結合日の時価

} 配分された純額

のれん
（または負ののれん）

取得原価 ← 対価として交付する現金および株式等の時価

　パーチェス法は、取得企業の観点から企業結合をみるもので、受け入れた資産および引き受けた負債の時価と対価との差額は、**のれん**または**負ののれん**として認識します。

| ① | の　れ　ん：取得原価＞配分された純額 |
| ② | 負ののれん：取得原価＜配分された純額 |

のれんの会計処理

　のれんは、発生時に資産として計上し、20年以内のその効果の及ぶ期間にわたって、定額法その他の合理的な方法により規則的に償却します。ただし、のれんの金額に重要性が乏しい場合には、のれんが生じた事業年度の費用として処理することができます。

負ののれんは、負ののれんが発生した期間の利益として負ののれん発生益勘定で処理します。

3 : 事業譲受とは

▌事業譲受の意義

　事業譲受とは、金銭等を対価として、ある企業を構成する事業の全部または一部を取得する行為のことです。

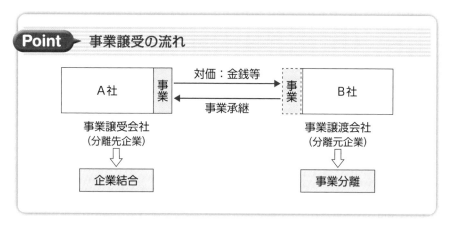

Point 　事業譲受の流れ

A社｜事業　　対価：金銭等　→　事業｜B社
　　　　　　　←　事業承継

事業譲受会社
（分離先企業）
↓
企業結合

事業譲渡会社
（分離元企業）
↓
事業分離

　事業を受け取った会社のことを、事業譲受会社（分離先企業）といい、事業を譲り渡した会社のことを、事業譲渡会社（分離元企業）といいます。

▌会計処理 🚩

　譲り受ける識別可能資産および負債を企業結合日の時価で計上し、企業結合日の時価純資産額と取得原価の差額を、のれんまたは負ののれんとして計上します。

　事業譲受は取得に該当するため、パーチェス法により会計処理します。なお、時価純資産額とは、時価で評価した譲り受ける資産と負債の差額のことをいいます。

例題　事業譲受

次の資料に基づいて、A社の仕訳を示しなさい。

[資　料]

1．A社はB社の事業の全部を事業譲受により取得する。事業譲受直前の
貸借対照表は次に示すとおりである。

A社貸借対照表（単位：千円）

諸 資 産	60,000	諸 負 債	22,500
		資 本 金	27,000
		利益準備金	3,000
		繰越利益剰余金	7,500
	60,000		60,000

B社貸借対照表（単位：千円）

諸 資 産	27,000	諸 負 債	9,000
		資 本 金	13,500
		利益準備金	1,500
		繰越利益剰余金	3,000
	27,000		27,000

2．B社における資産・負債の時価は、次に示すとおりである。

	諸資産	諸負債
時　価	31,500千円	10,500千円

3．A社は事業譲受の対価として、B社に対して30,000千円を金銭により
支払う。

解答

（仕訳の単位：千円）

（諸 資 産）	31,500*¹	（諸 負 債）	10,500*¹
（の れ ん）	9,000*³	（諸 資 産）	30,000*²
		現金預金	

＊1　時価
＊2　取得原価：交付金銭30,000千円
＊3　貸借差額

(1)　取得原価の内訳

・諸資産時価31,500千円−諸負債時価10,500 千円＝21,000千円 ⎫
・のれん9,000千円（差額） ⎭ 30,000千円

 B社の諸資産や諸負債は、B社簿価の27,000千円、9,000千円ではな
く、時価である31,500千円、10,500千円で計上します。

(2) A社の個別貸借対照表

A社貸借対照表　　（単位：千円）

諸　　資　　産	61,500	諸　　負　　債	33,000
の　　れ　　ん	9,000	資　　本　　金	27,000
		利 益 準 備 金	3,000
		繰越利益剰余金	7,500
	70,500		70,500

> このChapterで行う会計処理は、企業結合または事業分離後の貸借対照表の作成を目的としています。帳簿外で行われる会計処理なので基本的に、貸借対照表における表示科目をそのまま仕訳の勘定科目として使用しています。

問題 >>> 問題編の**問題1**に挑戦しましょう！

4：合併とは

Rank **A**

▌合併の意義

合併とは、2つ以上の会社が合体して1つの会社になることです。

なお、合併の形態には、**吸収合併**と**新設合併**の2つがあります。

新設合併は実務上でも採用されることが少なく、また本試験においても出題頻度が少ないため、本書では、吸収合併のみ学習します。

▌吸収合併の意義

吸収合併とは、合併の一形態で、株式等を対価として合併後に存続する企業に対して、合併後に消滅する企業の権利義務のすべてを承継させる行為のことです。

吸収合併では、「合併対価の柔軟化」により、株式だけでなく金銭を対価として交付することも可能ですが、本書では株式を対価として交付した場合のみ学習します。

▌吸収合併の流れ

吸収合併では、消滅会社の株主が所有する消滅会社株式を存続会社が受け取る代わりに、対価を消滅会社株主に交付することで合併が行われます。

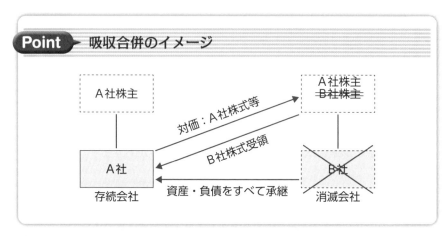

Point ▶ 吸収合併のイメージ

対価：A社株式等

B社株式受領

資産・負債をすべて承継

A社株主

A社株主
~~B社株主~~

A社
存続会社

B社
消滅会社

吸収する側を「存続会社」といい、吸収される側を「消滅会社」といいます。

▎交換比率の算定

　吸収合併の対価として、存続会社が消滅会社の株主に対して存続会社の株式を交付する場合、そもそも合併当事会社（存続会社と消滅会社）の株式価値は異なるため、合併時の合併当事会社の株式価値（1株あたりの企業評価額）の比率である交換比率を算定する必要があります。

$$交換比率 = \frac{消滅会社の企業評価額 \div 発行済株式数}{存続会社の企業評価額 \div 発行済株式数}$$

$$= \frac{消滅会社の1株あたりの企業評価額}{存続会社の1株あたりの企業評価額}$$

例題　交換比率の算定

　次の資料に基づいて、交換比率を求めなさい。

［資　料］

1．A社はB社を吸収合併することとなった。

2．発行済株式数は、A社3,000株、B社1,500株である。

3．企業評価額は、A社570,000千円、B社228,000千円である。

解答 交換比率：0.8 *

$$* \quad \frac{\text{B社}228,000\text{千円}\div1,500\text{株}}{\text{A社}570,000\text{千円}\div3,000\text{株}} = \frac{@152\text{千円}}{@190\text{千円}} = 0.8$$

交換比率は、A社とB社の1株あたりの企業評価額の比率をもって、1：0.8という形で問題文に与えられることもあります。

交付株式数の算定方法

消滅会社の株主の保有株式数に交換比率を掛けて、交付する株式数を算定します。

交付株式数＝消滅会社の株主の保有株式数×交換比率

例題 **交付株式数の算定**

次の資料に基づいて、交付株式数を求めなさい。

［資　料］

1．A社はB社を吸収合併することとなった。

2．発行済株式数は、A社3,000株、B社1,500株である。

3．交換比率は、A社：B社＝1：0.8である。

解答　交付株式数：1,200株*

　　*　1,500株×0.8＝1,200株

　B社株主への交付株式数は、発行済株式数の1,500株ではなく、交換比率の0.8を掛けた1,200株となります。

会計処理

(1) **新株の発行の場合**

　吸収合併の対価として存続会社が新株を発行した場合、消滅会社の取得原価は、株価に交付株式数を掛けた金額とします。なお、株価は、原則として企業結合日（合併期日）における株価を用います。また、増加資本については、払込資本（資本金、資本準備金、その他資本剰余金）を増加させます。

Point　新株の発行の場合

	諸　　負　　債　（時価）	
諸　資　産　（時価）	資　　本　　金　　XX	⎫
	資 本 準 備 金　　XX	⎬取得原価
の　れ　ん　（差額）	その他資本剰余金　　XX	⎭

　通常の新株の発行と異なり、具体的にどの払込資本を増加させるかについては、合併契約により自由に決定することができます。そのため、資本金、資本準備金、その他資本剰余金の内訳は問題文の指示に従ってください。

例題　**吸収合併―新株の発行の場合**

次の資料に基づいて、Ａ社の仕訳を示しなさい。

[資　料]

1．Ａ社はＢ社を吸収合併する。合併直前の貸借対照表は次に示すとおり
である。

Ａ社貸借対照表（単位：千円）			
諸 資 産	60,000	諸 負 債	22,500
		資 本 金	27,000
		利益準備金	3,000
		繰越利益剰余金	7,500
	60,000		60,000

Ｂ社貸借対照表（単位：千円）			
諸 資 産	27,000	諸 負 債	9,000
		資 本 金	13,500
		利益準備金	1,500
		繰越利益剰余金	3,000
	27,000		27,000

2．Ｂ社における資産・負債の時価は、次に示すとおりである。

	諸資産	諸負債
時　価	31,500千円	10,500千円

3．株式の交換比率は、Ａ社：Ｂ社＝１：0.8である。

4．Ｂ社の発行済株式数は100株である。

5．合併期日におけるＡ社の株価は、１株あたり375千円である。

6．吸収合併にともない増加させる払込資本については、資本金12,000千
円、資本準備金12,000千円とし、それ以外はその他資本剰余金とする。

解答

（仕訳の単位：千円）

（諸 　資　 産）	31,500	（諸 　負　 債）	10,500
（の 　れ　 ん）	9,000	（資 　本　 金）	12,000
		（資 本 準 備 金）	12,000
		（その他資本剰余金）	6,000*

※　30,000千円－12,000千円－12,000千円＝6,000千円

(1)　交付株式数：100株×0.8＝80株

(2)　取 得 原 価：@375千円×80株＝30,000千円

内訳：諸資産31,500千円－諸負債10,500千円＝21,000千円
のれん9,000千円（＝30,000千円－21,000千円）

(3) A社の個別貸借対照表

A社貸借対照表　（単位：千円）

諸　　資　　産	91,500	諸　　負　　債	33,000
の　　れ　　ん	9,000	資　　本　　金	39,000
		資 本 準 備 金	12,000
		その他資本剰余金	6,000
		利 益 準 備 金	3,000
		繰越利益剰余金	7,500
	100,500		100,500

(2) 新株の発行と同時に自己株式を処分した場合

吸収合併の対価として存続会社が新株の発行と同時に自己株式を処分した場合、消滅会社の取得原価は、株価に交付株式数を掛けた金額とします。

増加資本については、株価に交付株式数を掛けた金額から、処分した自己株式の帳簿価額を控除した額だけ、払込資本（資本金、資本準備金、その他資本剰余金）を増加させます。

Point ▶ 新株の発行と同時に自己株式を処分した場合

諸　　資　　産（時価）	諸　　負　　債（時価）
	自　己　株　式　XX
	資　　本　　金　XX
	資 本 準 備 金　XX
の　れ　ん（差額）	その他資本剰余金　XX

取得原価

新株の発行と同時に自己株式を処分した場合、消滅会社の取得原価の算定方法は新株の発行のみを行う場合と同じですが、増加資本の算定の仕方が異なる点に注意しましょう。

例題 **吸収合併—新株の発行と同時に自己株式を処分した場合**

次の資料に基づいて、A社の仕訳を示しなさい。

[資　料]

1．A社はB社を吸収合併する。合併直前の貸借対照表は次に示すとおりである。

A社貸借対照表（単位：千円）			
諸 資 産	60,000	諸 負 債	22,500
		資 本 金	27,000
		利益準備金	3,000
		繰越利益剰余金	10,500
		自己株式	△3,000
	60,000		60,000

B社貸借対照表（単位：千円）			
諸 資 産	27,000	諸 負 債	9,000
		資 本 金	10,500
		その他資本剰余金	3,000
		利益準備金	1,500
		繰越利益剰余金	3,000
	27,000		27,000

2．B社における資産・負債の時価は、次に示すとおりである。

	諸資産	諸負債
時　価	31,500千円	10,500千円

3．株式の交換比率は、A社：B社＝1：0.8である。

4．B社の発行済株式数は100株である。

5．A社の保有する自己株式数は10株（1株あたり300千円）である。

6．吸収合併の対価として、保有するすべての自己株式と新株を交付する。

7．合併期日におけるA社の株価は、1株あたり375千円である。

8．吸収合併にともない増加させる払込資本については、資本金12,000千円、資本準備金12,000千円とし、それ以外はその他資本剰余金とする。

解答

（諸　　資　　産）	31,500	（諸　　負　　債）	10,500
（の　　れ　　ん）	9,000	（自　己　株　式）	3,000*1
		（資　　本　　金）	12,000
		（資 本 準 備 金）	12,000
		（その他資本剰余金）	3,000*2

＊1　帳簿価額

＊2　30,000千円－3,000千円－12,000千円－12,000千円＝3,000千円

(1)　交付株式数：100株×0.8＝80株

(2)　取得原価：@375千円×80株＝30,000千円

　　内訳：諸資産31,500千円－諸負債10,500千円＝21,000千円

　　　　　のれん9,000千円（＝30,000千円－21,000千円）

(3)　A社の個別貸借対照表

A社貸借対照表　　（単位：千円）

諸　資　産	91,500	諸　　負　　債	33,000
の　れ　ん	9,000	資　　本　　金	39,000
		資 本 準 備 金	12,000
		その他資本剰余金	3,000
		利 益 準 備 金	3,000
		繰越利益剰余金	10,500
	100,500		100,500

資本金と資本準備金の増加額は決まっているため、増加資本の算定において、前例題と比べ、自己株式の帳簿価額3,000千円分だけ、その他資本剰余金の増加額が減少することになります。

問題 >>> 問題編の**問題2～問題3**に挑戦しましょう！

5：株式交換とは

株式交換の意義

株式交換とは、株式等を対価として、他の企業の株式のすべてを取得することにより、その企業を完全子会社とする行為のことです。

株式交換の流れ

完全親会社となる会社が、完全親会社となる会社の株式と交換に完全子会社となる会社の株主が所有する完全子会社の発行済株式の総数（100％）を取得することにより、完全親会社・完全子会社の関係となります。

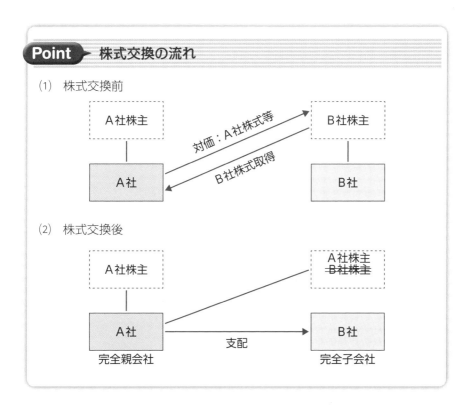

Point 株式交換の流れ

(1) 株式交換前

A社株主　　　　対価：A社株式等 →　B社株主

A社　← B社株式取得　　B社

(2) 株式交換後

A社株主　　　　　　　A社株主
　　　　　　　　　　　~~B社株主~~

A社　── 支配 →　B社
完全親会社　　　　完全子会社

完全親会社とは、他の会社の発行済株式のすべてを保有する会社のこと、完全子会社とは、他の会社に発行済株式のすべてを保有されている会社のことをいいます。

▶ 会計処理 ✐

(1) 新株の発行の場合

　　株式交換の対価として株式交換完全親会社が新株を発行した場合、子会社株式の取得原価は、株価に交付株式数を掛けた金額とします。なお、株価は、原則として企業結合日（株式交換日）における株価を用います。また、増加資本については、払込資本（資本金、資本準備金、その他資本剰余金）を増加させます。

Point ▶ **新株の発行の場合**

関係会社株式	資　本　金　XX	⎫
	資本準備金　XX	⎬ 取得原価
	その他資本剰余金　XX	⎭

交換比率と交付株式数の算定方法および増加資本の取扱いについては吸収合併と同じです。

CHAPTER
5

組織再編

例題 **株式交換—新株の発行の場合**

次の資料に基づいて、A社の仕訳を示しなさい。

[資 料]

1．A社はB社の株主と株式交換を行う。株式交換直前の貸借対照表は次に示すとおりである。

A社貸借対照表（単位：千円）

諸 資 産	60,000	諸 負 債	22,500
		資 本 金	27,000
		利益準備金	3,000
		繰越利益剰余金	7,500
	60,000		60,000

B社貸借対照表（単位：千円）

諸 資 産	27,000	諸 負 債	9,000
		資 本 金	13,500
		利益準備金	1,500
		繰越利益剰余金	3,000
	27,000		27,000

2．B社における資産・負債の時価は、次に示すとおりである。

	諸資産	諸負債
時　価	31,500千円	10,500千円

3．株式の交換比率は、A社：B社＝1：0.8である。

4．B社の発行済株式数は100株である。

5．株式交換日におけるA社の株価は、1株あたり375千円である。

6．株式交換にともない増加させる払込資本については、資本金12,000千円、資本準備金12,000千円とし、それ以外はその他資本剰余金とする。

解答

（仕訳の単位：千円）

（関 係 会 社 株 式）	30,000	（資　　本　　金）	12,000
		（資 本 準 備 金）	12,000
		（その他資本剰余金）	6,000*

*　貸借差額

⑴　交付株式数：100株×0.8＝80株

⑵　取 得 原 価：@375千円×80株＝30,000千円

(3) A社およびB社の個別貸借対照表

A社貸借対照表（単位：千円）

諸 資 産	60,000	諸 負 債	22,500
関係会社株式	30,000	資 本 金	39,000
		資本準備金	12,000
		その他資本剰余金	6,000
		利益準備金	3,000
		繰越利益剰余金	7,500
	90,000		90,000

B社貸借対照表（単位：千円）

諸 資 産	27,000	諸 負 債	9,000
		資 本 金	13,500
		利益準備金	1,500
		繰越利益剰余金	3,000
	27,000		27,000

株式交換は、親会社となる会社が子会社となる会社の資産・負債を引き継がない点および株式を取得される会社が消滅しない点が、吸収合併と異なります。

(2) 新株の発行と同時に自己株式を処分した場合

株式交換完全子会社の株式の取得原価は、株価に交付株式数を掛けた金額とします。増加資本については、株価に交付株式数を掛けた金額から、処分した自己株式の帳簿価額を控除した額だけ、払込資本（資本金、資本準備金、その他資本剰余金）を増加させます。

Point ▶ 新株の発行と同時に自己株式を処分した場合

関係会社株式	自 己 株 式	XX	⎫
	資 本 金	XX	取得原価
	資 本 準 備 金	XX	
	その他資本剰余金	XX	⎭

株式交換の対価として自己株式を処分した場合、自己株式処分差損益は発生しません。これは、吸収合併の場合も同様ですので、あわせて確認しましょう。

例題 株式交換―新株の発行と同時に自己株式を処分した場合

次の資料に基づいて、A社の仕訳を示しなさい。

［資 料］

1. A社はB社の株主と株式交換をする。株式交換直前の貸借対照表は次に示すとおりである。

A社貸借対照表（単位：千円）			
諸 資 産	60,000	諸 負 債	22,500
		資 本 金	27,000
		利益準備金	3,000
		繰越利益剰余金	10,500
		自己株式	△3,000
	60,000		60,000

B社貸借対照表（単位：千円）			
諸 資 産	27,000	諸 負 債	9,000
		資 本 金	10,500
		その他資本剰余金	3,000
		利益準備金	1,500
		繰越利益剰余金	3,000
	27,000		27,000

2. B社における資産・負債の時価は、次に示すとおりである。

	諸資産	諸負債
時 価	31,500千円	10,500千円

3. 株式の交換比率は、A社：B社＝1：0.8である。

4. B社の発行済株式数は100株である。

5. A社の保有する自己株式数は10株（1株あたり300千円）である。

6. 株式交換の対価として、保有するすべての自己株式と新株を交付する。

7. 株式交換日におけるA社の株価は、1株あたり375千円である。

8. 株式交換にともない増加させる払込資本については、資本金12,000千円、資本準備金12,000千円とし、それ以外はその他資本剰余金とする。

（関係会社株式）	30,000	（自　己　株　式）	3,000*1
		（資　　本　　金）	12,000
		（資　本　準　備　金）	12,000
		（その他資本剰余金）	3,000*2

＊１　帳簿価額
＊２　貸借差額

(1) 交付株式数：100株×0.8＝80株

(2) 取得原価：@375千円×80株＝30,000千円

(3) A社およびB社の個別貸借対照表

A社貸借対照表（単位：千円）

諸　資　産	60,000	諸　負　債	22,500
関係会社株式	30,000	資　本　金	39,000
		資本準備金	12,000
		その他資本剰余金	3,000
		利益準備金	3,000
		繰越利益剰余金	10,500
	90,000		90,000

B社貸借対照表（単位：千円）

諸　資　産	27,000	諸　負　債	9,000
		資　本　金	10,500
		その他資本剰余金	3,000
		利益準備金	1,500
		繰越利益剰余金	3,000
	27,000		27,000

資本金と資本準備金の増加額は決まっているため、増加資本の算定において、前例題と比べ、自己株式の帳簿価額3,000千円分だけ、その他資本剰余金の増加額が減少することになります。

問題 ＞＞＞ 問題編の問題4〜問題5に挑戦しましょう！

6：企業価値の算定

企業価値の算定

　吸収合併や株式交換の際に用いる交換比率を求めるためには企業価値を算定する必要がありますが、その算定にはさまざまな方法があります。

(1) 純資産額法

　純資産額法とは、純資産額（資産－負債）を企業評価額とする方法です。

> **企業評価額＝総資産－総負債**
> **＝純資産額**

　純資産額法には、資産および負債の金額を時価で計算する方法と帳簿価額で計算する方法がありますので、本試験では問題文の指示に従ってください。

(2) 収益還元価値法

　収益還元価値法とは、企業の収益力によって評価する方法で、資本還元率を用いて利益額から企業評価額を算定する方法です。

> **企業評価額＝企業の利益額÷資本還元率（資本コストなど）**

(3) 株価基準法

　株価基準法とは、発行済株式の時価総額を企業評価額とする方法です。

> **企業評価額＝1株あたりの時価×発行済株式数**

⑷ 割引現在価値法（DCF法）

割引現在価値法とは、将来キャッシュ・フローの現在価値を企業評価額とする方法です。

> **企業評価額＝予想将来獲得キャッシュの割引現在価値**

⑸ 折衷法

折衷法とは、⑴から⑷のいずれかの方法により算定された企業評価額のうち2つ以上を選択し、それらの平均値を企業評価額とする方法です。

例題 **企業価値の算定**

次の資料に基づいて、A社の交付株式数を算定しなさい。

［資　料］

1．A社はB社を吸収合併する。合併直前の貸借対照表は次に示すとおりである。

A社貸借対照表 (単位：千円)			
諸 資 産	60,000	諸 負 債	22,500
		資 本 金	27,000
		利益準備金	3,000
		繰越利益剰余金	7,500
	60,000		60,000

B社貸借対照表 (単位：千円)			
諸 資 産	27,000	諸 負 債	9,000
		資 本 金	13,500
		利益準備金	1,500
		繰越利益剰余金	3,000
	27,000		27,000

2．発行済株式数：A社200株（1株あたりの時価375千円）

B社100株（1株あたりの時価336千円）

3．株主資本利益率：A社6％、B社4％

4．資本還元率：5％

5．企業評価額は、株価基準法と収益還元価値法の折衷法により算定する。

解答　　交付株式数：80株

(1)　株価基準法による評価額
　①　A社：＠375千円×200株＝75,000千円
　②　B社：＠336千円×100株＝33,600千円
(2)　収益還元価値法による評価額
　①　A社：株主資本37,500千円×株主資本利益率6％＝利益2,250千円
　　　　　　利益2,250千円÷資本還元率5％＝45,000千円
　②　B社：株主資本18,000千円×株主資本利益率4％＝利益720千円
　　　　　　利益720千円÷資本還元率5％＝14,400千円
(3)　企業評価額
　①　A社：(75,000千円＋45,000千円)÷2＝60,000千円
　②　B社：(33,600千円＋14,400千円)÷2＝24,000千円
(4)　交換比率

$$\frac{\text{B社評価額24,000千円÷B社発行済株式数100株}}{\text{A社評価額60,000千円÷A社発行済株式数200株}} = \frac{\text{＠240千円}}{\text{＠300千円}}$$

　　＝0.8
(5)　交付株式数：100株×0.8＝80株

　　企業評価額の算定の方法については、資料5.のように問題文に指示
　　が与えられますので、注意して問題文を読むようにしましょう。

問題　≫≫≫　問題編の**問題6**に挑戦しましょう！

7：事業分離とは

事業分離の意義

事業分離とは、ある企業を構成する事業を他の企業に移転することをいいます。

Point ▶ 事業分離の流れ

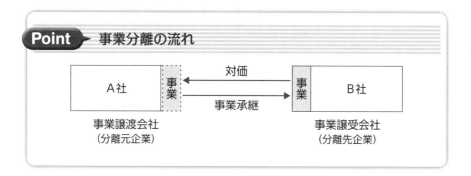

具体的には、事業譲渡、会社分割などがあります。**3：事業譲受とは**では、分離先企業の会計処理を学びましたが、事業分離では、分離元企業の会計処理について学習していきます。

事業分離の概念 🚩

事業分離は、移転した事業に関する投資が**清算**されたとみる場合と移転した事業に関する投資がそのまま**継続**しているとみる場合という2つの概念に分類されます。

182

清算と継続について

清算と継続とは、具体的にどのようなことをいっているのですか？

清算とは、事業を手放したあと、その事業に対して影響力を行使できないことをいいます。そして、継続とは事業を手放したあともその事業に対して影響力を行使できることをいいます。

(1) 移転した事業に関する投資が清算されたとみる場合

事業を分離先企業に移転したことにより受け取った対価となる財の時価と、移転した事業に係る株主資本相当額との差額を移転損益として認識します。

移転した事業に係る株主資本相当額とは、移転した事業に係る資産および負債の移転直前の適正な帳簿価額による差額から、事業に係る評価・換算差額等および新株予約権を控除した額のことです。

Point ▶ 投資が清算されたとみる場合

諸 負 債 （簿価）		
現　　金 または　（時価） 株　　式	諸 資 産 （簿価）	｝株主資本相当額
	移転損益 （差額）	

⑵ **移転した事業に関する投資がそのまま継続しているとみる場合**

移転損益を認識せず、その事業を分離先企業に移転したことにより受け取る資産の取得原価は、移転した事業に係る株主資本相当額に基づいて算定します。

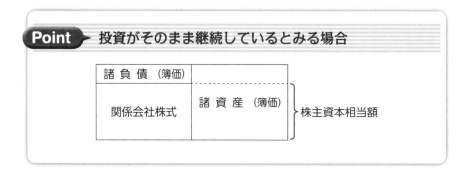

Point ▶ 投資がそのまま継続しているとみる場合

諸 負 債 （簿価）	
関係会社株式	諸 資 産 （簿価）

株主資本相当額

投資の清算または継続の判定基準

移転した事業に関する投資が、清算されたのかまたはそのまま継続しているのかの判定は基本的に受け取る対価の種類により行います。

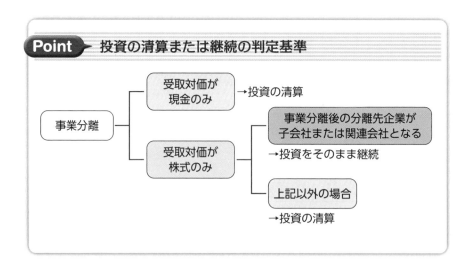

Point ▶ 投資の清算または継続の判定基準

事業分離
　受取対価が現金のみ →投資の清算
　受取対価が株式のみ
　　事業分離後の分離先企業が子会社または関連会社となる →投資をそのまま継続
　　上記以外の場合 →投資の清算

投資の清算と継続

(1) 対価が現金のみである場合

　移転した事業に関する事業投資は、一般的な売却取引などと同様に清算されていると考えられることから、事業に関する投資が清算されたと判定します。

(2) 対価が分離先企業の株式のみである場合

　① 事業分離後の分離先企業が子会社または関連会社となる場合

　　事業分離後の分離先企業が子会社または関連会社となる場合には、当該株式を通じて、移転した事業に関する事業投資を引き続き行っていると考えられることから、当該事業に関する投資が継続していると判定します。

　② ①以外の場合

　　移転した事業に関する事業投資は、一般的な売却取引などと同様に清算されていると考えられることから、事業に関する投資が清算されたと判定します。

▶ 受取対価が現金のみである場合の分離元企業の会計処理 🚩

　現金のみを受取対価とする事業分離において、子会社や関連会社以外へ事業分離する場合は、移転した事業に関する投資が清算されたとみなされ、移転損益が認識されます。

例題　事業分離—受取対価が現金のみの場合

次の資料に基づいて、A社の仕訳を示しなさい。

［資　料］

1．A社は業績が低迷しているA₁事業部門を分離してB社に事業譲渡した。事業譲渡直前の貸借対照表は次に示すとおりである。

A社貸借対照表　　（単位：千円）

諸　資　産	60,000	諸　　負　　債	22,500
		資　　本　　金	27,000
		利 益 準 備 金	3,000
		繰越利益剰余金	7,500
	60,000		60,000

2. A₁事業部門に属する資産・負債は、次に示すとおりである。

	諸資産	諸負債
適正な帳簿価額	6,000千円	2,250千円

3. A社はA₁事業部門の譲渡により現金4,500千円を受け取る。

解答

(仕訳の単位：千円)

(諸　　負　　債)	2,250*1	(諸　　資　　産)	6,000*1
(諸　　資　　産)	4,500	(移　転　損　益)	750*2

現金預金

＊1　A₁事業部門の適正な帳簿価額
＊2　貸借差額

〈A社の個別貸借対照表〉

A社貸借対照表　　(単位：千円)

諸　　資　　産	58,500	諸　　負　　債	20,250
		資　　本　　金	27,000
		利 益 準 備 金	3,000
		繰越利益剰余金	8,250*
	58,500		58,500

＊　繰越利益剰余金7,500千円＋移転損益750千円＝8,250千円

受取対価が分離先企業の株式のみである場合

(1)　事業分離後の分離先企業が子会社または関連会社となる場合

移転した事業に関する投資がそのまま継続しているとみる場合に該当するため、移転損益を認識せず、分離元企業が受け取った分離先企業の株式の取得原価は、移転した事業に係る株主資本相当額に基づいて算定します。

受取対価の取得原価は、移転する事業の資産と負債の帳簿価額の差額です。

例題　事業分離—子会社または関連会社となる場合

　A社は新たに完全子会社となるB社を設立し、事業のすべてをB社に移転した。なお、事業分離にあたり、A社はB社株式を取得する。事業譲渡直前の貸借対照表は次に示すとおりである。

A社貸借対照表　　（単位：千円）

諸　　資　　産	60,000	諸　　　負　　　債	22,500
		資　　本　　金	27,000
		利 益 準 備 金	3,000
		繰越利益剰余金	7,500
	60,000		60,000

解答

（仕訳の単位：千円）

（諸　　負　　債）	22,500	（諸　　資　　産）	60,000
（関 係 会 社 株 式）	37,500*		

*　貸借差額

〈A社の個別貸借対照表〉

A社貸借対照表　　（単位：千円）

関 係 会 社 株 式	37,500	資　　本　　金	27,000
		利 益 準 備 金	3,000
		繰越利益剰余金	7,500
	37,500		37,500

(2) **事業分離後の分離先企業が子会社または関連会社以外の場合**

移転した事業に関する投資が清算されたとみる場合に該当するため、その事業を分離先企業に移転したことによって受け取った対価である財の時価と、移転した事業に係る株主資本相当額との差額を移転損益として認識します。

例題 **事業分離─子会社または関連会社以外の場合**

次の資料に基づいて、A社の仕訳を示しなさい。

［資　料］

1. A社は業績が低迷しているA₁事業部門を分離してB社に事業譲渡した。事業譲渡直前の貸借対照表は次に示すとおりである。

A社貸借対照表　　（単位：千円）

諸　　資　　産	60,000	諸　　負　　債	22,500
		資　　本　　金	27,000
		利 益 準 備 金	3,000
		繰越利益剰余金	7,500
	60,000		60,000

2. A₁事業部門に属する資産・負債は、次に示すとおりである。

	諸資産	諸負債
適正な帳簿価額	6,000千円	2,250千円

3. A社はA₁事業部門の分離にともない、B社株式20株を取得する。

4. 事業分離日におけるB社の株価は、1株あたり225千円である。

5. A社は事業分離前においてB社株式を保有しておらず、取得したB社株式は「その他有価証券」に区分する。

解答 (仕訳の単位：千円)

| （諸　　負　　債） | 2,250*1 | （諸　　資　　産） | 6,000*1 |
| （投資有価証券） | 4,500*2 | （移　転　損　益） | 750*3 |

* 1　A₁事業部門の適正な帳簿価額
* 2　@225千円×20株＝4,500千円
* 3　貸借差額

〈A社の個別貸借対照表〉

A社貸借対照表　　（単位：千円）

諸　　資　　産	54,000	諸　　負　　債	20,250
投資有価証券	4,500	資　　本　　金	27,000
		利 益 準 備 金	3,000
		繰越利益剰余金	8,250*
	58,500		58,500

*　繰越利益剰余金7,500千円＋移転損益750千円＝8,250千円

問題 ≫≫ 問題編の**問題7～問題9**に挑戦しましょう！

株式移転

▶ 株式移転

　株式移転とは、企業が完全子会社となるために、新たに完全親会社（持株会社）となる企業を設立する行為のことです。

　現実に「○×ホールディングス」といった会社が存在しますが、この中には、株式移転によって新設されたものが多くあります。これは、株式移転により持株会社「○×ホールディングス」を設立して、他の企業を完全子会社化したものです。

▶ 株式移転の流れ

　株式移転は、株式交換と同様に完全親会社となる新設会社（以下、完全親会社）が、完全親会社の発行する新株と交換に完全子会社となる既存の会社（以下、完全子会社）の株主が所有する完全子会社の発行済株式の総数（100％）を取得することにより、完全親会社・完全子会社の関係となります。

　株式移転とは、完全親会社の設立と株式交換を同時に行うことであるといえます。

Point **株式移転の流れ**

(1) 株式移転前

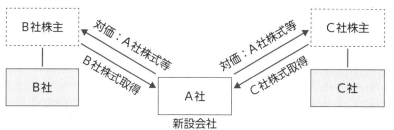

(2) 株式移転後

A社を新設し、A社がB社株式およびC社株式と引換えにA社株式を交付します。複数子会社ができる場合には、どの会社が取得企業となるかの判定は、持株割合の大きさなどから決定します。

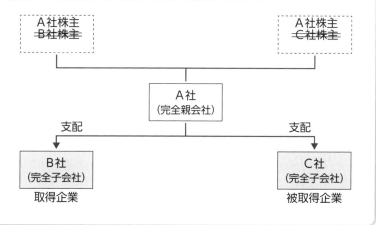

会計処理

株式移転の対価として完全親会社となる会社が新株を発行した場合、取得原価は取得企業株式の取得原価と被取得企業株式の取得原価の合計額となります。

(1) 取得企業株式の取得原価

取得企業株式の取得原価は、株式移転日前日における取得企業の適正な帳簿価額による株主資本の額となります。

> **取得企業の取得原価＝取得企業の適正な帳簿価額による**
> **株主資本の額（帳簿価額）**

(2) 被取得企業株式の取得原価

被取得企業株式の取得原価は、完全親会社株式の時価となります。ただし、株式移転により設立される完全親会社には、株式移転時の時価がないため、取得企業の株式を被取得企業の株主に交付したものとみなして算定します。

> **被取得企業の取得原価＝取得企業の株式の時価×交付株式数**

一般的には、取得企業となる完全子会社の株式と完全親会社の株式は1株につき1株の割合で交付されるので、実質的に完全親会社株式の価値は取得企業となる完全子会社の株式の価値と同じであるといえます。

例題 **株式移転**

次の資料に基づいて、A社の仕訳を示しなさい。

［資　料］

1. B社とC社は株式移転を行い、共同持株会社A社を設立した。株式移転直前の貸借対照表は次に示すとおりである。

B社貸借対照表（単位：千円）			
諸 資 産	60,000	諸 負 債	22,500
		資 本 金	27,000
		利益準備金	3,000
		繰越利益剰余金	7,500
	60,000		60,000

C社貸借対照表（単位：千円）			
諸 資 産	27,000	諸 負 債	9,000
		資 本 金	13,500
		利益準備金	1,500
		繰越利益剰余金	3,000
	27,000		27,000

2．B社の発行済株式数は120株、C社の発行済株式数は100株である。

3．A社の設立にあたり、B社株主にはB社株式1株あたりA社株式1株が、C社株主にはC社株式1株あたり、A社株式0.8株が交付された。

4．株式移転日におけるB社の株価は1株あたり375千円である。

5．株式移転にともない増加させるA社の払込資本については、資本金24,000千円、資本準備金24,000千円とし、それ以外はその他資本剰余金とする。

解答

（仕訳の単位：千円）

（関係会社株式）	67,500	（資　本　金）	24,000
		（資 本 準 備 金）	24,000
		（その他資本剰余金）	19,500*

＊　貸借差額

(1)　交付株式数（B社）：120株×1＝120株

　　　　　　　　（C社）：100株×0.8＝80株

　　B社の持株割合が60%（＝120株÷（120株＋80株））となるため、B社が取得企業となります。

(2)　取得原価

　　B社株式の取得原価：資本金27,000千円＋利益準備金3,000千円

　　　　　　　　　　　　＋繰越利益剰余金7,500千円＝37,500千円

　　C社株式の取得原価：@375千円×80株＝30,000千円

　　関 係 会 社 株 式：B社株式取得原価37,500千円

　　　　　　　　　　　　＋C社株式取得原価30,000千円＝67,500千円

取得企業であるB社株式の取得原価は、B社の適正な帳簿価額による株主資本の額に基づいて算定した37,500千円となり、被取得企業であるC社株式の取得原価は、時価に基づいて算定した30,000千円となります。

参考 | 段階取得

段階取得とは

段階取得とは、組織再編において、複数の取引により他の会社を取得（合併、子会社化など）することをいいます。本節では段階取得による吸収合併と段階取得による株式交換の2パターンを学習します。

段階取得による吸収合併

吸収合併を行う際に、存続会社が合併前から消滅会社の株式を保有している場合があります。吸収合併が段階取得に該当するときは、存続会社が保有する消滅会社の株式（抱合せ株式）に対して存続会社の株式を交付しません。

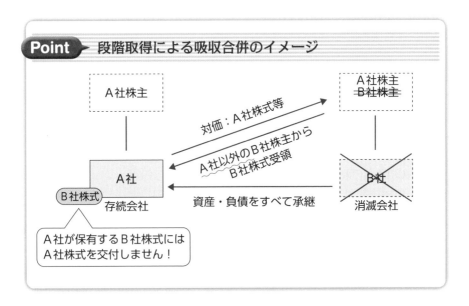

Point ▶ 段階取得による吸収合併のイメージ

本節では、消滅会社の株式（抱合せ株式）を「その他有価証券」として保有していた場合の処理方法を学習します。また、全部純資産直入法を採用していることを前提に説明します。

段階取得による吸収合併の会計処理

(1) その他有価証券の取得原価への振り戻し

消滅会社の株式（抱合せ株式）をその他有価証券として保有している場合、当該株式に係るその他有価証券評価差額金を取り崩して、取得原価へ振り戻します。

(2) 吸収合併

消滅会社の取得原価は、合併期日における（取得企業の）株価に交付株式数を掛けた金額と、消滅会社の株式（抱合せ株式）の取得原価を合計した金額となります。

> 交付株式数＝（消滅会社の発行済株式数－抱合せ株式数）×交換比率
> 消滅会社の取得原価＝株価×交付株式数＋抱合せ株式の取得原価

例題　段階取得による吸収合併

次の資料に基づいて、A社の仕訳を示しなさい。

［資　料］

1. A社はB社を吸収合併する。合併直前の貸借対照表は次に示すとおりである。

A社貸借対照表（単位：千円）

諸 資 産	57,000	諸 負 債	22,000
投資有価証券	3,000	資 本 金	27,000
		利益準備金	3,000
		繰越利益剰余金	7,500
		その他有価証券評価差額金	500
	60,000		60,000

B社貸借対照表（単位：千円）

諸 資 産	27,000	諸 負 債	9,000
		資 本 金	13,500
		資本準備金	500
		利益準備金	1,000
		繰越利益剰余金	3,000
	27,000		27,000

2. B社における資産・負債の時価は、次に示すとおりである。

	諸資産	諸負債
時　価	31,500千円	10,500千円

3. 株式の交換比率は、A社：B社＝1：0.8である。

4．B社の発行済株式数は、100株である。

5．A社の貸借対照表上の投資有価証券はB社株式10株であり、その他有価証券として保有している。なお、評価差額の会計処理は全部純資産直入法を採用しており、税効果会計は考慮しない。

6．合併期日におけるA社の株価は、1株あたり375千円である。

7．吸収合併にともない増加させる払込資本については、資本金12,000千円、資本準備金12,000千円とし、それ以外はその他資本剰余金とする。

 解答

（仕訳の単位：千円）

・その他有価証券の取得原価への振り戻し

（その他有価証券評価差額金）	500	（投 資 有 価 証 券）	500

・吸収合併

（諸　　資　　産）	31,500	（諸　　負　　債）	10,500
（の　　れ　　ん）	8,500*3	（投 資 有 価 証 券）	2,500*1
		（資　　本　　金）	12,000
		（資 本 準 備 金）	12,000
		（その他資本剰余金）	3,000*2

＊1　3,000千円－500千円＝2,500千円（B社株式の取得原価）
＊2　27,000千円－12,000千円－12,000千円＝3,000千円
＊3　貸借差額

(1) 交付株式数：（100株－抱合せ株式数10株）×0.8＝72株

(2) 取得原価：＠375千円×72株＋2,500千円（B社株式の取得原価）
　　　　　　＝29,500千円

（内訳）受け入れた諸資産と引き受けた諸負債の純額：
　　　　31,500千円－10,500千円＝21,000千円
　　　　のれん：8,500千円（＝29,500千円－21,000千円）

(3) A社の個別貸借対照表

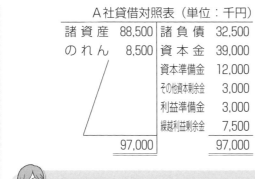

A社貸借対照表（単位：千円）

諸 資 産	88,500	諸 負 債	32,500
の れ ん	8,500	資 本 金	39,000
		資本準備金	12,000
		その他資本剰余金	3,000
		利益準備金	3,000
		繰越利益剰余金	7,500
	97,000		97,000

交付株式数の算定は、A社保有分のB社株式10株を差し引くことを忘れないようにしましょう。

段階取得による株式交換

　株式交換を行う際に、完全親会社が株式交換前から完全子会社の株式を保有している場合があります。株式交換が段階取得に該当するときは、完全親会社が保有する完全子会社の株式（抱合せ株式）に対して完全親会社の株式を交付しません。

Point ▶ 段階取得による株式交換のイメージ

(1) 株式交換前〜株式交換

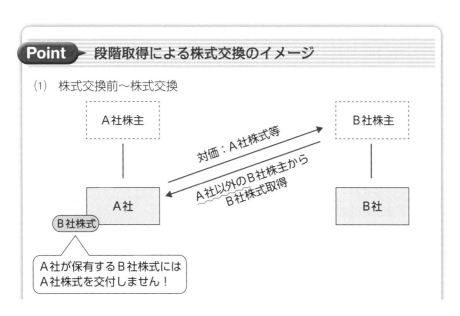

(2) 株式交換後

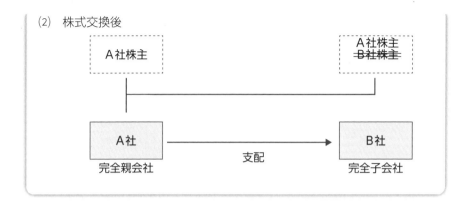

吸収合併の場合と同じく、本節では、完全子会社の株式（抱合せ株式）を「その他有価証券」として保有していた場合の処理方法を学習します。また、全部純資産直入法を採用していることを前提に説明します。

▶ 段階取得による株式交換の会計処理

(1) その他有価証券の取得原価への振り戻し

完全子会社の株式（抱合せ株式）をその他有価証券として保有している場合、当該株式に係るその他有価証券評価差額金を取り崩して、取得原価へ振り戻します。

(2) 保有目的の変更

株式交換によって完全子会社に対する支配を獲得するため、完全子会社の株式（抱合せ株式）の保有目的を子会社株式に変更します。

(3) 株式交換

子会社株式の取得原価は、株式交換日における（取得企業の）株価に交付株式数を掛けた金額となります。

> 交付株式数＝（完全子会社の発行済株式数－抱合せ株式数）×交換比率
> 子会社株式の取得原価＝株価×交付株式数

例題　**段階取得による株式交換**

次の資料に基づいて、A社の仕訳を示しなさい。

[資　料]

1．A社はB社の株主と株式交換を行う。株式交換直前の貸借対照表は次に示すとおりである。

A社貸借対照表（単位：千円）

諸 資 産	57,000	諸 負 債	22,000
投資有価証券	3,000	資 本 金	27,000
		利益準備金	3,000
		繰越利益剰余金	7,500
		その他有価証券評価差額金	500
	60,000		60,000

B社貸借対照表（単位：千円）

諸 資 産	27,000	諸 負 債	9,000
		資 本 金	13,500
		資本準備金	500
		利益準備金	1,000
		繰越利益剰余金	3,000
	27,000		27,000

2．B社における資産・負債の時価は、次に示すとおりである。

	諸資産	諸負債
時　価	31,500千円	10,500千円

3．株式の交換比率は、A社：B社＝1：0.8である。

4．B社の発行済株式数は、100株である。

5．A社の貸借対照表上の投資有価証券はB社株式10株であり、その他有価証券として保有している。なお、評価差額の会計処理は全部純資産直入法を採用しており、税効果会計は考慮しない。

6．株式交換日におけるA社の株価は、1株あたり375千円である。

7．株式交換にともない増加させる払込資本については、資本金12,000千円、資本準備金12,000千円とし、それ以外はその他資本剰余金とする。

解答

・その他有価証券の取得原価への振り戻し

（その他有価証券評価差額金）	500	（投 資 有 価 証 券）	500

・保有目的の変更

（関 係 会 社 株 式）	2,500	（投 資 有 価 証 券）	2,500

・株式交換

（関 係 会 社 株 式）	27,000	（資　　本　　金）	12,000
		（資 本 準 備 金）	12,000
		（その他資本剰余金）	3,000*

* 27,000千円 − 12,000千円 − 12,000千円 ＝ 3,000千円

(1) 交付株式数：（100株−抱合せ株式数10株）×0.8＝72株

(2) 取得原価：＠375千円×72株＝27,000千円

(3) A社およびB社の個別貸借対照表

A社貸借対照表（単位：千円）

諸 資 産	57,000	諸 負 債	22,000
関係会社株式	29,500	資 本 金	39,000
		資本準備金	12,000
		その他資本剰余金	3,000
		利益準備金	3,000
		繰越利益剰余金	7,500
	86,500		86,500

B社貸借対照表（単位：千円）

諸 資 産	27,000	諸 負 債	9,000
		資 本 金	13,500
		資本準備金	500
		利益準備金	1,000
		繰越利益剰余金	3,000
	27,000		27,000

Chapter **5** のまとめ

☐ 企業結合と事業分離

	定　義	具体例
企業結合	ある企業（またはある企業を構成する事業）と他の企業（または他の企業を構成する事業）とが一つの報告単位（個別財務諸表または連結財務諸表）に統合されること	・事業譲受 ・合併 ・株式交換 ・株式移転
事業分離	ある企業を構成する事業を他の企業に移転すること	・事業譲渡 ・会社分割

☐ パーチェス法の処理

〈パーチェス法〉

　被取得企業から受け入れた資産および引き受けた負債の取得原価を、対価として交付する現金および株式等の時価とする方法

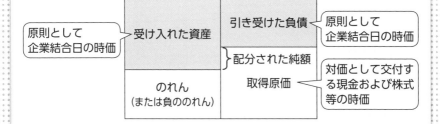

```
①　の れ ん：取得原価＞配分された純額
②　負ののれん：取得原価＜配分された純額
```

☐ のれんの会計処理

　発生時に資産として計上し、20年以内のその効果の及ぶ期間にわたっ
て、定額法その他の合理的な方法により規則的に償却します。

☐ 負ののれんの会計処理

　発生した期間の利益として負ののれん発生益勘定で処理します。

☐ 交換比率の算定

$$交換比率 = \frac{消滅会社の企業評価額 \div 発行済株式数}{存続会社の企業評価額 \div 発行済株式数}$$

$$= \frac{消滅会社の1株あたりの企業評価額}{存続会社の1株あたりの企業評価額}$$

☐ 交付株式数の算定方法

$$交付株式数 = 消滅会社の株主の保有株式数 \times 交換比率$$

☐ 合併で新株を発行する場合

・取得原価は、株価に交付株式数を掛けた金額

諸　　資　　産（時価）	諸　　負　　債（時価）	
	資　本　金　　XX	
	資 本 準 備 金　　XX	⎫取得原価
の　　れ　　ん（差額）	その他資本剰余金　　XX	

☐ 合併で新株の発行と同時に自己株式を処分した場合

・取得原価は、株価に交付株式数を掛けた金額

・増加資本については、株価に交付株式数を掛けた金額から、処分した
自己株式の帳簿価額を控除した額だけ払込資本を増加させます。

諸　　資　　産（時価）	諸　　負　　債（時価）	
	自　己　株　式　XX	⎫
	資　　本　　金　XX	⎬ 取得原価
	資 本 準 備 金　XX	
の　　れ　　ん（差額）	その他資本剰余金　XX	⎭

☐ 株式交換で新株の発行の場合

・取得原価は、株価に交付株式数を掛けた金額

関係会社株式	資　　本　　金　XX	⎫
	資 本 準 備 金　XX	⎬ 取得原価
	その他資本剰余金　XX	⎭

☐ 株式交換で新株の発行と同時に自己株式を処分した場合

・取得原価は、株価に交付株式数を掛けた金額

・増加資本については、株価に交付株式数を掛けた金額から、処分した
自己株式の帳簿価額を控除した額だけ払込資本を増加させます。

関係会社株式	自　己　株　式　XX	⎫
	資　　本　　金　XX	⎬ 取得原価
	資 本 準 備 金　XX	
	その他資本剰余金　XX	⎭

企業価値の算定

①　純資産額法：純資産額を企業評価額とする方法

> **企業評価額＝総資産－総負債**
> **＝純資産額**

②　収益還元価値法：資本還元率を用いて利益額から企業評価額を
算定する方法

> **企業評価額＝企業の利益額÷資本還元率（資本コストなど）**

③　株価基準法：発行済株式の時価総額を企業評価額とする方法

> **企業評価額＝１株あたりの時価×発行済株式数**

④　割引現在価値法（DCF法）：将来キャッシュ・フローの現在価
値を企業評価額とする方法

> **企業評価額＝予想将来獲得キャッシュの割引現在価値**

⑤　折衷法：①から④のいずれかの方法により算定された企業評価
額のうち２つ以上を選択し、それらの平均値を企業評
価額とする方法

☐ **事業分離**

(1) 投資が清算されたとみる場合

諸　　負　　債（簿価）		
現金または株式（時価）	諸　　資　　産（簿価）	株主資本相当額
	移　転　損　益（差額）	

(2) 投資がそのまま継続しているとみる場合

諸　　負　　債（簿価）	
関係会社株式	諸　　資　　産（簿価） 株主資本相当額

(3) 投資の清算または継続の判定基準

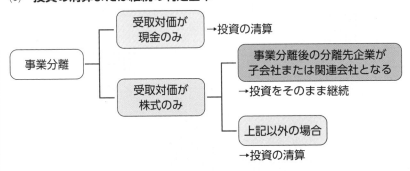

CHAPTER 6

連結財務諸表

　ここでは、連結財務諸表の作成における会計処理を学習します。
　連結財務諸表の作成に関する問題は本試験での出題実績は少ないですが、基礎的な部分はおさえておく必要があるのでしっかり学習しましょう。

構造論点・その他の論点

連結財務諸表

≫ 企業の全体像をイメージしながら学習しましょう。

学習スケジュール

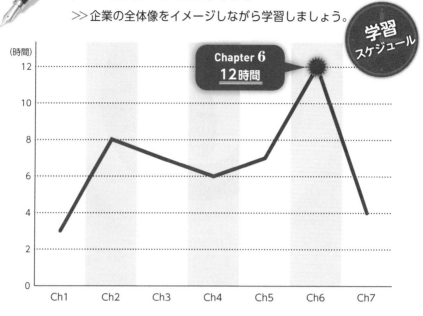

Chapter 6
12時間

Check List

- ☐ 作成する財務諸表を理解しているか？
- ☐ 支配獲得時の会計処理を理解しているか？
- ☐ 個別財務諸表の修正を理解しているか？
- ☐ 支配獲得後の会計処理を理解しているか？
- ☐ 追加取得の会計処理を理解しているか？
- ☐ 一部売却の会計処理を理解しているか？
- ☐ 成果連結の会計処理を理解しているか？

Link to 財務諸表論④ **Chapter6** 連結財務諸表／ **Chapter8** 包括利益計算書

　財務諸表論では、連結財務諸表の基礎的な概念を詳細に学習します。親会社説と経済的単一体説は、連結財務諸表の会計処理を理解するためにも重要な論点なので、計算と関連づけて学習しましょう。

1：連結財務諸表とは

連結財務諸表の意義

連結財務諸表とは、支配従属関係にある2つ以上の企業からなる企業集団全体の経営成績、財政状態、キャッシュ・フローの状況を報告するために親会社が作成する財務諸表をいいます。

 親会社とは、他の会社の意思決定機関を支配している会社をいい、支配されている側の企業を子会社といいます。また、このような関係を支配従属関係といいます。

Point 連結財務諸表の概要図

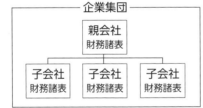

 連結財務諸表の必要性

たとえば、親会社P社が子会社であるS社の株式の80%を保有していたとします。P社はS社の株主総会の議決権の80%をもっていますから、多数決によってS社の意思決定を自由に行えるだけでなく、P社は株主として損益の影響も受けることになります。

そこで、企業の利害関係者に適切な情報を提供するため、企業集団の財務諸表が必要となり、このために作成するのが連結財務諸表です。

▶ 連結の範囲

　親会社は、原則としてすべての子会社を連結の範囲に含めなければなりません。

例外的に連結の範囲に含まれない子会社には、ある一時点においては持株比率が50％を超えるがその他の期間は持株比率が50％に満たない会社など、支配が一時的な子会社などがあります。このような子会社を非連結子会社といいます。

▶ 連結財務諸表の種類 🚩

　連結財務諸表には、**連結貸借対照表、連結損益計算書、連結包括利益計算書**（連結損益計算書と連結包括利益計算書をまとめて**連結損益及び包括利益計算書**とする場合もあります）、**連結株主資本等変動計算書、連結キャッシュ・フロー計算書、連結附属明細表**があります。

連結包括利益計算書については 参考 で学習します。なお、連結キャッシュ・フロー計算書、連結附属明細表は本試験において重要性が低いので、そのような種類の書類があるということだけおさえておけば十分です。

CHAPTER **6**

連結財務諸表

(1) 連結貸借対照表

連 結 貸 借 対 照 表

（資産の部）	（負債の部）
Ⅰ 流 動 資 産	Ⅰ 流 動 負 債
現 金 及 び 預 金	支払手形及び買掛金
受取手形及び売掛金	：
貸 倒 引 当 金 （△）	Ⅱ 固 定 負 債
：	社　　　　　債
Ⅱ 固 定 資 産	：
1 有形固定資産	（純資産の部）
建　　　　　物	Ⅰ 株 主 資 本
減価償却累計額 （△）	1 資　　本　　金
：	2 資 本 剰 余 金
土　　　　　地	3 利 益 剰 余 金
2 無形固定資産	4 自 己 株 式 （△）
の　　れ　　ん	Ⅱ その他の包括利益累計額
：	1 その他有価証券評価差額金
3 投資その他の資産	2 繰 延 ヘッジ損益
投 資 有 価 証 券	
：	Ⅲ 新 株 予 約 権
Ⅲ 繰 延 資 産	Ⅳ 非支配株主持分

(2) 連結損益計算書

連 結 損 益 計 算 書

Ⅰ 売　　上　　高	Ⅵ 特 別 利 益
Ⅱ 売 上 原 価	有形固定資産売却益
Ⅲ 販売費及び一般管理費	負ののれん発生益
給 料 手 当	：
のれん償却額	Ⅶ 特 別 損 失
：	有形固定資産売却損
営 業 利 益	
Ⅳ 営 業 外 収 益	税金等調整前当期純利益
受 取 利 息	法人税、住民税及び事業税
：	法人税等調整額
Ⅴ 営 業 外 費 用	当期純利益
支 払 利 息	非支配株主に帰属する当期純利益
：	親会社株主に帰属する当期純利益
経 常 利 益	

(3)　**連結株主資本等変動計算書**

| | 株主資本 | | | | | その他の包括利益累計額 | | | | 新株予約権 | 非支配株主持分 | 純資産合計 |
	資本金	資本剰余金	利益剰余金	自己株式	株主資本合計	その他有価証券評価差額金	繰延ヘッジ損益	その他の包括利益累計額合計				
当期首残高	××	××	××	△××	××	××	××	××	××	××	××
当期変動額											
新株の発行	××	××			××						××
剰余金の配当			△××		△××						△××
親会社株主に帰属する当期純利益			××		××						××
その他			××	××	××						××
株主資本以外の項目の当期変動額（純額）						××	××	××	△××	××	××
当期変動額合計	××	××	××	××	××	××	××	××	△××	××	××
当期末残高	××	××	××	△××	××	××	××	××	××	××	××

Point ▶ 連結財務諸表の特徴

　連結財務諸表には次のような特徴があります。

(1)　財務諸表へ記載される表示科目などが異なります。

　　例）「受取手形」「売掛金」→「受取手形及び売掛金」など

(2)　のれんは無形固定資産に表示し、その償却額は販売費及び一般管理費に表示します。また、負ののれん発生益は特別利益に表示します。

(3)　連結貸借対照表および連結株主資本等変動計算書では、資本剰余金と利益剰余金の内訳を示す必要はありません。

(4)　評価・換算差額等は、その他の包括利益累計額と表示します。

(5)　非支配株主持分は連結貸借対照表の純資産の部に表示します。したがって、連結株主資本等変動計算書にも記載されることになります。

なお、本書では、連結財務諸表作成の本質を示すことを主目的としているため、実際の連結財務諸表の作成では用いられない様式や表示科目を用いている箇所があります。

連結決算日

　連結財務諸表の作成に関する会計期間は1年とし、親会社の会計期間に基づいて、年1回、一定の日（親会社の決算日）を連結決算日とします。

作成する連結財務諸表

　株式を取得し、支配を獲得した時期が当期首か当期末なのかで、作成する連結財務諸表は異なります。

　当期首に支配を獲得した場合は、その年度からすべての連結財務諸表を作成するのに対して、当期末に支配を獲得した場合は、連結貸借対照表のみを作成することになります。

　本書では、前提として、当期末に支配を獲得したものとみなして説明していきます。

 みなし取得日

　子会社の支配獲得日が子会社の決算日以外の日である場合、当該日の前後いずれかの決算日に支配獲得が行われたものとみなして処理することができます。このときの前後いずれかの決算日のことをみなし取得日といいます。

　たとえば、子会社の決算日が3月31日の場合において、3月15日に株式を取得して支配を獲得したときは、3月31日（みなし取得日）に支配を獲得したものとみなして会計処理をすることができます。

作成する連結財務諸表

	期首に支配獲得	期末に支配獲得
連結貸借対照表	作成する	作成する
連結損益計算書	作成する	作成しない
連結株主資本等変動計算書	作成する	作成しない

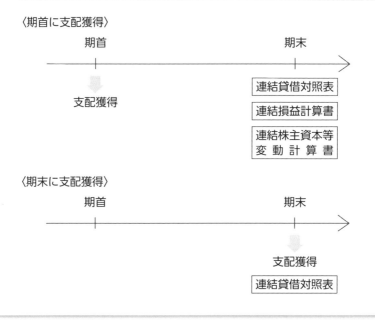

〈期首に支配獲得〉

期首　　　　　　　　　　　　　　　　　期末

支配獲得

連結貸借対照表
連結損益計算書
連結株主資本等変動計算書

〈期末に支配獲得〉

期首　　　　　　　　　　　　　　　　　期末

支配獲得

連結貸借対照表

連結損益計算書や連結株主資本等変動計算書は、一会計期間における金額を計算するものなので、期末に支配を獲得した場合、計算対象期間が存在しないため作成されません。一方、連結貸借対照表は、一時点における金額を計算するものなので、期末に支配を獲得しても作成します。

連結財務諸表作成の流れ

　連結財務諸表は、親会社および子会社の財務諸表に基づいて、親会社が連結精算表により作成します。具体的には、**個別財務諸表の合算、連結修正仕訳**の手順で作成することとなります。

Point 連結財務諸表作成の流れ

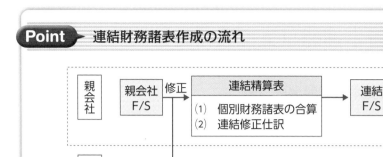

連結財務諸表を作成するために別で帳簿を作成することはしません。

 親会社説と経済的単一体説

連結財務諸表の基礎となる概念には親会社説と経済的単一体説があります。

親会社説とは、連結財務諸表を親会社の株主のために作成するものと考え、親会社の株主の持分を強調する考え方です。

経済的単一体説とは、連結財務諸表を親会社の株主のためだけではなく、非支配株主も含めたすべての株主のために作成するものとする考え方です。

両者には以下のような相違点があります。

	親 会 社 説	経済的単一体説
株主資本の位置づけ	親会社の株主に帰属する持分	企業集団を構成するすべての株主に帰属する持分
非支配株主持分の表示	純資産の部の株主資本以外に表示	純資産の部の株主資本に含める
連結純利益の位置づけ	親会社の株主に帰属する利益	企業集団を構成するすべての株主に帰属する利益
非支配株主に帰属する利益の表示	連結純利益の計算にあたり控除する形式で表示	連結純利益に含める

2：資本連結（支配獲得時）

投資と資本の相殺消去

　連結財務諸表は、親会社の財務諸表と子会社の財務諸表を合算することにより作成しますが、単純に合算しただけでは親会社の投資勘定（子会社株式）と子会社の資本勘定（株主資本）が重複し、二重計上されてしまいます。そこで、親会社の投資勘定と子会社の資本勘定のうち親会社持分相当額とを相殺消去します。

　企業集団全体の視点でみると、親会社と子会社が株式の売買を通じて、企業集団内で資金の移動をしているにすぎないため、連結財務諸表を作成するにあたって相殺消去する必要があります。

Point ▶ 投資と資本の相殺消去

　親会社が全額の出資をして子会社を設立し、その株式をすべて取得した場合、資本連結（支配獲得時）の連結修正仕訳は次のようになります。

親会社（個別）

（関 係 会 社 株 式）	XXX	（諸 　 資 　 産）	XXX

子会社（個別）

（諸 　 資 　 産）	XXX	（諸 　 資 　 本）	XXX

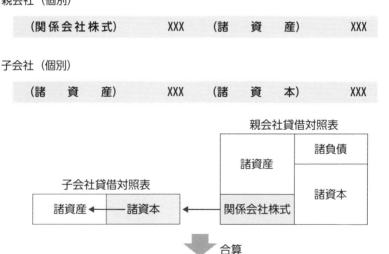

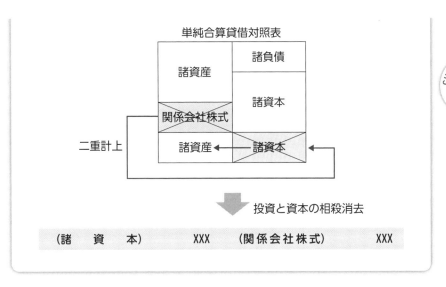

単純合算貸借対照表

投資と資本の相殺消去

| (諸　　資　　本) | XXX | (関 係 会 社 株 式) | XXX |

▶ 100％子会社となる場合

　親会社が子会社のすべての株式を取得して100％子会社とした場合、支配獲得日の連結財務諸表の純資産の部に計上されている金額は、<u>親会社の個別財務諸表の金額となります。</u>

　100％子会社とは、持株比率が100％の子会社のことをいいます。

例題　連結財務諸表—100％子会社

　次の資料に基づいて、X2年3月31日における連結修正仕訳を示しなさい。

［資　料］

　P社は、X2年3月31日にS社株式の100％を3,600千円で取得し、S社を子会社として支配した。なお、当事業年度は、両社ともX1年4月1日からX2年3月31日である。

連結財務諸表

CHAPTER 6

(1) P社個別財務諸表

貸 借 対 照 表
X2年3月31日 （単位：千円）

借方科目	金　額	貸方科目	金　額
諸　資　産	45,900	諸　負　債	12,000
関係会社株式	3,600	資　本　金	30,000
		利益剰余金	7,500
合　　計	49,500	合　　計	49,500

(2) S社個別財務諸表

貸 借 対 照 表
X2年3月31日 （単位：千円）

借方科目	金　額	貸方科目	金　額
諸　資　産	5,400	諸　負　債	1,800
		資　本　金	3,000
		利益剰余金	600
合　　計	5,400	合　　計	5,400

解答

（仕訳の単位：千円）

（資　本　金）	3,000*2	（関係会社株式）	3,600*1
（利益剰余金）	600*2		

＊1　P社（親会社）B/Sより
＊2　S社（子会社）B/Sより

〈連結貸借対照表〉

連 結 貸 借 対 照 表
X2年3月31日 （単位：千円）

借方科目	金　額	貸方科目	金　額
諸　資　産	51,300	諸　負　債	13,800
		資　本　金	30,000*
		利益剰余金	7,500*
合　　計	51,300	合　　計	51,300

＊　P社（親会社）B/Sより

 支配獲得日における子会社の個別財務諸表上の純資産は、この連結修正仕訳によりゼロとなります。

連結精算表

前例題において、連結精算表を作成すると次のようになります。

勘定科目	個 別 財 務 諸 表			連　結修正仕訳	連　結財務諸表
	P 社	S 社	合　計		
【貸借対照表】					
諸　資　産	45,900	5,400	51,300		51,300
関係会社株式	3,600		3,600	(3,600)	
借方合計	49,500	5,400	54,900	(3,600)	51,300
諸　負　債	(12,000)	(1,800)	(13,800)		(13,800)
資　本　金	(30,000)	(3,000)	(33,000)	3,000	(30,000)
利益剰余金	(7,500)	(600)	(8,100)	600	(7,500)
貸方合計	(49,500)	(5,400)	(54,900)	3,600	(51,300)

のれん

親会社の投資勘定と親会社持分が同額ではない場合には、のれんまたは負ののれんを計上します。

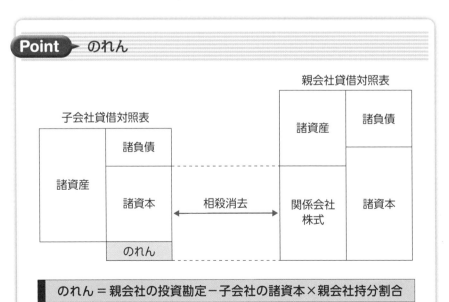

Point のれん

親会社貸借対照表

子会社貸借対照表

のれん ＝ 親会社の投資勘定 － 子会社の諸資本 × 親会社持分割合

例題 連結財務諸表―のれん

　次の資料に基づいて、X2年3月31日における連結修正仕訳を示しなさい。

[資　料]

　P社は、X2年3月31日にS社株式の100%を3,960千円で取得し、S社を子会社として支配した。なお、当事業年度は、両社ともX1年4月1日からX2年3月31日である。また、のれんは発生年度の翌年度から20年間で定額法により償却する。

(1)　P社個別財務諸表

貸　借　対　照　表
X2年3月31日　　　　　（単位：千円）

借方科目	金　額	貸方科目	金　額
諸　資　産	45,540	諸　負　債	12,000
関係会社株式	3,960	資　本　金	30,000
		利益剰余金	7,500
合　　計	49,500	合　　計	49,500

(2)　S社個別財務諸表

貸　借　対　照　表
X2年3月31日　　　　　（単位：千円）

借方科目	金　額	貸方科目	金　額
諸　資　産	5,400	諸　負　債	1,800
		資　本　金	3,000
		利益剰余金	600
合　　計	5,400	合　　計	5,400

 解答

（仕訳の単位：千円）

（資　本　金）	3,000*2	（関係会社株式）	3,960*1
（利益剰余金）	600*2		
（の　れ　ん）	360*3		

＊1　P社（親会社）B/Sより
＊2　S社（子会社）B/Sより
＊3　貸借差額

親会社の投資金額のうち、子会社の資本を超える部分がのれんとなります。借方差額なら「のれん」、貸方差額なら「負ののれん」と覚えておきましょう。

〈連結貸借対照表〉

連 結 貸 借 対 照 表
X2年3月31日　　　　　　（単位：千円）

借方科目	金　額	貸方科目	金　額
諸　資　産	50,940	諸　負　債	13,800
の　れ　ん	360	資　本　金	30,000
		利 益 剰 余 金	7,500
合　　計	51,300	合　　計	51,300

部分所有となる場合 🚩

　親会社の持株比率が100%ではない場合には、子会社の株主には親会社と親会社以外の株主が存在することになります。この親会社以外の株主を**非支配株主**といいます。

　この場合、親会社の投資勘定と親会社持分が同額ではない場合にはのれんと非支配株主持分が同時に計上されることになります。

Point ▶ 部分所有となる場合

```
　　　　　　　　　　　　　　　親会社　　非支配株主
　　　　　　　　　　　　　　　持分割合　持分割合
のれん{┌─────────┐┌───┬───┐
　　　　│　　　　　　　│├───┼───┤} 資本金
　　　　│関係会社株式 │├───┼───┤
　　　　│　　　　　　　││　　│　　│} 剰余金
　　　　└─────────┘└───┴───┘
　　　　　　　　　　　　　　　親会社　　非支配株主
　　　　　　　　　　　　　　　持分　　　持分
```

非支配株主持分 = 子会社の諸資本×非支配株主持分割合

非支配株主が存在する場合、子会社の資本は持分割合に応じて親会社持分と非支配株主持分に按分計算を行い、非支配株主に帰属する分は非支配株主持分として処理します。なお、非支配株主持分は連結財務諸表の純資産の部に計上されます。

例題　連結財務諸表—部分所有

次の資料に基づいて、X2年3月31日における連結修正仕訳を示しなさい。

［資　料］

P社は、X2年3月31日にS社株式の80%を3,300千円で取得し、S社を子会社として支配した。なお、当事業年度は、両社ともX1年4月1日からX2年3月31日である。また、のれんは発生年度の翌年度から20年間で定額法により償却する。

(1)　P社個別財務諸表

貸 借 対 照 表
X2年3月31日　　　　（単位：千円）

借方科目	金　額	貸方科目	金　額
諸　資　産	46,500	諸　負　債	12,000
関係会社株式	3,300	資　本　金	30,000
		利 益 剰 余 金	7,800
合　　計	49,800	合　　計	49,800

(2)　S社個別財務諸表

貸 借 対 照 表
X2年3月31日　　　　（単位：千円）

借方科目	金　額	貸方科目	金　額
諸　資　産	5,400	諸　負　債	1,800
		資　本　金	3,000
		利 益 剰 余 金	600
合　　計	5,400	合　　計	5,400

解答 （仕訳の単位：千円）

（資　本　金）	3,000*²	（関係会社株式）	3,300*¹
（利益剰余金）	600*²	（非支配株主持分）	720*⁴
（の　れ　ん）	420*³		

＊1　P社（親会社）B/Sより
＊2　S社（子会社）B/Sより
＊3　関係会社株式3,300千円－（資本金3,000千円＋利益剰余金600千円）×80％＝420千円
＊4　（資本金3,000千円＋利益剰余金600千円）×（1－80％）＝720千円

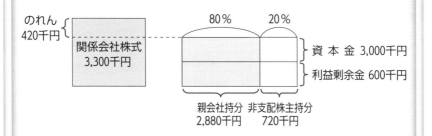

〈連結貸借対照表〉

連結貸借対照表
X2年3月31日　　　　（単位：千円）

借方科目	金　額	貸方科目	金　額
諸　資　産	51,900	諸　負　債	13,800
の　れ　ん	420	資　本　金	30,000
		利益剰余金	7,800
		非支配株主持分	720
合　　計	52,320	合　　計	52,320

 部分所有の場合には、連結貸借対照表に非支配株主持分が計上されます。また、部分所有の場合でも連結修正仕訳により支配獲得日の子会社の諸資本は全額消去されます。

問題 >>> 問題編の問題1〜問題4に挑戦しましょう！

3 ：個別財務諸表の修正

▌▶ 個別財務諸表の修正

　適正な連結財務諸表を作成するために、個別財務諸表の合算にあたって、その作成の基礎となる個別財務諸表を修正する場合があります。

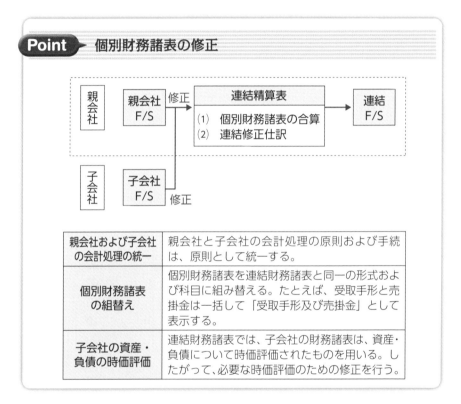

Point 個別財務諸表の修正

親会社および子会社の会計処理の統一	親会社と子会社の会計処理の原則および手続は、原則として統一する。
個別財務諸表の組替え	個別財務諸表を連結財務諸表と同一の形式および科目に組み替える。たとえば、受取手形と売掛金は一括して「受取手形及び売掛金」として表示する。
子会社の資産・負債の時価評価	連結財務諸表では、子会社の財務諸表は、資産・負債について時価評価されたものを用いる。したがって、必要な時価評価のための修正を行う。

　本試験での重要性を考慮して、本書では「子会社の資産・負債の時価評価」のみを学習します。

4：子会社の資産・負債の時価評価

▶ 子会社の資産・負債の時価評価の目的

資本連結では、取得原価（取得時における時価）による親会社の投資勘定（子会社株式）と帳簿価額（子会社株式取得時における資産の帳簿価額−負債の帳簿価額）による子会社の資本勘定を相殺消去します。そのため、子会社の資産・負債に帳簿価額と時価の乖離が生じている（評価差額がある）場合には、その差額をのれんとして適正に算出することができなくなってしまいます。そこで、子会社の資産・負債を時価で評価する必要があります。

Point ▶ 子会社の資産・負債の時価評価

子会社株式
取得原価

子会社資本勘定のうち
親会社持分相当額

| 時価 | 時価
（資産時価−負債時価） |
| | 差額の性格：のれん |

| 時価 | 帳簿価額
（資産簿価−負債簿価） |
| | 差額の性格：評価差額
＋
のれん |

子会社株式を買収目的により取得した場合において、その取得時における子会社の資産・負債に帳簿価額と時価の乖離が生じている場合には、子会社の個別財務諸表の修正事項として、資産・負債を時価に修正する処理を行い、のれんの金額を算出します。

全面時価評価法

　全面時価評価法とは、子会社の資産・負債のすべてを支配獲得日の公正な評価額により評価する評価方法です。連結財務諸表の作成にあたっては、全面時価評価法を用います。

　資産・負債を時価評価したことによって生じた評価差額は、子会社の資本とし、投資と資本の相殺消去にあたって、親会社持分に対応する金額は他の資本項目と同様に相殺消去し、非支配株主持分に対応する金額は非支配株主持分に振り替えます。

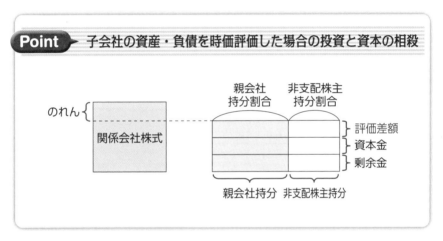

Point ▶ 子会社の資産・負債を時価評価した場合の投資と資本の相殺

 評価差額は、投資と資本の相殺消去にともない相殺消去されるため、連結貸借対照表には計上されません。

税効果会計の適用

　子会社の資産・負債の時価評価に係る評価差額の計上にあたっては、税効果会計が適用され、評価差益の場合には繰延税金負債を、評価差損の場合には繰延税金資産を計上します。

 税効果会計は、問題文に指示がある時だけ適用します。

連結財務諸表に係る税効果会計

連結財務諸表に係る税効果会計とは、個別財務諸表において一時差異等に係る税効果会計を適用した後、連結財務諸表作成手続において連結財務諸表固有の一時差異に係る税金の額を期間配分する手続のことをいいます。

本書で学習する連結財務諸表の学習範囲では、次の場合に、連結財務諸表に係る税効果会計が必要となります。

(1) 資本連結に際し、子会社の資産・負債の時価評価により評価差額が生じた場合

(2) 連結会社相互間の債権と債務の相殺消去により貸倒引当金を減額修正した場合

(3) 連結会社相互間の取引から生じる未実現損益を消去した場合

例題

連結財務諸表—時価評価がある場合

次の資料に基づいて、X2年3月31日における個別財務諸表の修正に関する仕訳および連結修正仕訳を示しなさい。

[資料]

P社は、X2年3月31日にS社株式の80%を3,300千円で取得し、S社を子会社として支配した。なお、当事業年度は、両社ともX1年4月1日からX2年3月31日である。また、のれんは発生年度の翌年度から20年間で定額法により償却し、税効果会計を適用する場合の法定実効税率は30%とする。

(1) P社個別財務諸表

貸 借 対 照 表
X2年3月31日　　　　　　(単位：千円)

借方科目	金 額	貸方科目	金 額
諸 資 産	46,500	諸 負 債	12,000
関係会社株式	3,300	資 本 金	30,000
		利 益 剰 余 金	7,800
合 計	49,800	合 計	49,800

(2) S社個別財務諸表

貸 借 対 照 表

X2年3月31日 （単位：千円）

借方科目	金　額	貸方科目	金　額
諸　資　産	5,400	諸　負　債	1,800
		資　本　金	3,000
		利益剰余金	600
合　　計	5,400	合　　計	5,400

(3) S社の諸資産のうち土地の帳簿価額は940千円であり、その時価は1,440千円である。

解答

（仕訳の単位：千円）

⑴ **子会社の資産・負債の時価評価**

（諸　資　産）	500*1	（諸　負　債）	150*2
		繰延税金負債	
		（評　価　差　額）	350*3

＊1　時価1,440千円−帳簿価額940千円＝500千円（評価差益）
＊2　500千円×法定実効税率30％＝150千円（繰延税金負債）
＊3　貸借差額

⑵ **投資と資本の相殺消去**

（資　本　金）	3,000	（関係会社株式）	3,300
（利益剰余金）	600	（非支配株主持分）	790*2
（評　価　差　額）	350		
（の　れ　ん）	140*1		

＊1　関係会社株式3,300千円−（資本金3,000千円
　　　＋利益剰余金600千円＋評価差額350千円）×80％＝140千円
＊2　（資本金3,000千円＋利益剰余金600千円＋評価差額350千円）
　　　×（1−80％）＝790千円

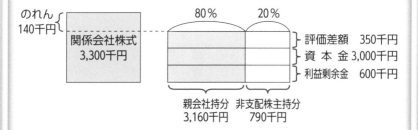

評価差額に係る繰延税金資産・負債の計算過程は、その他有価証券評価差額金に係る税効果会計とほぼ同じです。また、評価差額は、投資と資本の相殺消去の結果、全額消去される点をしっかりおさえましょう。なお、評価差額に係る繰延税金資産・負債は消去されないので注意してください。

〈連結貸借対照表〉

連 結 貸 借 対 照 表
X2年3月31日　　　　（単位：千円）

借方科目	金　額	貸方科目	金　額
諸　　資　　産	52,400	諸　　負　　債	13,950
の　　れ　　ん	140	資　　本　　金	30,000
		利 益 剰 余 金	7,800
		非支配株主持分	790
合　　　計	52,540	合　　　計	52,540

問題 ＞＞＞ 問題編の**問題5**に挑戦しましょう！

CHAPTER
6
連結財務諸表

5 : 資本連結（支配獲得後）

支配獲得後の連結財務諸表の作成と開始仕訳

　支配獲得後の連結財務諸表は、支配獲得後の親会社および子会社の財務諸表に基づいて、親会社が連結精算表により作成します。また、連結財務諸表の作成を目的とする帳簿は設定されていないため、過去に行った処理を連結決算のつどやり直していかなければなりません。この処理は、連結決算にあたって最初に行われる連結修正仕訳であることから**開始仕訳**といわれます。

 開始仕訳においては、支配獲得日から前期末までに行った仕訳を再度行います。ただし、資本金や利益剰余金といった純資産項目については、連結株主資本等変動計算書の勘定科目に合わせて、資本金当期首残高、利益剰余金当期首残高を用います。

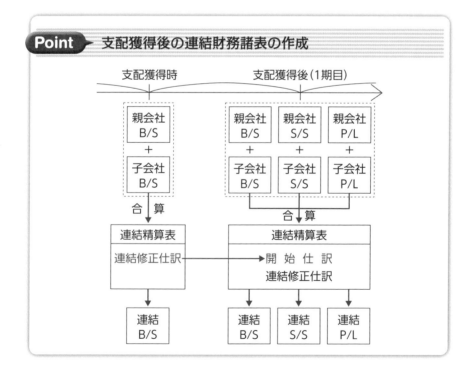

Point　支配獲得後の連結財務諸表の作成

例題 開始仕訳

　次の資料に基づいて、X2年3月31日における個別財務諸表の修正に関する仕訳および連結修正仕訳を示しなさい。

［資　料］

　X1年3月31日にP社はS社の発行済株式の100%を1,800千円で取得し、支配を獲得した。

　なお、X1年3月31日のS社の貸借対照表は次のとおりであり、S社の諸資産の時価は4,800千円であった。評価差額に対しては税効果会計を適用し、法定実効税率は30%とする。

貸 借 対 照 表

X1年3月31日　　　　（単位：千円）

借方科目	金　額	貸方科目	金　額
諸　　資　　産	4,500	諸　　負　　債	3,000
		資　　本　　金	600
		利 益 剰 余 金	900
合　　　計	4,500	合　　　計	4,500

解答

（仕訳の単位：千円）

⑴　**子会社の資産・負債の時価評価**

（諸　　資　　産）	300*1	（諸　　負　　債）	90*2
		繰延税金負債	
		（評　価　差　額）	210*3

＊1　時価4,800千円－帳簿価額4,500千円＝300千円（評価差益）
＊2　300千円×法定実効税率30%＝90千円（繰延税金負債）
＊3　貸借差額

(2) 開始仕訳

(資本金当期首残高)	600	(関係会社株式)	1,800
(利益剰余金当期首残高)	900		
(評 価 差 額)	210		
(の れ ん)	90*		

* 関係会社株式1,800千円−(資本金600千円＋利益剰余金900千円
＋評価差額210千円)×100% =90千円　または貸借差額

▶ のれんの償却

　のれんは、資産に計上し、20年以内のその効果の及ぶ期間にわたって、定額法その他の合理的な方法により規則的に償却します。ただし、のれんの金額に重要性が乏しい場合には、のれんが生じた事業年度の費用として処理することができます。

負ののれんが生じた場合には、その期に一括で利益として処理します。なお、負と付きますが、負債ではないことに留意しましょう。

例題　のれんの償却

　X1年3月31日にP社はS社の発行済株式の70%を1,800千円で取得し、支配を獲得した。支配獲得日にのれん120千円が生じている。
　X2年3月31日の連結修正仕訳におけるのれん償却の仕訳を示しなさい。
　なお、のれんは発生年度の翌年から10年間で均等額を償却する。

 解答

（仕訳の単位：千円）

(のれん償却額)	12*	(の れ ん)	12

* $120千円 \times \dfrac{1年}{10年} = 12千円$

▶ 子会社の当期純利益の按分 🚩

連結損益計算書では、**当期純利益**から**非支配株主に帰属する当期純利益**を減額して、**親会社株主に帰属する当期純利益**を表示します。

ここで、子会社の当期純利益（子会社の利益剰余金の変動要因）のうち、連結損益計算書に計上される親会社株主に帰属する当期純利益の金額は、親会社株主持分のみです。

したがって、非支配株主持分相当額を親会社と子会社の当期純利益を単純合算した当期純利益から非支配株主に帰属する当期純利益として減額するとともに、**非支配株主持分当期変動額**として非支配株主持分に振り替える処理を行います。

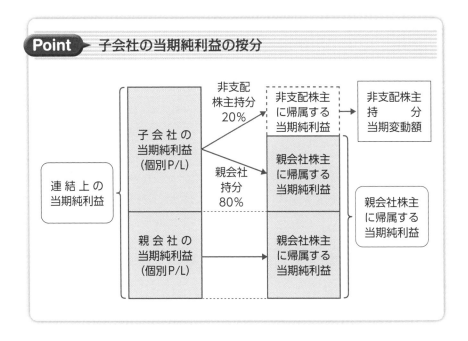

Point ▶ 子会社の当期純利益の按分

例題 子会社の当期純損益の振替え

X1年3月31日にP社はS社の発行済株式の70%を1,800千円で取得し、支配を獲得した。

X2年3月31日のS社の当期純利益は300千円であった。X2年3月31日の連結修正仕訳におけるS社の当期純利益を振り替える仕訳を示しなさい。

解答

(仕訳の単位：千円)

| (非支配株主に帰属する当期純利益) | 90* | (非支配株主持分当期変動額) | 90 |

＊ 子会社当期純利益300千円×(1 − 70%)＝90千円

▶ 子会社の剰余金の配当

(1) 非支配株主に対する配当

子会社の剰余金の配当（子会社の利益剰余金の減少要因）のうち、非支配株主持分相当額は、連結上の剰余金の配当とはならないため消去するとともに、非支配株主持分当期変動額として非支配株主持分に振り替える処理を行います。

非支配株主に対する配当 ＝ 子会社の剰余金の配当×非支配株主持分割合

(2) 親会社に対する配当

子会社の剰余金の配当のうち、親会社持分相当額は受取配当金として親会社の損益計算書に計上されており、内部取引に該当するため、これを相殺消去しなければなりません。

親会社に対する配当 ＝ 子会社の剰余金の配当×親会社持分割合

例題　子会社の配当金の修正

P社は、X1年3月31日にS社の発行済株式の70%を1,800千円で取得し、支配を獲得した。また、S社は、X2年3月期に150千円の配当を行っている。

X2年3月31日の連結修正仕訳における配当金の修正の仕訳を示しなさい。

解答

（仕訳の単位：千円）

（非支配株主持分当期変動額）	45*1	（剰 余 金 の 配 当）	150
（諸　　収　　益） 受取配当金	105*2		

* 1　子会社の剰余金の配当150千円×（1 − 70%）＝ 45千円
* 2　子会社の剰余金の配当150千円×70%＝ 105千円（受取配当金）

プラスα　2期目以降の開始仕訳

2期目以降の開始仕訳は、その前の期までに行った連結修正仕訳をもう一度行います。

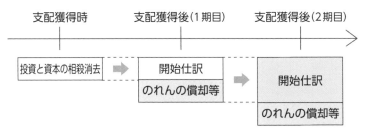

例題 支配獲得後の会計処理

次の資料に基づいて、X3年3月31日の個別財務諸表の修正に関する仕訳および連結修正仕訳を示しなさい。

[資 料]

P社は、X2年3月31日にS社株式の80%を3,300千円で取得し、S社を子会社として支配した。なお、当事業年度は、両社ともX2年4月1日からX3年3月31日である。また、のれんは発生年度の翌年度から20年間で定額法により償却し、税効果会計を適用する場合の法定実効税率は30%とする。

1．P社個別財務諸表

損 益 計 算 書
自X2年4月1日　至X3年3月31日（単位：千円）

借方科目	金　額	貸方科目	金　額
諸　費　用	112,500	諸　収　益	120,000
当期純利益	7,500		
合　　計	120,000	合　　計	120,000

株主資本等変動計算書
自X2年4月1日　至X3年3月31日　　（単位：千円）

	株 主 資 本		
	資 本 金	利益剰余金	株主資本合計
当 期 首 残 高	30,000	7,800	37,800
当 期 変 動 額			
剰 余 金 の 配 当		△6,600	△6,600
当 期 純 利 益		7,500	7,500
当 期 末 残 高	30,000	8,700	38,700

貸 借 対 照 表
X3年3月31日　　（単位：千円）

借方科目	金　額	貸方科目	金　額
諸　資　産	47,400	諸　負　債	12,000
関係会社株式	3,300	資　本　金	30,000
		利益剰余金	8,700
合　　計	50,700	合　　計	50,700

2．S社個別財務諸表

損 益 計 算 書
自X2年4月1日 至X3年3月31日（単位：千円）

借方科目	金 額	貸方科目	金 額
諸 費 用	9,870	諸 収 益	10,500
当 期 純 利 益	630		
合 計	10,500	合 計	10,500

株主資本等変動計算書
自X2年4月1日 至X3年3月31日 （単位：千円）

	株 主 資 本		
	資 本 金	利益剰余金	株主資本合計
当 期 首 残 高	3,000	600	3,600
当 期 変 動 額			
剰 余 金 の 配 当		△540	△540
当 期 純 利 益		630	630
当 期 末 残 高	3,000	690	3,690

貸 借 対 照 表
X3年3月31日 （単位：千円）

借方科目	金 額	貸方科目	金 額
諸 資 産	5,430	諸 負 債	1,740
		資 本 金	3,000
		利 益 剰 余 金	690
合 計	5,430	合 計	5,430

3．S社の諸資産のうち土地の帳簿価額は940千円であり、X2年3月31日における時価は1,440千円、X3年3月31日における時価は1,500千円であった。

解答
（仕訳の単位：千円）

(1) 子会社の資産・負債の時価評価

（諸 資 産）	500*1	（諸 負 債）	150*2
		繰延税金負債	
		（評 価 差 額）	350*3

＊1 時価1,440千円－帳簿価額940千円＝500千円（評価差益）
＊2 500千円×法定実効税率30%＝150千円（繰延税金負債）
＊3 貸借差額

237

(2) 開始仕訳

(資本金当期首残高)	3,000	(関係会社株式)	3,300
(利益剰余金当期首残高)	600	(非支配株主持分当期首残高)	790*2
(評 価 差 額)	350		
(の れ ん)	140*1		

* 1　関係会社株式 3,300 千円 −（資本金 3,000 千円
　　＋利益剰余金 600 千円＋評価差額 350 千円）× 80% ＝ 140 千円
* 2　（資本金 3,000 千円＋利益剰余金 600 千円＋評価差額 350 千円）
　　×（1 − 80%）＝ 790 千円

(3) のれんの償却

(のれん償却額)	7*	(の れ ん)	7

*　$140 千円 \times \dfrac{1 年}{20 年} = 7 千円$

(4) 子会社の当期純利益の按分

(非支配株主に帰属する当期純利益)	126*	(非支配株主持分当期変動額)	126

*　子会社当期純利益 630 千円 ×（1 − 80%）＝ 126 千円

(5) 子会社の剰余金の配当

(非支配株主持分当期変動額)	108*1	(剰余金の配当)	540
(諸 収 益) 受取配当金	432*2		

*1　子会社の剰余金の配当 540 千円 ×（1 − 80%）＝ 108 千円
*2　子会社の剰余金の配当 540 千円 × 80% ＝ 432 千円（受取配当金）

〈連結財務諸表〉

連 結 損 益 計 算 書
自 X2 年 4 月 1 日　至 X3 年 3 月 31 日（単位：千円）

借方科目	金　額	貸方科目	金　額
諸　　費　　用	122,370	諸　　収　　益	130,068
のれん償却額	7		
非支配株主に帰属する当期純利益	126		
親会社株主に帰属する当期純利益	7,565		
合　　　計	130,068	合　　　計	130,068

連結株主資本等変動計算書
自X2年4月1日 至X3年3月31日 （単位：千円）

	株　主　資　本			非 支 配株主持分
	資　本　金	利益剰余金	株主資本合計	
当 期 首 残 高	30,000	7,800	37,800	790
当 期 変 動 額				
剰余金の配当		△6,600	△6,600	
親会社株主に帰属する当期純利益		7,565	7,565	
株主資本以外の項目の当期変動額(純額)				18
当 期 末 残 高	30,000	8,765	38,765	808

連 結 貸 借 対 照 表
X3年3月31日 （単位：千円）

借方科目	金　額	貸方科目	金　額
諸　資　産	53,330	諸　負　債	13,890
の　れ　ん	133	資　本　金	30,000
		利 益 剰 余 金	8,765
		非支配株主持分	808
合　　計	53,463	合　　計	53,463

〈資本連結（支配獲得後）の基本的な解法（一例）〉

① 下記のT勘定を用意し、親会社個別財務諸表と子会社個別財務諸表の合計額を記入します。その際、当期純利益と各純資産項目の当期末残高は記入する必要はありません。

② ①に連結修正仕訳を記入し、金額がゼロとなった項目を消去します。

③ 親会社株主に帰属する当期純利益を差額により算定し、利益剰余金へ移記します。

　　また、資本金当期末残高、利益剰余金当期末残高、非支配株主持分当期末残高を差額算定し、それぞれ貸借対照表へ記入します。

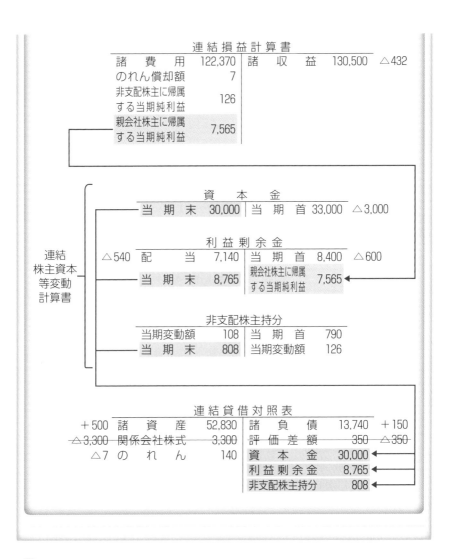

連結損益計算書

諸 費 用	122,370		諸 収 益	130,500	△432
のれん償却額	7				
非支配株主に帰属する当期純利益	126				
親会社株主に帰属する当期純利益	7,565				

連結株主資本等変動計算書

資 本 金

当 期 末	30,000	当 期 首	33,000	△3,000

利 益 剰 余 金

△540	配 当	7,140	当 期 首	8,400	△600
	当 期 末	8,765	親会社株主に帰属する当期純利益	7,565	

非支配株主持分

当期変動額	108	当 期 首	790
当 期 末	808	当期変動額	126

連結貸借対照表

+500	諸 資 産	52,830	諸 負 債	13,740	+150
△3,300	関係会社株式	3,300	評 価 差 額	350	△350
△7	の れ ん	140	資 本 金	30,000	
			利 益 剰 余 金	8,765	
			非支配株主持分	808	

タイムテーブルを用いた解法

　資本連結（支配獲得後）を行う場合には、子会社の資本の推移を把握する必要があります。そこで、資本連結の問題を解く際にはタイム・テーブルを作成すると、連結修正仕訳にあたっての資料整理や、連結財務諸表における特定金額の効率的な解答に役立ちます。

Day 55 **Day 56** Day 57 Day 58

(1) タイム・テーブル（丸数字は下記(2)と対応しています。作成例は前例題に基づいています。）

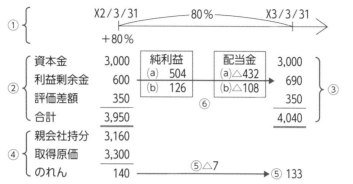

(2) 作成方法

① タイム・テーブルに、日付、親会社持分割合を記入します。

② 子会社の支配獲得時の資本金、利益剰余金、評価差額を記入します。

③ 子会社の連結決算日の資本金、利益剰余金、支配獲得時の評価差額を記入します。

④ 合計額から親会社持分を算定し、株式の取得原価との差額でのれんを算定します。

⑤ のれん償却額を算定し、連結決算日におけるのれんを算定します。

⑥ 子会社当期純利益と子会社配当金を記入します。その際、次のように記入します。

　(a) 親会社持分相当額　──→ 矢印の上段

　(b) 非支配株主持分相当額 ──→ 矢印の下段

(3) 活用方法

連結P/L	のれん償却額：⑤7千円
	非支配株主に帰属する当期純利益：⑥純利益(b)126千円
連結S/S	非支配株主持分当期首残高：②合計3,950千円×20％＝790千円
	非支配株主持分当期末残高：③合計4,040千円×20％＝808千円
連結B/S	のれん：⑤133千円
	非支配株主持分：③合計4,040千円×20％＝808千円

変動額 18千円

問題 >>> 問題編の**問題6**に挑戦しましょう！

6 ：資本連結（追加取得）

▍支配獲得後の追加取得 🚩

　支配獲得日後に子会社株式を追加取得した場合、親会社が新たに取得した子会社株式を連結上、これに対応する子会社の資本と相殺消去する必要があります。

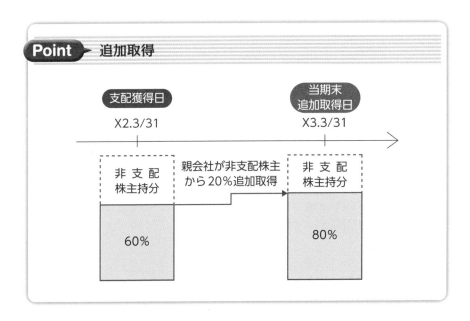

Point　追加取得

▍追加取得の会計処理 🚩

　連結上、支配獲得日にすでに投資と資本の相殺消去が行われています。追加取得した子会社株式と、追加取得割合に相当する非支配株主持分を相殺し、差額があった場合には**資本剰余金**として処理します。ただし、非支配株主持分は純資産項目なので、仕訳上は連結株主資本等変動計算書の項目である**非支配株主持分当期変動額**を用います。

　なお、資本剰余金が負の値となる場合には、連結会計年度末において、資本剰余金をゼロとし、その負の値を利益剰余金から減額します。

Point 追加取得の会計処理

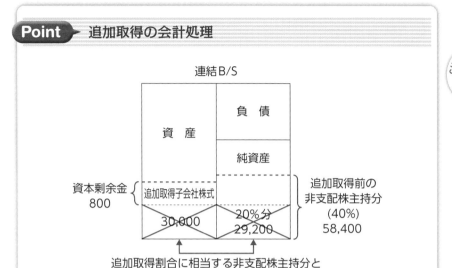

連結B/S

資　産

負　債

純資産

資本剰余金　{ 追加取得子会社株式
800

30,000

20%分
29,200

追加取得前の
非支配株主持分
(40%)
58,400

追加取得割合に相当する非支配株主持分と
追加取得した子会社株式を相殺消去

次の資料に基づいて、X3年3月31日における連結修正仕訳を示しなさい。

［資　料］

X2年3月31日にP社はS社の発行済株式の60%を240,000千円で取得し、支配を獲得した。

また、X3年3月31日にP社はS社の発行済株式の20%を90,000千円で追加取得した。X2年度のS社の当期純利益は60,000千円であった。

なお、S社の貸借対照表は次のとおりであり、S社のX2年3月31日における諸資産の時価は1,060,000千円である。評価差額に対しては税効果会計を適用し、法定実効税率は30%とする。のれんは発生年度の翌年度から10年間で定額法により償却する。

貸 借 対 照 表
X2年3月31日 （単位：千円）

借方科目	金　額	貸方科目	金　額
諸　資　産	1,020,000	諸　負　債	660,000
		資　本　金	210,000
		資本剰余金	50,000
		利益剰余金	100,000
合　　計	1,020,000	合　　計	1,020,000

貸 借 対 照 表
X3年3月31日 （単位：千円）

借方科目	金　額	貸方科目	金　額
諸　資　産	1,050,000	諸　負　債	630,000
		資　本　金	210,000
		資本剰余金	50,000
		利益剰余金	160,000
合　　計	1,050,000	合　　計	1,050,000

解答

（仕訳の単位：千円）

CHAPTER **6**

連結財務諸表

(1)　子会社の資産・負債の時価評価

（諸　資　産）	40,000*1	（諸　負　債）	12,000*2
		繰延税金負債	
		（評　価　差　額）	28,000*3

＊1　時価1,060,000千円－帳簿価額1,020,000千円
　　　＝40,000千円（評価差益）
＊2　40,000千円×法定実効税率30％＝12,000千円（繰延税金負債）
＊3　貸借差額

(2)　開始仕訳

（資本金当期首残高）	210,000	（関 係 会 社 株 式）	240,000
（資本剰余金当期首残高）	50,000	（非支配株主持分当期首残高）	155,200*1
（利益剰余金当期首残高）	100,000		
（評　価　差　額）	28,000		
（の　　れ　　ん）	7,200*2		

＊1　（資本金210,000千円＋資本剰余金50,000千円＋利益剰余金
　　　100,000千円＋評価差額28,000千円）×（1－60％）＝155,200千円
＊2　関係会社株式240,000千円－（資本金210,000千円＋資本剰余金
　　　50,000千円＋利益剰余金100,000千円＋評価差額28,000千円）
　　　×60％＝7,200千円

(3)　子会社の当期純利益の按分

（非支配株主に帰属する当期純利益）	24,000*	（非支配株主持分当期変動額）	24,000

＊　子会社当期純利益60,000千円×（1－60％）＝24,000千円

期中の損益が確定した後の期末に追加取得しているため、純利益の按分は追加取得前の非支配株主持分割合で行います。

(4)　のれんの償却

（のれん償却額）	720*	（の　れ　ん）	720

＊　$7,200千円 \times \dfrac{1年}{10年} = 720千円$

(5) 追加取得

| （非支配株主持分当期変動額） | 89,600*1 | （関 係 会 社 株 式） | 90,000 |
| （資本剰余金持分の増減） | 400*2 | | |

* 1 （資本金210,000千円＋資本剰余金50,000千円＋利益剰余金160,000千円＋評価差額28,000千円）×20％＝89,600千円
* 2 貸借差額

 追加取得の場合、のれんは出ません。なお、資本剰余金は、連結株主資本等変動計算書において、「非支配株主との取引に係る親会社の持分変動」として記載しますが、学習の便宜上、本書の仕訳では、「資本剰余金持分の増減」とします。

問題 ▶▶▶ 問題編の**問題7**に挑戦しましょう！

7：資本連結（一部売却）

Rank B

子会社株式の一部売却

　子会社株式を一部売却した場合、個別上では子会社株式の帳簿価額（取得原価）と売却価額との差額が売却損益として計上されています。

　しかし、連結財務諸表では、支配が継続している限り、親会社の持分の減少額と売却価額との間に生じた差額は**資本剰余金**として処理します。そのため連結修正仕訳により、個別上の処理を修正します。

　なお、資本剰余金が負の値となる場合には、連結会計年度末において、資本剰余金をゼロとし、その負の値を利益剰余金から減額します。

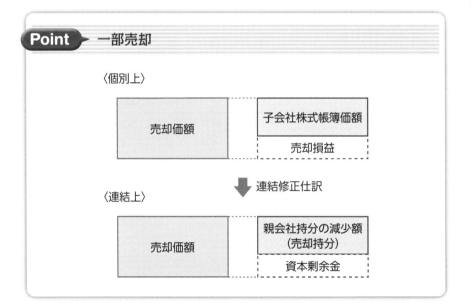

Point 一部売却

〈個別上〉

| 売却価額 | 子会社株式帳簿価額 |
| | 売却損益 |

連結修正仕訳

〈連結上〉

| 売却価額 | 親会社持分の減少額（売却持分） |
| | 資本剰余金 |

子会社の一部売却において関連する法人税等は、資本剰余金から控除されます。
受験上は、問題の指示に従いましょう。

Point ▶ 一部売却における親会社持分の減少額の例

一部売却にかかる親会社持分の減少額は、個別上売却した子会社株式の帳簿価額とは異なります。また、親会社持分の減少額は同時に非支配株主持分の増加額と同額になります。

（例）子会社（取得時の純資産額10,000円、当期純利益1,000円）の発行済株式数の80％を8,000円で購入し所有していたが、当期末に発行済株式数の10％を1,000円で外部に売却した。

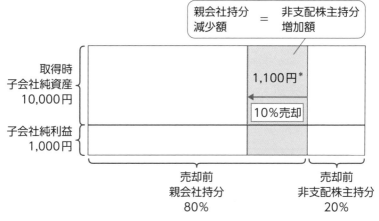

* 親会社持分減少額（＝非支配株主持分増加額）：
(10,000円＋1,000円)×10％＝1,100円

 子会社株式を一部売却した場合、のれんの未償却額を減額しません。これは、支配が継続している限り、償却や減損を除き、のれんを減額すべきではないからです。また、追加取得時の処理と整合させるためでもあります。

例題 一部売却（のれんがない場合）

次の資料に基づいて、X3年3月31日における連結修正仕訳を示しなさい。

[資　料]

X2年3月31日にP社はS社の発行済株式の80%を288,000千円で取得し、支配を獲得した。

また、X3年3月31日にP社はS社の発行済株式の20%を75,000千円で売却した。X2年度のS社の当期純利益は60,000千円であった。

なお、S社の貸借対照表は次のとおりであり、S社のX2年3月31日における資産・負債の帳簿価額と時価は一致している。P社は、S社株式の売却により、P社個別損益計算書に関係会社株式売却益3,000千円を計上している。

貸 借 対 照 表
X2年3月31日　　　　　（単位：千円）

借方科目	金　額	貸方科目	金　額
諸　資　産	1,020,000	諸　負　債	660,000
		資　本　金	210,000
		資本剰余金	50,000
		利益剰余金	100,000
合　　計	1,020,000	合　　計	1,020,000

貸 借 対 照 表
X3年3月31日　　　　　（単位：千円）

借方科目	金　額	貸方科目	金　額
諸　資　産	1,050,000	諸　負　債	630,000
		資　本　金	210,000
		資本剰余金	50,000
		利益剰余金	160,000
合　　計	1,050,000	合　　計	1,050,000

CHAPTER 6 連結財務諸表

（仕訳の単位：千円）

(1) 開始仕訳

（資本金当期首残高）	210,000	（関係会社株式）	288,000
（資本剰余金当期首残高）	50,000	（非支配株主持分当期首残高）	72,000*
（利益剰余金当期首残高）	100,000		

* （資本金210,000千円＋資本剰余金50,000千円
　＋利益剰余金100,000千円）×（1－80%）＝72,000千円

(2) 子会社の当期純利益の按分

（非支配株主に帰属する当期純利益）	12,000*	（非支配株主持分当期変動額）	12,000

* 子会社当期純利益60,000千円×（1－80%）＝12,000千円

(3) 一部売却

（関係会社株式）	72,000*2	（非支配株主持分当期変動額）	84,000*1
（関係会社株式売却益）	3,000		
（資本剰余金持分の増減）	9,000*3		

*1 （資本金210,000千円＋資本剰余金50,000千円
　＋利益剰余金160,000千円）×（1－80%）＝84,000千円

*2 288,000千円×20%÷80%＝72,000千円

*3 （帳簿価額72,000千円＋関係会社株式売却益3,000千円）
　－親会社持分減少額84,000千円＝△9,000千円（売却差額）

個別上の売却損益はすべて消去し、連結上の売却差額を表す資本剰余金を計上します。なお、資本剰余金は、連結株主資本等変動計算書において、「非支配株主との取引に係る親会社の持分変動」として記載しますが、学習の便宜上、本書の仕訳では、「資本剰余金持分の増減」とします。

例題 一部売却（のれんがある場合）

次の資料に基づいて、X3年3月31日における連結修正仕訳を示しなさい。ただし、一部売却に関連する法人税等は考慮しなくてよい。

［資　料］

X2年3月31日にP社はS社の発行済株式の80%を314,000千円で取得し、支配を獲得した。

また、X3年3月31日にP社はS社の発行済株式の20%を90,000千円で売却した。X2年度のS社の当期純利益は75,000千円であり、当期に15,000千円の剰余金の配当を行っている。

なお、S社の貸借対照表は次のとおりであり、S社のX2年3月31日における諸資産の時価は1,060,000千円である。評価差額に対しては税効果会計を適用し、法定実効税率は30%とする。のれんは発生年度の翌年度から10年間で定額法により償却する。

P社は、S社株式の売却により、P社個別損益計算書に関係会社株式売却益11,500千円を計上している。

貸 借 対 照 表
X2年3月31日　　　　　　（単位：千円）

借方科目	金　額	貸方科目	金　額
諸　資　産	1,020,000	諸　負　債	660,000
		資　本　金	210,000
		資本剰余金	50,000
		利益剰余金	100,000
合　　計	1,020,000	合　　計	1,020,000

貸 借 対 照 表
X3年3月31日　　　　　　（単位：千円）

借方科目	金　額	貸方科目	金　額
諸　資　産	1,050,000	諸　負　債	630,000
		資　本　金	210,000
		資本剰余金	50,000
		利益剰余金	160,000
合　　計	1,050,000	合　　計	1,050,000

解答

（仕訳の単位：千円）

(1) 子会社の資産・負債の時価評価

（諸 資 産）	40,000*1	（諸 負 債）	12,000*2
		繰延税金負債	
		（評 価 差 額）	28,000*3

* 1 時価1,060,000千円－帳簿価額1,020,000千円
  ＝40,000千円（評価差益）
* 2 40,000千円×法定実効税率30％＝12,000千円（繰延税金負債）
* 3 貸借差額

(2) 開始仕訳

（資本金当期首残高）	210,000	（関 係 会 社 株 式）	314,000
（資本剰余金当期首残高）	50,000	（非支配株主持分当期首残高）	77,600*1
（利益剰余金当期首残高）	100,000		
（評 価 差 額）	28,000		
（の れ ん）	3,600*2		

* 1 （資本金210,000千円＋資本剰余金50,000千円
  ＋利益剰余金100,000千円＋評価差額28,000千円）×（1－80％）
  ＝77,600千円
* 2 関係会社株式314,000千円－（資本金210,000千円
  ＋資本剰余金50,000千円＋利益剰余金100,000千円
  ＋評価差額28,000千円）×80％＝3,600千円

(3) 子会社の当期純利益の按分

（非支配株主に帰属する当期純利益）	15,000*	（非支配株主持分当期変動額）	15,000

* 子会社当期純利益75,000千円×（1－80％）＝15,000千円

(4) 子会社の剰余金の配当

（受 取 配 当 金）	12,000*1	（剰 余 金 の 配 当）	15,000
（非支配株主持分当期変動額）	3,000*2		

* 1 子会社の剰余金の配当15,000千円×80％＝12,000千円
* 2 子会社の剰余金の配当15,000千円×（1－80％）＝3,000千円

(5) のれんの償却

（の れ ん 償 却 額）	360*	（の れ ん）	360

* 3,600千円×$\dfrac{1年}{10年}$＝360千円

(6) 一部売却

| （関 係 会 社 株 式） | 78,500*1 | （非支配株主持分当期変動額） | 89,600*2 |
| （関係会社株式売却益） | 11,500 | （資本剰余金持分の増減） | 400*3 |

* 1 関係会社株式314,000千円×20%÷80% = 78,500千円
* 2 （資本金210,000千円＋資本剰余金50,000千円
  ＋利益剰余金160,000千円＋評価差額28,000千円）×20%
  = 89,600千円
* 3 （帳簿価額78,500千円＋関係会社株式売却益11,500千円）
  ー親会社持分減少額89,600千円 = 400千円（売却差額）

 支配関係が継続している場合、一部売却により親会社持分が減少しても、のれんの未償却額は減額せず、そのまま従来どおりの償却を続けます。

 一部売却の際の税金費用の取り扱い

　子会社株式の一部売却について、一部売却に関連する法人税等を考慮する場合、資本剰余金に対応する法人税等を調整する必要があります。

| （資本剰余金持分の増減） | 120 | （法 人 税 等） | 120* |

* 400千円×30% =120千円

問題 ≫≫ 問題編の**問題8**に挑戦しましょう！

連結財務諸表

253

内部取引の相殺消去

　親会社と子会社は連携して事業を行っているため、連結会社間で資産を売買したり、資金の貸付け・借入れをしたりすることがあります。

　しかし、連結会社間の取引は、企業集団全体の観点でみると単なる企業集団内での資産や資金の移動にすぎないので、連結財務諸表を作成するにあたって相殺消去する必要があります。

> 親子会社間の取引は、個別上ではどのように処理されていて、連結上はどうあるべきなのかをおさえることが重要です。なお、本書では内部取引の相殺消去、債権・債務の相殺消去のことを成果連結とよびます。本試験での出題実績は乏しいですが、連結会計のなかでは取り組みやすい分野です。

資金取引

　親子会社間で資金の貸し借りを行っている場合には、貸付金と借入金の相殺消去を行います。また、期中において利息の受払いが行われている場合には、受取利息と支払利息の相殺消去を行い、期末において経過勘定項目が計上されている場合には、経過勘定項目の相殺消去も行います。

Point 資金取引

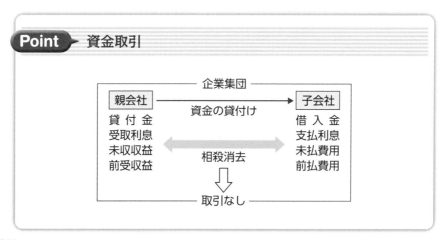

▶ 貸倒引当金の調整

　連結修正仕訳によって貸倒引当金の設定対象である金銭債権が減少した場合、当該債権に貸倒引当金が設定されているため、当該債権の減少に対応して貸倒引当金の減額修正を行います。

　貸倒引当金の調整にあたっては税効果会計が適用され、貸倒引当金の減少額を連結固有の将来加算一時差異として、繰延税金負債を計上します。

　ただし、問題で税効果会計を適用する旨の指示がなければ、考慮する必要はありません。

例題　資金取引

　次の取引について、連結修正仕訳を示しなさい。なお、税効果会計を適用する場合の法定実効税率は30%とする。

　親会社P社は、子会社S社に対して、X2年6月1日に1,500千円の貸付け（決済日：X3年5月31日、利子率：年2.4%、利払日：X2年11月30日とX3年5月31日）を行っている。

　なお、P社は、金銭債権の期末残高に対して2%の貸倒引当金を設定している。また、当事業年度は、両社ともX2年4月1日からX3年3月31日までである。

解答
(仕訳の単位：千円)

(1) 貸付金と借入金の相殺消去

（借　入　金）	1,500	（貸　付　金）	1,500

(2) 受取利息と支払利息の相殺消去

（受　取　利　息）	30*	（支　払　利　息）	30

＊　$1,500千円 \times 2.4\% \times \dfrac{10カ月}{12カ月} = 30千円$

(3) 経過勘定項目の相殺消去

| (未 払 費 用) | 12* | (未 収 収 益) | 12 |

* $1,500 千円 \times 2.4\% \times \dfrac{4 カ月}{12 カ月} = 12 千円$

(4) 貸倒引当金の調整

① 貸倒引当金の調整

| (貸 倒 引 当 金) | 30* | (貸倒引当金繰入額) | 30 |

* 貸付金1,500千円 × 2% = 30千円

② 税効果会計

| (法人税等調整額) | 9* | (繰 延 税 金 負 債) | 9 |

* 貸倒引当金減少額30千円 × 法定実効税率30% = 9千円

問題 >>> 問題編の**問題9**に挑戦しましょう！

9：成果連結（その2）

▎商品売買取引

　親子会社間で商品売買を行っている場合には、企業集団全体の視点からみると、単なる企業集団内の商品の移動にすぎないため、消去する必要があります。そのため、売上高と仕入高の相殺消去をするとともに、期末において売掛金および買掛金が存在している場合には、売掛金と買掛金の相殺消去も行います。

 商品売買取引には、親会社が子会社に商品を販売する場合と、子会社が親会社に商品を販売する場合とがあり、前者をダウン・ストリーム、後者をアップ・ストリームといいます。本書では、ダウン・ストリームについて学習します。

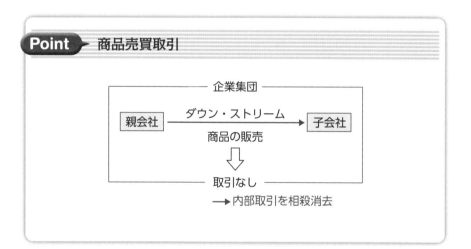

Point 　商品売買取引

企業集団

親会社 ──ダウン・ストリーム──▶ 子会社

商品の販売

⬇

取引なし

──▶ 内部取引を相殺消去

▎未実現損益の調整

　子会社の期末商品に親会社からの仕入分がある場合、この商品には、親会社が上乗せした利益が含まれているため、未実現損益の調整を行います。

　未実現損益の調整にあたっては税効果会計が適用され、商品の減少額を連結固有の将来減算一時差異として、繰延税金資産を計上します。

未実現損益の調整は、本支店会計における内部利益の調整と同様の考え方なので、あわせて確認しておきましょう。

Point 未実現損益の調整

　商品Bは、子会社が商品を外部の得意先に販売しているので、内部利益は実現して未実現利益は存在していません。よって、調整は不要です。しかし、商品Aは、子会社が商品を保有しているので、未実現の利益を調整する必要があります。

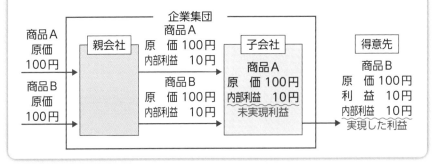

例題 **未実現損益の調整**

　次の取引について連結修正仕訳を示しなさい。なお、税効果会計を適用する場合の法定実効税率は30%とする。

1. 親会社P社は、子会社S社に対して、連結外部から仕入れた商品を、当期より利益率20%でS社に販売している。当期におけるP社からS社への売上高は10,800千円である。なお、S社の期末商品には、P社から仕入れた商品が900千円含まれている。

2. P社の期末売掛金のうち、S社に対するものが1,500千円あり、S社の買掛金も同額である。なお、P社の金銭債権の期末残高に対して2%の貸倒引当金を設定している。

解答

（仕訳の単位：千円）

⑴　売上高と仕入高の相殺消去

| （売　　上　　高） | 10,800 | （売　上　原　価） | 10,800 |

⑵　売掛金と買掛金の相殺消去

| （買　　掛　　金） | 1,500 | （売　　掛　　金） | 1,500 |

⑶　未実現損益の調整

①　未実現損益の調整

| （売　上　原　価） | 180 | （商　　　　　品） | 180* |

＊　900千円×20%＝180千円

②　税効果会計

| （繰 延 税 金 資 産） | 54* | （法人税等調整額） | 54 |

＊　商品の減少額180千円×法定実効税率30%＝54千円

⑷　貸倒引当金の調整

①　貸倒引当金の調整

| （貸 倒 引 当 金） | 30* | （貸倒引当金繰入額） | 30 |

＊　売掛金1,500千円×2%＝30千円

②　税効果会計

| （法人税等調整額） | 9 | （繰 延 税 金 負 債） | 9* |

＊　貸倒引当金減少額30千円×法定実効税率30%＝9千円

売掛金と買掛金の相殺消去が行われた場合にも、貸倒引当金の調整が必要になります。

未達取引

　親会社が販売した商品が子会社に未着であるなどの未達取引がある場合には、本支店会計と同様に、相殺消去に先立って未達取引の整理を行います。

 未達商品がある場合、この商品は子会社の商品となるため、未達分も含めて未実現損益の調整を行うこととなります。

Point ▶ 未達取引

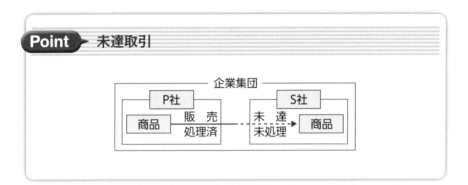

例題　未達取引

　次の取引について、連結修正仕訳を示しなさい。なお、税効果会計を適用する場合の法定実効税率は30%とする。

1. 親会社P社は、子会社S社に対して、連結外部から仕入れた商品を、当期より利益率20%でS社に販売している。当期におけるP社からS社への売上高は10,800千円である。なお、S社の期末商品には、P社から仕入れた商品が810千円（未達商品を除く）含まれている。

2. P社の期末売掛金のうち、S社に対するものが1,500千円あり、S社の期末買掛金のうちP社に対するものは1,410千円（未達取引考慮前の金額でありP社の売掛金との差額は未達商品によるものである）である。なお、P社の金銭債権の期末残高に対して2%の貸倒引当金を設定している。

解答

(仕訳の単位：千円)

CHAPTER 6 連結財務諸表

(1) **未達取引**

| (商　　　品) | 90* | (買　　掛　　金) | 90 |

* S社に対する売掛金1,500千円－P社に対する買掛金1,410千円
＝90千円

(2) **売上高と仕入高の相殺消去**

| (売　　上　　高) | 10,800 | (売　上　原　価) | 10,800 |

(3) **売掛金と買掛金の相殺消去**

| (買　　掛　　金) | 1,500 | (売　　掛　　金) | 1,500 |

(4) **未実現損益の調整**

① **未実現損益の調整**

| (売　上　原　価) | 180 | (商　　　　品) | 180* |

* (810千円＋未達分90千円)×20%＝180千円

② **税効果会計**

| (繰 延 税 金 資 産) | 54* | (法人税等調整額) | 54 |

* 商品の減少額180千円×法定実効税率30%＝54千円

(5) **貸倒引当金の調整**

① **貸倒引当金の調整**

| (貸 倒 引 当 金) | 30* | (貸倒引当金繰入額) | 30 |

* 売掛金1,500千円×2%＝30千円

② **税効果会計**

| (法人税等調整額) | 9 | (繰 延 税 金 負 債) | 9* |

* 貸倒引当金減少額30千円×法定実効税率30%＝9千円

本問のように未達取引の金額が問題文中で与えられていない場合には、親子会社間の債権および債務の金額や売上高と仕入高の差額から推測する必要があります。

問題 >>> 問題編の**問題10**に挑戦しましょう！

10：持分法とは

Rank A

持分法の意義

　持分法とは、投資会社（親会社）が被投資会社（関連会社）の純資産および損益のうち投資会社（親会社）に帰属する部分の変動に応じて、その投資の額を連結決算日ごとに修正する方法をいいます。

　連結では、連結会社の財務諸表を科目ごとに合算して連結財務諸表を作成するのに対して、持分法は、投資勘定（投資有価証券など）の額を修正して、その投資損益を連結財務諸表に反映させます。持分法の出題実績は少ないですが、連結と比べると学習の負担が少ない論点です。

Point ▶ 持分法のイメージ

　P社がA社発行済株式のうち20％を取得し、A社の当期純利益が500千円だったときの持分法のイメージは次のようになります。

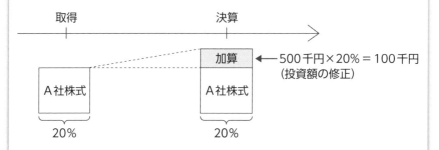

　このとき、投資額の修正は、次のような持分法適用仕訳で処理します。

（投 資 有 価 証 券）	100	（持分法による投資損益）	100

持分法を適用する理由

　親会社は、原則としてすべての子会社を連結の範囲に含めますが、その一方で、経営に対し重要な影響を与えている関連会社は連結の範囲から外されてしまうことになり、そのままでは、企業集団としての財務諸表である連結財務諸表の意義が薄れてしまうこととなります。

　そこで、連結財務諸表の作成に際し、これまで学習してきた連結会計を補充するものとして関連会社に対して持分法が適用されます。

持分法の適用範囲

　連結財務諸表の作成にあたって、非連結子会社および関連会社に対する投資勘定については、原則として持分法を適用しなければなりません。

 関連会社や非連結子会社であっても財務および営業または事業の方針決定に対する影響が一時的と認められる会社、持分法を適用することにより利害関係者の判断を著しく誤らせるおそれがある会社は、持分法の適用範囲に含めません。

Point 持分法の適用範囲

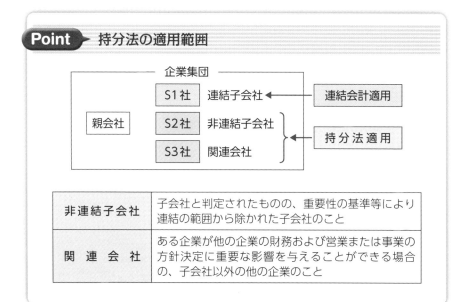

非連結子会社	子会社と判定されたものの、重要性の基準等により連結の範囲から除かれた子会社のこと
関連会社	ある企業が他の企業の財務および営業または事業の方針決定に重要な影響を与えることができる場合の、子会社以外の他の企業のこと

本書では本試験における重要性を考慮して、関連会社を前提とした会計処理のみを学習します。

連結会計と持分法

　連結会計も持分法も、ともに親会社を中心とする企業集団の財政状態および経営成績を総合的に把握するための会計手続であり、その効果もまったく同じです。ただし、そのプロセスは両者で正反対となります。

	連 結 会 計	持 分 法
財 務 諸 表 の 合 算	あ り	な し
親会社持分の把握	非支配株主持分を分離することにより、親会社持分を把握する	投資勘定により投資会社持分を把握する
当期純利益の按分	非支配株主持分相当額につき、非支配株主持分を増加させる	投資会社持分相当額を利益として認識し、投資勘定に加算する
配 当 金 の 修 正	親会社持分相当額は、受取配当金と相殺消去し、非支配株主持分相当額については、非支配株主持分を減少させる	投資会社持分相当額を投資勘定から減算する

持分法適用初年度における会計処理

(1) 株式取得時

　被投資会社の株式を取得した時点では、まだ被投資会社の純資産または損益の増減はありません。そのため、この時点では修正仕訳は行いません。

関連会社に対する投資額は、個別財務諸表上では「関係会社株式」として表示されていますが、連結財務諸表上では投資勘定である「投資有価証券」として表示することとなります。そのため、個別財務諸表の修正として関係会社株式から投資有価証券への科目の組替えが必要となります。

CHAPTER **6**

連結財務諸表

⑵ のれんの算定

投資会社の投資日における投資有価証券の金額とこれに対応する関連会社の資本勘定の金額との間に差額がある場合、この差額は投資勘定の金額に含めたままで、のれんと同様の処理を行わなければなりません。

⑶ 持分法における時価評価

持分法における投資対象の時価評価については、関連会社の場合は、被投資会社の資産・負債のうち、投資会社の持分に応じた部分のみを時価評価します。ただし、持分法では個別財務諸表を合算しないため、修正仕訳は行いません。

> 評価差額 ＝（時価 － 帳簿価額）× 投資会社持分

なお、被投資会社の資産・負債のうち、投資会社の持分に応じた部分のみを時価評価する方法のことを**部分時価評価法**といいます。

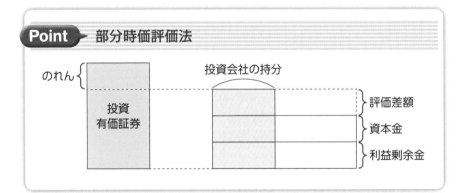

Point 部分時価評価法

持分法適用初年度においては、のれんを認識することになります。ただし、持分法においてはのれんを投資有価証券勘定に含めて処理するため、のれん勘定は使用しません。

例題 持分法―適用初年度

次の資料に基づいて、⑴当期の連結財務諸表を作成するために必要な修正仕訳を示すとともに、⑵のれんを算定しなさい。

［資 料］

P社は、X2年3月31日（当期末）にA社株式の20%を870千円で取得し、A社を持分法適用会社とした。

⑴ 当期末におけるA社の資本勘定は次のとおりである。

　　資本金：3,000千円　利益剰余金：600千円

⑵ 当期末におけるA社の土地（帳簿価額940千円）の時価は1,440千円であった。なお、評価差額については法定実効税率を30%として税効果会計を適用する。

解答 ⑴ 修正仕訳

仕 訳 な し

⑵ のれん：80千円

① 評価差額の認識

　　評価差益：（時価1,440千円－簿価940千円）×20%＝100千円

　　繰延税金負債：100千円×30%＝30千円

　　評価差額：100千円－30千円＝70千円

② のれんの認識

　　投資有価証券870千円－{（A社資本金3,000千円＋A社利益剰余金600千円）×20%＋評価額70千円}＝80千円

 期末に取得したため持分法の適用に際して、当期に行う修正仕訳はありません。また、のれんは、連結とは異なり投資勘定に含めて処理するというところがポイントです。

266

持分法適用2年目における会計処理

(1) のれんの償却

のれんは、20年以内に定額法などによって償却します。このとき、持分法では、のれん勘定の代わりに投資有価証券を減額させ、のれん償却額の代わりに、持分法による投資損益で処理します。

(2) 当期純利益の認識

関連会社の当期純利益のうち、投資会社持分相当額を投資損益として認識し、投資有価証券に加算する処理を行います。

(3) 配当金の修正

関連会社が配当を行った場合、関連会社の純資産が減少するので、配当金のうち投資会社持分相当額だけ投資有価証券を減らします。

また、投資会社の損益計算書に計上されている受取配当金を減らします。

例題 持分法—適用2年目

前例題から1年が経過し、X3年3月31日となった。次の資料に基づいて、当期の連結財務諸表を作成するために必要となる仕訳を示しなさい。

[資 料]

(1) のれんは発生年度の翌年から20年にわたり定額法により償却する。

(2) 当期のA社の当期純利益は630千円であった。

(3) A社は当期において剰余金の配当540千円を行った。

解答

(仕訳の単位：千円)

(1) のれんの償却

| (持分法による投資損益) | 4 | (投資有価証券) | 4* |

* $80千円 \times \dfrac{1年}{20年} = 4千円$

(2) 当期純利益の認識

| (投資有価証券) | 126* | (持分法による投資損益) | 126 |

* $630千円 \times 20\% = 126千円$

(3) 配当金の修正

（受 取 配 当 金）	108	（投資有価証券）	108*

＊　540千円×20％＝108千円

 持分法では、関連会社に対する投資会社の持分のみを連結財務諸表に影響させるというところが連結と異なります。

持分法適用3年目以降における会計処理（開始仕訳）

　連結の場合と同様に、持分法においても前期末までに行った修正仕訳を開始仕訳として行います。

　この場合、前期末までに計上した損益項目は利益剰余金当期首残高で処理します。

 前期末以前の仕訳をすべて合算したものが、開始仕訳となります。

例題　持分法—適用3年目以降

　前々例題から2年が経過し、X4年3月31日となった。

　X3年度における持分法に係る開始仕訳を示しなさい。なお、当期純利益と剰余金の配当は、前例題と同額であるとする。

解答　　　　　　　　　　　　　　　　　　　　　（仕訳の単位：千円）

(1)　のれんの償却

（利益剰余金当期首残高）	4	（投 資 有 価 証 券）	4

(2)　当期純利益の認識

（投 資 有 価 証 券）	126	（利益剰余金当期首残高）	126

(3) 配当金の修正

| (利益剰余金当期首残高) | 108 | (投 資 有 価 証 券) | 108 |

なお、次のようにまとめることもできます。

| (投 資 有 価 証 券) | 14 | (利益剰余金当期首残高) | 14 |

前期末以前の利益剰余金を増減させる項目は利益剰余金当期首残高勘
定でまとめて連結財務諸表に計上します。計算過程は前例題と同じで
す。

11 : 持分法（未実現損益の調整）

▌ 未実現損益の調整

　持分法では財務諸表の合算を行わないため、持分法の適用に際して、投資会社（親会社）と被投資会社（関連会社）間の取引について相殺消去を行う必要はありません。しかし、期末商品に含まれる未実現損益については、連結会計と同様に調整を行います。

▌ ダウンストリーム

　売手である投資会社に生じた未実現損益の消去額は、原則として、未実現損益のうち投資会社の持分に対応する金額を消去します。

　また、未実現損益の調整にあたっては税効果会計が適用され、未実現損益の投資会社持分相当額を連結固有の将来減算一時差異として、繰延税金資産を計上します。

 投資会社の損益勘定（売上高など）の代わりに持分法による投資損益で処理することも認められています。問題文の指示に従って解きましょう。

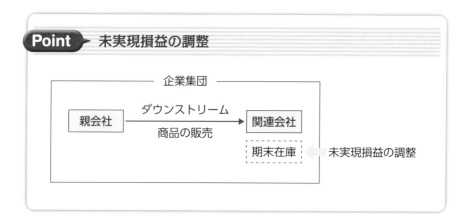

Point ▶ 未実現損益の調整

企業集団

| 親会社 | ダウンストリーム
商品の販売 → | 関連会社 |

期末在庫 ⇠⇠ 未実現損益の調整

CHAPTER 6

連結財務諸表

例題　持分法―未実現損益の調整

次の資料に基づいて、未実現損益の調整の仕訳を示しなさい。

[資　料]

1. Ｐ社は、関連会社Ａ社に対して、当期より連結外部から仕入れた商品を、利益率20%でＡ社に販売している。当事業年度におけるＰ社からＡ社への売上高は10,800千円である。なお、Ａ社の期末商品には、Ｐ社から仕入れた商品が2,000千円含まれている。

2. Ｐ社のＡ社に対する持分割合は25%である。

3. 税効果会計を適用する場合の法定実効税率は30%とする。

解答

(仕訳の単位：千円)

⑴　**未実現損益の調整**

（売　上　高）	100	（投資有価証券）	100*

＊　2,000千円×持分割合25%×利益率20%＝100千円

⑵　**税効果会計**

（繰延税金資産）	30*	（法人税等調整額）	30

＊　100千円×30%＝30千円

持分法では、ダウンストリームの未実現損益を調整する際に売上高を修正します。これは、持分法適用会社は個別財務諸表を合算しないため、連結財務諸表上には販売側である投資会社の売上高のみが現れるからです。

問題 >>> 問題編の**問題11**に挑戦しましょう！

参考 連結包括利益計算書とは

▌ 包括利益の意義

包括利益とは、ある企業の特定期間の財務諸表において認識された純資産の変動額のうち、資本取引以外による純資産の変動のことです。

 たとえば、当期純利益は包括利益の一部として構成されます。

▌ その他の包括利益の意義

包括利益のうち当期純利益に含まれない部分を**その他の包括利益**といいます。

その他の包括利益の内訳としては、その他の包括利益累計額（個別財務諸表における「評価・換算差額等」）の前期末残高と当期末残高との純増減額があります。

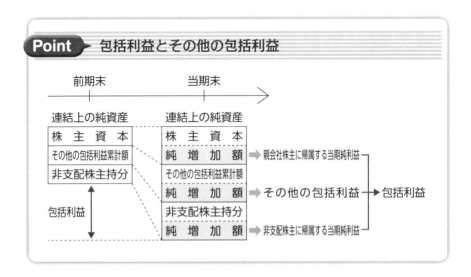

包括利益を表示する計算書

包括利益を表示する計算書は、次のいずれかの形式により表示します。

2計算書方式	当期純利益を表示する計算書（連結損益計算書）と、包括利益を表示する計算書（連結包括利益計算書）とに分けて表示する形式
1計算書方式	当期純利益の表示と包括利益の表示を1つの計算書（連結損益及び包括利益計算書）で表示する形式

〈2計算書方式〉
連 結 損 益 計 算 書

⋮		⋮
税金等調整前当期純利益		××
法人税、住民税及び事業税	××	
法人税等調整額	××	××
当期純利益		××
非支配株主に帰属する当期純利益		××
親会社株主に帰属する当期純利益		××

連結包括利益計算書

当期純利益		××
その他の包括利益		
その他有価証券評価差額金	××(*)	
繰延ヘッジ損益	××(*)	××
包括利益		××
(内訳)		
親会社株主に係る包括利益		××
非支配株主に係る包括利益		××

＊　前期末残高と当期末残高との純増減額

〈1計算書方式〉
連結損益及び包括利益計算書

⋮		⋮
税金等調整前当期純利益		××
法人税、住民税及び事業税	××	
法人税等調整額	××	××
当期純利益		××
(内訳)		
親会社株主に帰属する当期純利益		××
非支配株主に帰属する当期純利益		××
その他の包括利益		
その他有価証券評価差額金	××(*)	
繰延ヘッジ損益	××(*)	××
包括利益		××
(内訳)		
親会社株主に係る包括利益		××
非支配株主に係る包括利益		××

＊　前期末残高と当期末残高との純増減額

連結包括利益計算書

次の資料に基づいて、X2年度の連結包括利益計算書を作成しなさい。なお、事業年度は4月1日から3月31日である。また、資産・負債の時価評価および税効果会計は考慮しないものとする。

1．P社に関する事項

① P社のX1年度およびX2年度における個別財務諸表上の純資産は次のとおりである。

X1年度個別貸借対照表	
（単位：千円）	
資　本　金	30,000
利　益　剰　余　金	7,800
その他有価証券評価差額金	1,200

X2年度個別貸借対照表	
（単位：千円）	
資　本　金	30,000
利　益　剰　余　金	8,700
その他有価証券評価差額金	1,800

② P社の保有するその他有価証券は、X1年度における取得以降、追加取得および売却の事実はない。

③ P社のX2年度における当期純利益は7,500千円である。

2．S社に関する事項

① S社のX1年度およびX2年度における個別財務諸表上の純資産は次のとおりである。

X1年度個別貸借対照表	
（単位：千円）	
資　本　金	3,000
利　益　剰　余　金	750

X2年度個別貸借対照表	
（単位：千円）	
資　本　金	3,000
利　益　剰　余　金	2,100

② S社のX2年度における当期純利益は1,350千円であり、期中に配当は行っていない。

3．連結財務諸表に関する事項

① P社は、X2年3月31日にS社株式の80％を3,300千円で取得し、S社を子会社として支配した。

② のれんは、発生の翌年度より5年で定額法により償却する。

解答

連結包括利益計算書　　（単位：千円）

当期純利益	8,790*1
その他の包括利益	
その他有価証券評価差額金	600*2
包括利益	9,390
（内訳）	
親会社株主に係る包括利益	9,120*3
非支配株主に係る包括利益	270*4

* 1　P社当期純利益7,500千円＋S社当期純利益1,350千円
　　　－のれん償却額60千円＝8,790千円
* 2　当期末1,800千円－前期末1,200千円＝純増加額600千円
* 3　当期純利益8,790千円
　　　－非支配株主に帰属する当期純利益270千円
　　　＋評価差額金純増加額600千円＝9,120千円
* 4　非支配株主に帰属する当期純利益270千円

（仕訳の単位：千円）

〈連結修正仕訳〉

①　開始仕訳

（資本金当期首残高）	3,000	（関係会社株式）	3,300
（利益剰余金当期首残高）	750	（非支配株主持分当期首残高）	750*1
（の　れ　ん）	300*2		

* 1　（3,000千円＋750千円）×20％＝750千円
* 2　貸借差額

②　のれんの償却

（のれん償却額）	60*	（の　れ　ん）	60

*　$300千円 \times \dfrac{1年}{5年} = 60千円$

③　子会社の当期純利益の按分

（非支配株主に帰属する当期純利益）	270*	（非支配株主持分当期変動額）	270

*　1,350千円×（1－80％）＝270千円

☐ **作成する連結財務諸表**

	期首に支配獲得	期末に支配獲得
連結貸借対照表	作成する	作成する
連結損益計算書	作成する	作成しない
連結株主資本等変動計算書	作成する	作成しない

☐ **投資と資本の相殺消去**

　親会社の投資勘定と子会社の資本勘定のうち親会社持分相当額とを相殺消去します。

☐ **のれん**

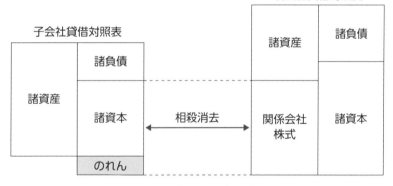

のれん＝親会社の投資勘定－子会社の諸資本×親会社持分割合

☐ **部分所有となる場合**

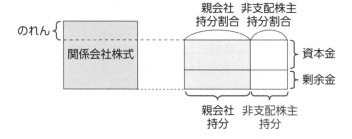

> **非支配株主持分 = 子会社の諸資本×非支配株主持分割合**

☐ **全面時価評価法**

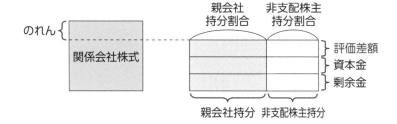

☐ 支配獲得後の連結財務諸表の作成

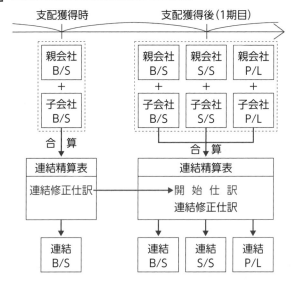

☐ 追加取得の会計処理

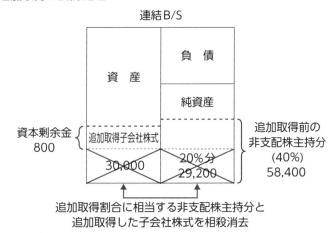

連結B/S

追加取得割合に相当する非支配株主持分と
追加取得した子会社株式を相殺消去

☐ **一部売却の会計処理**

〈個別上〉

売却価額	子会社株式帳簿価額
	売却損益

⬇ 連結修正仕訳

〈連結上〉

売却価額	親会社持分の減少額 （売却持分）
	資本剰余金

☐ **内部取引の相殺消去**

	相 殺 消 去 勘 定	
資　金　取　引	貸付金	借入金
	受取利息	支払利息
	未収収益	未払費用
	前受収益	前払費用
商 品 売 買 取 引	売上高	売上原価
	売上原価	商品
	買掛金	売掛金

□ 連結会計と持分法の比較

	連結会計	持分法
財務諸表の合算	あり	なし
親会社持分の把握	非支配株主持分を分離することにより、親会社持分を把握する	投資勘定により投資会社持分を把握する
当期純利益の按分	非支配株主持分相当額につき、非支配株主持分を増加させる	投資会社持分相当額を利益として認識し、投資勘定に加算する
配 当 金 の 修 正	親会社持分相当額は、受取配当金と相殺消去し、非支配株主持分相当額については、非支配株主持分を減少させる	投資会社持分相当額を投資勘定から減算する

CHAPTER 7

キャッシュ・フロー計算書

ここではキャッシュ・フロー計算書を学習していきます。これは損益計算書・貸借対照表と同様に企業活動全体について重要な情報を提供する計算書類です。

構造論点・その他の論点

キャッシュ・フロー計算書

≫現金の流れを意識しましょう！

学習
スケジュール

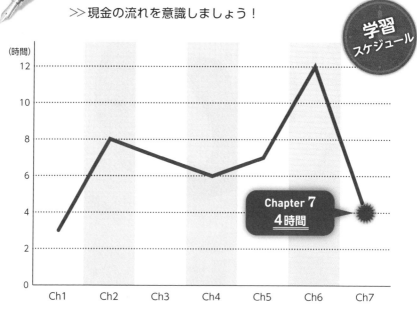

Link to 財務諸表論④　**Chapter9** キャッシュ・フロー計算書

　財務諸表論では、キャッシュ・フロー計算書の目的などの理論を学習します。理論的な根拠をおさえることで計算の理解も深まりますので関連づけて学習しましょう。

1：キャッシュ・フロー計算書

▌キャッシュ・フロー計算書の意義

キャッシュ・フロー計算書とは、一事業年度にキャッシュの出入りがどれだけあって、それがどのような原因によるものかを示す一覧表のことをいいます。

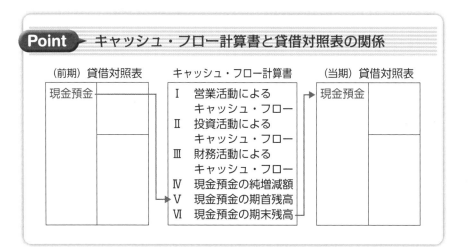

Point ▶ キャッシュ・フロー計算書と貸借対照表の関係

▌キャッシュの範囲 🚩

キャッシュ・フロー計算書でいうキャッシュとは、次に示す**現金及び現金同等物**のことを意味しています。

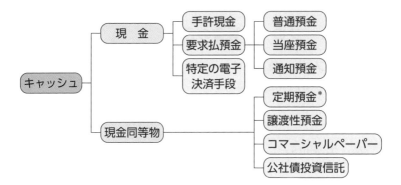

Point ▶ キャッシュの範囲

* 取得日から満期日までの期間が３カ月以内のもの

要求払預金とは預入期間の定めのない預金であり、普通預金、当座預金および通知預金が含まれます。

現金同等物とは

　現金同等物とは、容易に換金が可能で、かつ、価値変動のリスクが少ない短期の投資をいいます。具体的には、取得日から満期日までの期間が３カ月以内の定期預金、譲渡性預金、コマーシャルペーパーおよび公社債投資信託などが含まれます。

　現金同等物の要件は、①容易に換金できること、②価値変動のリスクの少ない短期投資であること、の２つであるため、預入期間が３カ月を超える定期預金は「キャッシュ」には含まれません。また、市場性のある株式などは容易に換金できますが、価値変動のリスクが大きいため「キャッシュ」には含まれません。

▶ キャッシュ・フロー計算書の様式 🚩

(1) 表示区分

キャッシュ・フロー計算書の表示区分は、次のとおりです。

```
           キャッシュ・フロー計算書

 Ⅰ  営業活動によるキャッシュ・フロー
      商品及び役務の販売による収入、商品及び役務
    の購入による支出等、営業損益計算の対象となっ        直接法または間接法
    た取引のほか、投資活動及び財務活動以外の取引
    によるキャッシュ・フローが記載されます。

 Ⅱ  投資活動によるキャッシュ・フロー
      固定資産の取得及び売却、現金同等物に含まれ
    ない短期投資の取得及び売却等によるキャッシュ・
    フローが記載されます。

 Ⅲ  財務活動によるキャッシュ・フロー
      株式の発行による収入、自己株式の取得による
    支出、社債の発行・償還及び借入れ・返済による
    収入・支出等、資金の調達及び返済によるキャッ
    シュ・フローが記載されます。

 Ⅳ  現金及び現金同等物に係る換算差額
 Ⅴ  現金及び現金同等物の増加額
 Ⅵ  現金及び現金同等物の期首残高
 Ⅶ  現金及び現金同等物の期末残高
```

(2) 営業活動によるキャッシュ・フローの表示方法

「営業活動によるキャッシュ・フロー」の表示方法には直接法と間接法の2つの方法があり、継続適用を条件として選択適用が認められています。

直 接 法	営業活動に係る主要な取引ごとにキャッシュ・フローを総額表示する方法
間 接 法	税引前当期純利益に調整項目を加減して、営業活動によるキャッシュ・フローを純額表示する方法

2：直接法

直接法の様式

直接法によるキャッシュ・フロー計算書の様式は次のようになります。

```
                 キャッシュ・フロー計算書
 Ⅰ  営業活動によるキャッシュ・フロー
       営業収入                        ×××      ⎫
       原材料又は商品の仕入による支出   △×××    ⎬ 総額表示
       人件費の支出                    △×××    ⎪
       その他の営業支出                △×××    ⎭
          小    計                      ×××
       利息及び配当金の受取額           ×××      ⎫ 投資活動および財務活
       利息の支払額                    △×××    ⎬ 動以外の取引による
       法人税等の支払額                △×××    ⎭ キャッシュ・フロー
       営業活動によるキャッシュ・フロー  ×××
 Ⅱ  投資活動によるキャッシュ・フロー
       有価証券の取得による支出        △×××
       有価証券の売却による収入         ×××
       有形固定資産の取得による支出    △×××
       有形固定資産の売却による収入     ×××
       短期貸付による支出              △×××
       短期貸付金の回収による収入       ×××
       投資活動によるキャッシュ・フロー  ×××
 Ⅲ  財務活動によるキャッシュ・フロー
       長期借入による収入              ×××
       長期借入金の返済による支出      △×××
       社債の発行による収入            ×××
       社債の償還による支出            △×××
       株式の発行による収入            ×××
       配当金の支払額                  △×××
       財務活動によるキャッシュ・フロー  ×××
 Ⅳ  現金及び現金同等物に係る換算差額    ×××
 Ⅴ  現金及び現金同等物の増加額         ×××
 Ⅵ  現金及び現金同等物の期首残高       ×××
 Ⅶ  現金及び現金同等物の期末残高       ×××
```

▶ 記載事項 🚩

それぞれの表示区分の記載事項は次のようになります。

Point 直接法による記載事項

営業活動によるキャッシュ・フロー	
営業収入	商品の売上による受取額（現金売上、売掛金の回収額、受取手形の回収額）
	前受金の受取額
	貸倒処理した債権の受取額
原材料又は商品の仕入による支出	原材料や商品の仕入による支払額（現金仕入、買掛金の支払額、支払手形の支払額）
	前渡金の支払額
人件費の支出	従業員の給料、賞与、退職金等の支払額
	役員の報酬、賞与、退職金等の支払額
その他の営業支出	人件費以外の販売費及び一般管理費の支払額
利息及び配当金の受取額	預金、貸付金に係る受取利息の受取額
	保有株式に係る受取配当金の受取額
	保有債券に係る有価証券利息の受取額
利息の支払額	借入金に係る利息の支払額
	発行社債に係る社債利息の支払額
法人税等の支払額	法人税、住民税及び事業税の前期未払額、当期中間納付額

投資活動によるキャッシュ・フローと財務活動によるキャッシュ・フローには、直接法の様式にあげた事項以外にも次のようなものが含まれます。

投資活動によるキャッシュ・フロー
定期預金（3カ月超）の預入による支出、払戻による収入
投資有価証券の取得による支出、売却による収入
無形固定資産の取得による支出、売却による収入
合併及び買収による支出、事業譲渡等による収入

財務活動によるキャッシュ・フロー
短期借入金の借入による収入、返済による支出
自己株式の買入による支出、処分による収入
ファイナンス・リースの元本返済による支出

短期借入金のように期間が短く、かつ、回転が速いものについては、収入額と支出額を相殺した純増加額または純減少額で表示することもできます。

例題 **キャッシュ・フロー計算書―直接法**

　下記の資料に基づいて、直接法によるキャッシュ・フロー計算書を作成しなさい。なお、金額がマイナスとなる科目については、金額に△の符号を付すこと。

貸借対照表（単位：円）	前期末	当期末
現 金 預 金	4,110	5,580
受取手形・売掛金	3,600	4,200
貸 倒 引 当 金	△ 60	△ 90
商 品	1,800	1,200
前 払 費 用	180	240
未 収 収 益	60	30
有 形 固 定 資 産	3,900	5,700
長 期 貸 付 金	1,500	900
資 産 合 計	15,090	17,760
支払手形・買掛金	2,400	2,100
未 払 法 人 税 等	600	780
未 払 費 用	90	60
長 期 借 入 金	2,100	1,500
資 本 金	6,000	8,400
資 本 剰 余 金	900	900
利 益 剰 余 金	3,000	4,020
負債及び純資産合計	15,090	17,760

損益計算書（単位：円）	
売 上 高	20,400
売 上 原 価	△13,200
人 件 費	△ 1,800
減 価 償 却 費	△ 600
貸倒引当金繰入額	△ 60
その他の営業費	△ 780
受取利息配当金	120
支 払 利 息	△ 180
税引前当期純利益	3,900
法 人 税 等	△ 1,680
当 期 純 利 益	2,220

〈補足事項〉

1. 経過勘定の内訳は、次に示すとおりである。

    ① 前払費用：その他の営業費

    ② 未収収益：受取利息

    ③ 未払費用：支払利息

2. 新規の貸付けおよび借入れはない。

3. 期中に増資を行い、払込金額の全額を資本金に組み入れた。

4. 期中に剰余金の配当を行い、配当金1,200円を支払った。

5. 受取手形・売掛金の期末残高に対して、貸倒引当金を設定している。

解答 **直接法によるキャッシュ・フロー計算書**

キャッシュ・フロー計算書	（単位：円）
Ⅰ 営業活動によるキャッシュ・フロー	
営業収入	19,770
商品の仕入による支出	△ 12,900
人件費の支出	△ 1,800
その他の営業支出	△ 840
小 計	4,230
利息及び配当金の受取額	150
利息の支払額	△ 210
法人税等の支払額	△ 1,500
営業活動によるキャッシュ・フロー	2,670
Ⅱ 投資活動によるキャッシュ・フロー	
有形固定資産の取得による支出	△ 2,400
長期貸付金の回収による収入	600
投資活動によるキャッシュ・フロー	△ 1,800
Ⅲ 財務活動によるキャッシュ・フロー	
長期借入金の返済による支出	△ 600
株式の発行による収入	2,400
配当金の支払額	△ 1,200
財務活動によるキャッシュ・フロー	600
Ⅳ 現金及び現金同等物の増加額	1,470
Ⅴ 現金及び現金同等物の期首残高	4,110
Ⅵ 現金及び現金同等物の期末残高	5,580

キャッシュ・フロー計算書

CHAPTER 7

〈収支額の算定〉

　直接法によるキャッシュ・フロー計算書を作成する場合、収入額および支出額は、勘定分析により推定して算定します。

(1) 営業収入

受取手形・売掛金

期首	3,600	収入 (19,770)	
売上		貸倒	30
	20,400	期末	4,200

貸倒引当金

貸倒	(30)	期首	60
期末		繰入額	
	90		60

(2) 商品の仕入による支出

支払手形・買掛金

支出		期首	2,400
	(12,900)	仕入	
期末	2,100		12,600

商　　品

期首	1,800	売上原価	
仕入			13,200
	(12,600)	期末	1,200

(3) 人件費の支出：人件費1,800円

(4) その他の営業支出

その他の営業費

期首前払 180	P/L	
		780
支出	期末前払	
(840)		240

(5) 利息及び配当金の受取額

受取利息配当金

期首未収 60	収入	
P/L		(150)
120	期末未収 30	

(6) 利息の支払額

支　払　利　息

支出	期首未払 90	
(210)	P/L	
期末未払 60		180

(7) 法人税等の支払額

法 人 税 等

支出	期首	600
(1,500)	P/L	
期末 780		1,680

(8) 有形固定資産の取得による支出

有 形 固 定 資 産

期首	減費	600
3,900	期末	
支出 (2,400)		5,700

(9) 長期貸付金の回収による収入：期首貸付金1,500円－期末貸付金900円
　　　　　　　　　　　　　　　　　　　＝600円

(10) 長期借入金の返済による支出：期首借入金2,100円－期末借入金1,500円
　　　　　　　　　　　　　　　　　　　＝600円

(11) 株式の発行による収入：期末資本金8,400円－期首資本金6,000円
　　　　　　　　　　　　　　　　　＝2,400円

(12) 配当金の支払額：1,200円

> 問題文から落ち着いてデータを拾いましょう。各勘定ボックス図など
> を作り、埋められるところからデータを埋めていくことがポイントで
> す。

CHAPTER 7

キャッシュ・フロー計算書

問題 ≫≫ 問題編の**問題1**に挑戦しましょう！

3 ：間接法

間接法の様式

間接法によるキャッシュ・フロー計算書の様式は次のようになります。

```
              キャッシュ・フロー計算書

 I    営業活動によるキャッシュ・フロー
         税引前当期純利益                    × × ×
         減価償却費                          × × ×       ┐ 非資金費用の調整
         貸倒引当金の減少額                 △× × ×       ┘
         受取利息及び受取配当金             △× × ×       ┐
         支払利息                            × × ×       │
         為替差益                           △× × ×       │ 営業活動以外の取引
         有価証券売却益                     △× × ×       │ による損益の除去
         有価証券評価損                      × × ×       │
         固定資産売却損                      × × ×       │
         社債償還益                         △× × ×       ┘
         売上債権の増加額                   △× × ×       ┐
         棚卸資産の減少額                    × × ×       │
         前払費用の減少額                    × × ×       │ 営業活動に係る資産・
         仕入債務の増加額                    × × ×       │ 負債の増減額の調整
         未払費用の減少額                   △× × ×       ┘
              小    計                       × × ×
         利息及び配当金の受取額              × × ×       ┐
         利息の支払額                       △× × ×       │ 直接法と同じ
         法人税等の支払額                   △× × ×       │
      営業活動によるキャッシュ・フロー       × × ×       ┘
                      ⋮
```

記載事項

　間接法によるキャッシュ・フロー計算書では、税引前当期純利益に必要な調整を行って「営業活動によるキャッシュ・フロー（小計）」を間接的に算定します。なお、調整項目は両者の差異項目であり、その一部を示すと次のとおりとなります。

Point — 間接法の調整方法

```
┌─────────────────────┐        ┌──────────────────────────┐
│   税引前当期純利益    │        │ 税引前当期純利益には営業活 │
└─────────────────────┘        │ 動に関係のない営業外損益・ │
          │                     │ 特別損益が含まれているの   │
┌─────────────────────┐        │ で、これらを加減し、営業活 │
│①小計欄以降のＣＦに係る営業│──→│ 動によるＣＦに対応する営業 │
│  外損益・特別損益の加減 │     │ 利益を算出します。        │
└─────────────────────┘        └──────────────────────────┘
          │
┌─────────────────────┐        ┌──────────────────────────┐
│      営業利益         │        │ 営業利益をキャッシュ・フロー │
└─────────────────────┘        │ ーに調整するために②と③    │
          │                     │ の調整によって、収益・費用 │
┌─────────────────────┐        │ と収入・支出のズレを加減し、│
│②非資金損益項目の調整  │──┐   │ 小計（本来の営業ＣＦ）を算 │
└─────────────────────┘  │──→│ 出します。                │
┌─────────────────────┐  │   └──────────────────────────┘
│③営業資産・営業負債の増減の│─┘
│  調整                │
└─────────────────────┘
          │
┌─────────────────────┐
│  小計（本来の営業ＣＦ）│
└─────────────────────┘
```

① 営業外収益、特別利益は減算、営業外費用、特別損失は加算します。

② 非資金損益項目には、減価償却費や貸倒引当金増減額などがあります。

③ 営業活動に係る資産・負債の増減額は次のように調整します。

営業資産・営業負債	項　　目		調　　整
売上債権、棚卸資産、前払費用＊、仕入債務、貸倒引当金、未払費用＊など	営業資産	増　加	減　算
	営業負債	減　少	
	営業資産	減　少	加　算
	営業負債	増　加	

＊ 営業活動に係るもののみが調整対象となります。

営業債権に係る貸倒損失、償却債権取立益、棚卸減耗費は、たとえ営業外損益や特別損益に該当しても、③営業活動に係る資産・負債の増減額の調整で行われるので、税引前当期純利益に加減しません。

キャッシュ・フロー計算書―間接法

下記の資料に基づいて、間接法によるキャッシュ・フロー計算書（小計まで）を作成しなさい。なお、金額がマイナスとなる科目については、金額に△の符号を付すこと。

貸借対照表（単位：円）

	前期末	当期末
現 金 預 金	4,110	5,580
受取手形・売掛金	3,600	4,200
貸 倒 引 当 金	△ 60	△ 90
商 品	1,800	1,200
前 払 費 用	180	240
未 収 収 益	60	30
有 形 固 定 資 産	3,900	5,700
長 期 貸 付 金	1,500	900
資 産 合 計	15,090	17,760
支払手形・買掛金	2,400	2,100
未 払 法 人 税 等	600	780
未 払 費 用	90	60
長 期 借 入 金	2,100	1,500
資 本 金	6,000	8,400
資 本 剰 余 金	900	900
利 益 剰 余 金	3,000	4,020
負債及び純資産合計	15,090	17,760

損益計算書（単位：円）

売 上 高	20,400
売 上 原 価	△13,200
人 件 費	△ 1,800
減 価 償 却 費	△ 600
貸倒引当金繰入額	△ 60
その他の営業費	△ 780
受取利息配当金	120
支 払 利 息	△ 180
税引前当期純利益	3,900
法 人 税 等	△ 1,680
当 期 純 利 益	2,220

〈補足事項〉

1. 経過勘定の内訳は、次に示すとおりである。

   ① 前払費用：その他の営業費

   ② 未収収益：受取利息

   ③ 未払費用：支払利息

2. 新規の貸付けおよび借入れはない。

3. 期中に増資を行い、払込金額の全額を資本金に組み入れた。

4. 期中に剰余金の配当を行い、配当金1,200円を支払った。

5. 受取手形・売掛金の期末残高に対して、貸倒引当金を設定している。

CHAPTER
7

キャッシュ・フロー計算書

解答　間接法によるキャッシュ・フロー計算書

	キャッシュ・フロー計算書	（単位：円）
Ⅰ　営業活動によるキャッシュ・フロー		
税引前当期純利益		3,900
減価償却費		600
貸倒引当金の増加額		30
受取利息配当金	△	120
支払利息		180
売上債権の増加額	△	600
棚卸資産の減少額		600
前払費用の増加額	△	60
仕入債務の減少額	△	300
小　　　計		4,230

(1)　税引前当期純利益から営業活動以外による損益の除去

受取利息配当金：120円（減算）◀

支払利息：180円（加算）◀

損　益　計　算　書	
受取利息配当金	120
支　払　利　息 △	180
税引前当期純利益	3,900

(2)　非資金損益の調整

減価償却費：600円（加算）◀

損　益　計　算　書	
減　価　償　却　費 △	600

(3)　営業活動に係る資産・負債の調整

①　売上債権の増加額：4,200円－3,600円＝600円（減算）

②　貸倒引当金の増加額：90円－60円＝30円（加算）

③　仕入債務の減少額：2,100円－2,400円＝△300円（減算）

④　棚卸資産の減少額：1,200円－1,800円＝△600円（加算）

仕入債務

支出 (12,900)	期首 2,400
	仕入
期末 2,100	12,600

商 品

期首 1,800	売上原価 13,200
仕入 (12,600)	期末 1,200

⑤ 前払費用の増加額：240円－180円＝60円（減算）

その他の営業費

期首前払 180	期末前払
	240
支出 (840)	P/L
	780

営業活動に係る資産・負債の増減額の加算と減算を間違えないように注意しましょう。

直接法と間接法の特徴

キャッシュ・フロー計算書の表示方法には、直接法と間接法がありますが、それぞれどのような特徴があるのですか？

直接法の特徴は、営業活動によるキャッシュ・フローが総額で表示されることです。ただし、キャッシュ・フローに関する基礎データを用意する必要があり、実務上は作成が少し面倒です。
一方、間接法では、純利益とキャッシュ・フローとの関係が明示されますし、一部を除き基礎データを用意する必要がないので実務上簡便なことが特徴です。

問題 >>> 問題編の**問題2**～**問題4**に挑戦しましょう！

☐ 直接法と間接法

直 接 法	営業活動に係る主要な取引ごとにキャッシュ・フローを総額表示する方法
間 接 法	税引前当期純利益に調整項目を加減して、営業活動によるキャッシュ・フローを純額表示する方法

☐ 間接法の調整方法

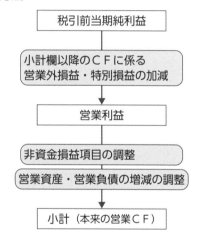

税引前当期純利益

↓

小計欄以降のＣＦに係る
営業外損益・特別損益の加減

↓

営業利益

↓

非資金損益項目の調整

営業資産・営業負債の増減の調整

↓

小計（本来の営業ＣＦ）

☐ 営業活動に係る資産・負債の増減額

営業資産・営業負債	項　　　目		調　整
売上債権、棚卸資産、前払費用*、仕入債務、貸倒引当金、未払費用*など	営業資産	増　加	減　算
	営業負債	減　少	
	営業資産	減　少	加　算
	営業負債	増　加	

* 　営業活動に係るもののみが調整対象となります。

索 引

〈執　筆〉TAC出版開発グループ

資格書籍に特化した執筆者グループ。会計士試験・司法試験等、難関資格の合格者が
集結し、会計系から法律系まで幅広く、資格試験対策書の執筆・校閲をオールマイティ
にこなす。TAC税理士講座とタッグを組み、「みんなが欲しかった！ 税理士 簿記
論の教科書＆問題集」「みんなが欲しかった！ 税理士 財務諸表論の教科書＆問題
集」を執筆。主な著書に「みんなが欲しかった！ 簿記の教科書日商１級」ほか。

〈装　幀〉Malpu Design

2025年度版
みんなが欲しかった！ 税理士 簿記論の教科書＆問題集
4 構造論点・その他編

（2014年度版 2014年2月10日 初版 第1刷発行）
2024年9月6日 初版 第1刷発行

編　著　者	ＴＡＣ株式会社	
		（税理士講座）
発　行　者	多　田　　敏　男	
発　行　所	ТАС株式会社 出版事業部	
		（TAC出版）

〒101-8383
東京都千代田区神田三崎町3-2-18
電話 03(5276)9492(営業)
FAX 03(5276)9674
https://shuppan.tac-school.co.jp

印　　　刷	株式会社　光　　邦	
製　　　本	東京美術紙工協業組合	

© TAC 2024　　Printed in Japan　　　　　ISBN 978-4-300-11291-5
N.D.C. 336

2025年合格目標コース

反復学習でインプット強化！ ＆ 豊富な演習量で実践力強化！

対象者：初学者／次の科目の学習に進む方

2024年				2025年							
9月	10月	11月	12月	1月	2月	3月	4月	5月	6月	7月	8月

9月入学 基礎マスター＋上級コース（簿記・財表・相続・消費・酒税・固定・事業・国徴）
3回転学習！年内はインプットを強化、年明けは演習機会を増やして実践力を鍛える！
※簿記・財表は5月・7月・8月・10月入学コースもご用意しています。

9月入学 ベーシックコース（法人・所得）
2回転学習！週2ペース、8ヵ月かけてインプットを鍛える！

9月入学 年内完結＋上級コース（法人・所得）
3回転学習！年内はインプットを強化、年明けは演習機会を増やして実践力を鍛える！

12月・1月入学 速修コース（全11科目）
7ヵ月〜8ヵ月間で合格レベルまで仕上げる！

3月入学 速修コース（消費・酒税・固定・国徴）
短期集中で税法合格を目指す！

税理士試験

対象者：受験経験者（受験した科目を再度学習する場合）

2024年				2025年							
9月	10月	11月	12月	1月	2月	3月	4月	5月	6月	7月	8月

9月入学 年内上級講義＋上級コース（簿記・財表）
年内に基礎・応用項目の再確認を行い、実力を引き上げる！

9月入学 年内上級演習＋上級コース（法人・所得・相続・消費）
年内から問題演習に取り組み、本試験時の実力維持・向上を図る！

12月入学 上級コース（全10科目）
※住民税の開講はございません
講義と演習を交互に実施し、答案作成力を養成！

税理士試験

※2024年7月12日時点の情報です。最新の情報は、TAC税理士講座ホームページをご確認ください。

"入学前サポート"を活用しよう！

無料セミナー ＆個別受講相談

無料セミナーでは、税理士の魅力、試験制度、科目選択の方法や合格のポイントをお伝えしていきます。セミナー終了後は、個別受講相談でみなさんの疑問や不安を解消します。

TAC 税理士 セミナー　検索

https://www.tac-school.co.jp/kouza_zeiri/zeiri_gd_gd.htm

無料Webセミナー

TAC動画チャンネルでは、校舎で開催しているセミナーのほか、Web限定のセミナーも多数配信しています。受講前にご活用ください。

TAC 税理士 動画　検索

https://www.tac-school.co.jp/kouza_zeiri/tacchannel.html

体 験 入 学

教室講座開講日（初回講義）は、お申込み前でも無料で講義を体験できます。講師の熱意や校舎の雰囲気を是非体感してください。

TAC 税理士 体験　検索

https://www.tac-school.co.jp/kouza_zeiri/zeiri_gd_taiken.html

税理士11科目 Web体験

「税理士11科目Web体験」では、TAC 税理士講座で開講する各科目・コースの初回講義をWeb視聴いただけるサービスです。講義の分かりやすさを確認いただき、学習のイメージを膨らませてください。

TAC 税理士　検索

https://www.tac-school.co.jp/kouza_zeiri/taiken_form.html

チャレンジコース

受験経験者・独学生待望のコース!

4月上旬開講!

| 開講科目 | 簿記・財表・法人 所得・相続・消費 |

基礎知識の底上げ 徹底した本試験対策

チャレンジ講義 ＋ チャレンジ演習 ＋ 直前対策講座 ＋ 全国公開模試

受験経験者・独学生向けカリキュラムが 一つのコースに!

※チャレンジコースには直前対策講座(全国公開模試含む)が含まれています。

直前対策講座

5月上旬開講!

本試験突破の最終仕上げ!

直前期に必要な対策が すべて揃っています!

- 徹底分析!「試験委員対策」
- 即時対応!「税制改正」
- 毎年的中!「予想答練」

| 学習メディア | 教室講座・ビデオブース講座 Web通信講座・DVD通信講座・資料通信講座 |

＼ 全11科目対応 ／

| 開講科目 | 簿記・財表・法人・所得・相続・消費 酒税・固定・事業・住民・国徴 |

※直前対策講座には全国公開模試が含まれています。

チャレンジコース・直前対策講座ともに詳しくは2月下旬発刊予定の
「チャレンジコース・直前対策講座パンフレット」をご覧ください。

会計業界への就職・転職支援サービス

TPB

TACの100%出資子会社であるTACプロフェッションバンク(TPB)は、会計・税務分野に特化した転職エージェントです。
勉強された知識とご希望に合ったお仕事を一緒に探しませんか? 相談だけでも大歓迎です! どうぞお気軽にご利用ください。

人材コンサルタントが無料でサポート

Step1 相談受付
完全予約制です。
HPからご登録いただくか、
各オフィスまでお電話ください。

Step2 面談
ご経験やご希望をお聞かせください。
あなたの将来について一緒に考えましょう。

Step3 情報提供
ご希望に適うお仕事があれば、その場でご紹介します。強制はいたしませんのでご安心ください。

正社員で働く

- 安定した収入を得たい
- キャリアプランについて相談したい
- 面接日程や入社時期などの調整をしてほしい
- 今就職すべきか、勉強を優先すべきか迷っている
- 職場の雰囲気など、求人票でわからない情報がほしい

キャリアUP　資格有

TACキャリアエージェント

https://tacnavi.com/

派遣で働く（関東のみ）

- 勉強を優先して働きたい
- 将来のために実務経験を積んでおきたい
- まずは色々な職場や職種を経験したい
- 家庭との両立を第一に考えたい
- 就業環境を確認してから正社員で働きたい

子育中

勉強中

TACの経理・会計派遣

https://tacnavi.com/haken/

※ご経験やご希望内容によってはご支援が難しい場合がございます。予めご了承ください。　※面談時間は原則お一人様30分とさせていただきます。

自分のペースでじっくりチョイス

正社員・アルバイトで働く

- 自分の好きなタイミングで就職活動をしたい
- どんな求人案件があるのか見たい
- 企業からのスカウトを待ちたい
- WEB上で応募管理をしたい

Webで

TACキャリアナビ

https://tacnavi.com/kyujin/

就職・転職・派遣就労の強制は一切いたしません。会計業界への就職・転職を希望される方への無料支援サービスです。どうぞお気軽にお問い合わせください。

 TACプロフェッションバンク

- 有料職業紹介事業 許可番号13-ユ-010678
- 一般労働者派遣事業 許可番号(派)13-010932
- 特定募集情報等提供事業 届出受理番号51-募-000541

東京オフィス
〒101-0051
東京都千代田区神田神保町 1-103 東京パークタワー 2F
TEL.03-3518-6775

大阪オフィス
〒530-0013
大阪府大阪市北区茶屋町 6-20 吉田茶屋町ビル 5F
TEL.06-6371-5851

名古屋 登録会場
〒453-0014
愛知県名古屋市中村区則武 1-1-7 NEWNO 名古屋駅西 8F
TEL.0120-757-655

10860572

TAC出版 書籍のご案内

TAC出版では、資格の学校TAC各講座の定評ある執筆陣による資格試験の参考書をはじめ、資格取得者の開業法や仕事術、実務書、ビジネス書、一般書などを発行しています!

TAC出版の書籍

*一部書籍は、早稲田経営出版のブランドにて刊行しております。

資格・検定試験の受験対策書籍

- ❂日商簿記検定
- ❂建設業経理士
- ❂全経簿記上級
- ❂税　理　士
- ❂公認会計士
- ❂社会保険労務士
- ❂中小企業診断士
- ❂証券アナリスト

- ❂ファイナンシャルプランナー(FP)
- ❂証券外務員
- ❂貸金業務取扱主任者
- ❂不動産鑑定士
- ❂宅地建物取引士
- ❂賃貸不動産経営管理士
- ❂マンション管理士
- ❂管理業務主任者

- ❂司法書士
- ❂行政書士
- ❂司法試験
- ❂弁理士
- ❂公務員試験(大卒程度・高卒者)
- ❂情報処理試験
- ❂介護福祉士
- ❂ケアマネジャー
- ❂電験三種　ほか

実務書・ビジネス書

- ❂会計実務、税法、税務、経理
- ❂総務、労務、人事
- ❂ビジネススキル、マナー、就職、自己啓発
- ❂資格取得者の開業法、仕事術、営業術

一般書・エンタメ書

- ❂ファッション
- ❂エッセイ、レシピ
- ❂スポーツ
- ❂旅行ガイド (おとな旅プレミアム/旅コン)

(2024年2月現在)

書籍のご購入は

1 全国の書店、大学生協、ネット書店で

2 TAC各校の書籍コーナーで

資格の学校TACの校舎は全国に展開!
校舎のご確認はホームページにて ➡ 資格の学校TAC ホームページ
https://www.tac-school.co.jp

3 TAC出版書籍販売サイトで

CYBER TAC出版書籍販売サイト
BOOK STORE

24時間ご注文受付中

TAC 出版 で 検索

https://bookstore.tac-school.co.jp/

- 新刊情報をいち早くチェック!
- たっぷり読める立ち読み機能
- 学習お役立ちの特設ページも充実!

TAC出版書籍販売サイト「サイバーブックストア」では、TAC出版および早稲田経営出版から刊行されている、すべての最新書籍をお取り扱いしています。
また、会員登録(無料)をしていただくことで、会員様限定キャンペーンのほか、送料無料サービス、メールマガジン配信サービス、マイページのご利用など、うれしい特典がたくさん受けられます。

サイバーブックストア会員は、特典がいっぱい! (一部抜粋)

 通常、1万円(税込)未満のご注文につきましては、送料・手数料として500円(全国一律・税込)頂戴しておりますが、1冊から無料となります。

 専用の「マイページ」は、「購入履歴・配送状況の確認」のほか、「ほしいものリスト」や「マイフォルダ」など、便利な機能が満載です。

 メールマガジンでは、キャンペーンやおすすめ書籍、新刊情報のほか、「電子ブック版TACNEWS(ダイジェスト版)」をお届けします。

 書籍の発売を、販売開始当日にメールにてお知らせします。これなら買い忘れの心配もありません。

2025年度版 税理士試験対策書籍のご案内

TAC出版では、独学用、およびスクール学習の副教材として、各種対策書籍を取り揃えています。学習の各段階に対応していますので、あなたのステップに応じて、合格に向けてご活用ください!

(刊行内容、発行月、装丁等は変更することがあります)

● 2025年度版 税理士受験シリーズ

「 税理士試験において長い実績を誇るTAC。このTACが長年培ってきた合格ノウハウを"TAC方式"としてまとめたのがこの「税理士受験シリーズ」です。近年の豊富なデータをもとに傾向を分析、科目ごとに最適な内容としているので、トレーニング演習に欠かせないアイテムです。 」

消費税法

固定資産税

事業税

住民税

国税徴収法

※暗記音声はダウンロード商品です。TAC出版書籍販売サイト「サイバーブックストア」にてご購入いただけます。

●2025年度版 みんなが欲しかった！税理士 教科書＆問題集シリーズ

[効率的に税理士試験対策の学習ができないか？ これを突き詰めてできあがったのが、「みんなが欲しかった！税理士 教科書＆問題集シリーズ」です。必要十分な内容をわかりやすくまとめたテキスト（教科書）と内容確認のためのトレーニング（問題集）が1冊になっているので、効率的な学習に最適です。]

●解き方学習用問題集

現役講師の解答手順、思考過程、実際の書込みなど、㊙テクニックを完全公開した書籍です。

●その他関連書籍

好評発売中！

消費税課否判定要覧 〔第5版〕
法人税別表4、5（一）（二）書き方完全マスター 〔第6版〕
女性のための資格シリーズ 自力本願で税理士
年商倍々の成功する税理士開業法
Q&Aでわかる 税理士事務所・税理士法人勤務 完全マニュアル

TACの書籍はこちらの方法でご購入いただけます

1 全国の書店・大学生協　**2** TAC各校 書籍コーナー

3 CYBER TAC出版書籍販売サイト **BOOK STORE** アドレス▶ https://bookstore.tac-school.co.jp/

・2024年7月現在　・年度版各巻の価格は、決定しだい上記**3**のサイバーブックストアに掲載されますのでご参照ください

書籍の正誤に関するご確認とお問合せについて

書籍の記載内容に誤りではないかと思われる箇所がございましたら、以下の手順にてご確認とお問合せをしてくださいますよう、お願い申し上げます。

なお、正誤のお問合せ以外の**書籍内容に関する解説および受験指導などは、一切行っておりません。**
そのようなお問合せにつきましては、お答えいたしかねますので、あらかじめご了承ください。

1 「Cyber Book Store」にて正誤表を確認する

TAC出版書籍販売サイト「Cyber Book Store」の
トップページ内「正誤表」コーナーにて、正誤表をご確認ください。

CYBER TAC出版書籍販売サイト
BOOK STORE

URL：https://bookstore.tac-school.co.jp/

2 1の正誤表がない、あるいは正誤表に該当箇所の記載がない ⇒ 下記①、②のどちらかの方法で文書にて問合せをする

★ご注意ください★

お電話でのお問合せは、お受けいたしません。

①、②のどちらの方法でも、お問合せの際には、「お名前」とともに、

「対象の書籍名（○級・第○回対策も含む）およびその版数（第○版・○○年度版など）」
「お問合せ該当箇所の頁数と行数」
「誤りと思われる記載」
「正しいとお考えになる記載とその根拠」

を明記してください。

なお、回答までに１週間前後を要する場合もございます。あらかじめご了承ください。

① ウェブページ「Cyber Book Store」内の「お問合せフォーム」より問合せをする

【お問合せフォームアドレス】

https://bookstore.tac-school.co.jp/inquiry/

② メールにより問合せをする

【メール宛先　TAC出版】

syuppan-h@tac-school.co.jp

※土日祝日はお問合せ対応をおこなっておりません。
※正誤のお問合せ対応は、該当書籍の改訂版刊行月末日までといたします。

乱丁・落丁による交換は、該当書籍の改訂版刊行月末日までといたします。なお、書籍の在庫状況等により、お受けできない場合もございます。
また、各種本試験の実施の延期、中止を理由とした本書の返品はお受けいたしません。返金もいたしかねますので、あらかじめご了承くださいますようお願い申し上げます。

（2022年7月現在）

別冊①
問題集

この冊子には、問題集の問題と解答・解説がとじこまれています。

問題集

みんなが欲しかった！ 税理士

簿記論の教科書&問題集 4

問題集

問題

Chapter 1 — 会計上の変更・誤謬の訂正

問題 1　会計方針の変更　〔基礎〕　⏱ 5分　解答>>>54P

　下記の【資料】に基づいて、次の各問に答えなさい。なお、会計期間は4月1日から3月31日までの1年間である。

問1　遡及適用に関する修正仕訳を示しなさい。
問2　決算整理後残高試算表を示しなさい。

【資　料】

(1)　決算整理前残高試算表

決算整理前残高試算表　　　（単位：千円）

| 繰 越 商 品 | 30,000 | 繰越利益剰余金 | 200,000 |
| 仕　　　　入 | 315,000 | | |

(2)　当期より、棚卸資産の評価方法を総平均法から先入先出法に変更したが未処理である。当期の棚卸資産について、先入先出法を遡及適用した場合の金額と従来の方法である総平均法の金額は次のとおりである。

（単位：千円）

	期 首 残 高	期 末 残 高
総 平 均 法	30,000	35,000
先 入 先 出 法	32,000	38,000

問題 2　会計上の見積りの変更　〔基礎〕　⏱ 6分　解答>>>55P

　下記の【資料】に基づいて、決算整理後残高試算表を作成しなさい。なお、当期はX5年4月1日からX6年3月31日までの1年間である。また、税効果会計は考慮しない。

【資　料】

1　決算整理前残高試算表

決算整理前残高試算表　　　（単位：千円）

備　　　　品	810,000	減価償却累計額	146,250

2　有形固定資産の減価償却方法等

	取得原価	償却方法	残存価額	耐用年数	取得年月	備　　考
備品X	360,000千円	定額法	ゼロ	8年	X3年4月	注1
備品Y	450,000千円	定額法	ゼロ	8年	X4年4月	注2

（注1） 当社はX5年4月1日（当期首）において、保有する備品Xの耐用年数について、新たに得られた情報に基づき、従来の8年を5年に見直す会計上の見積りの変更を行った。

（注2） 当社はX6年3月31日（当期末）において、保有する備品Yの耐用年数について、新たに得られた情報に基づき、従来の8年を5年に見直す会計上の見積りの変更を行った。

問題3 過去の誤謬の訂正　　基礎　⏱10分　解答>>>56P

次の【資料】に基づいて、次の各問に答えなさい。なお、会計期間は4月1日から3月31日までの1年間である。

問1 誤謬の訂正に関する修正仕訳を示しなさい。

問2 決算整理後残高試算表を示しなさい。

【資　料】

1　決算整理前残高試算表

決算整理前残高試算表　　　　（単位：千円）

繰越商品	30,000	繰越利益剰余金	200,000
備　　　品	105,000		
仕　　　入	315,000		
営　業　費	9,600		

2　当期の決算を行う過程で、以下の誤謬が発見された。なお、当該誤謬については当期に訂正を行う。

⑴　前期に外部に販売した商品3,500千円を誤って商品残高として計上し、その結果、売上原価が同額過小に計上されていた。

⑵　前期以前の備品の減価償却（直接控除法により処理を行っている）について、減価償却費を6,500千円過大に計上し、その結果、備品が同額過小に計上されていた。

⑶　前期末に未払営業費150千円の計上を行っていなかったため、その結果、営業費が同額過小に計上されていた。

3　決算整理事項

⑴　期末商品：32,000千円

⑵　減価償却費：25,000千円

⑶　未払営業費：200千円

Chapter 2　　　　　　　　　　　外貨建取引等

問題 1　外貨建取引(1)　　基礎　⏱10分　解答>>>59P

　次の各取引の仕訳を示しなさい。なお、商品売買の記帳方法は三分法により処理し、外貨建金銭債権・債務の換算差額については、為替差損益勘定で処理すること。また、（　　）内の金額はすべて取引日における直物為替相場である。

【取引1】

(1)　商品120ドルを掛けで仕入れた（1ドル=120円）。

(2)　(1)の掛け代金全額を現金で支払った（1ドル=110円）。

【取引2】

(1)　米国より商品1,200ドルを輸入する契約を結び、手付金として240ドルを現金で支払った（1ドル=125円）。

(2)　(1)の商品を契約どおり1,200ドルで輸入した。なお、手付金を除いた残額は掛けとした（1ドル=120円）。

(3)　(2)の掛け代金のうち480ドルを現金で支払った（1ドル=115円）。

【取引3】

(1)　商品240ドルを掛けで売り上げた（1ドル=125円）。

(2)　(1)の掛け代金のうち120ドルが当座預金に入金された（1ドル=120円）。

【取引4】

(1)　商品を600ドルで販売する契約を結び、内金として120ドルが当座預金に入金された（1ドル=120円）。

(2)　(1)の商品を契約どおり600ドルで売り上げ、代金は内金を除いた残額480ドルを掛けとした（1ドル=115円）。

(3)　(2)の掛け代金が当座預金に入金された（1ドル=110円）。

問題 2　外貨建取引(2)　　基礎　⏱6分　解答>>>61P

　下記の【資料】に基づいて、次の各問に答えなさい。なお、当期はX2年4月1日～X3年3月31日であり、決算日の直物為替相場は1ドル=122円である。

問1　【資料2】の(1)～(4)の決算整理仕訳を示しなさい。なお、仕訳が不要の場合には、「仕訳不要」と記入すること。

問2　決算整理後残高試算表を作成しなさい。

【資料１】

<table>
<tr><th colspan="5">決算整理前残高試算表</th><th>（単位：円）</th></tr>
<tr><td>売　　掛　　金</td><td>298,800</td><td>支　払　手　形</td><td>216,000</td></tr>
<tr><td>貸　　付　　金</td><td>300,000</td><td>前　受　金</td><td>14,520</td></tr>
<tr><td></td><td></td><td>為　替　差　損　益</td><td>6,480</td></tr>
</table>

【資料２】決算整理事項

⑴　売掛金のうち72,000円はドル建売掛金であり、販売日の直物為替相場１ドル＝120円で換算したものである。

⑵　貸付金は全額ドル建貸付金であり、貸付日（X3年１月１日）の直物為替相場１ドル＝125円で換算したものである。なお、この貸付金の決済期日はX5年12月31日である。また、利息は年２回（６月末、12月末）後払いの約定であり、利率は年６％である。

⑶　支払手形のうち57,600円はドル建支払手形であり、振出日の直物為替相場１ドル＝120円で換算したものである。

⑷　前受金は全額商品の輸出に係る手付金であり、受取時の直物為替相場１ドル＝121円で換算したものである。

問題3　外貨建有価証券⑴　　　　　基礎　⏱3分　解答≫62P

　下記の【資料】に基づいて、次の各問に答えなさい。事業年度は４月１日～３月31日である。

問1　決算整理前残高試算表の有価証券勘定の金額を示しなさい。

問2　決算整理後残高試算表を示しなさい。

【資　料】

⑴
<table>
<tr><th colspan="2">決算整理前残高試算表</th><th>（単位：円）</th></tr>
<tr><td>有　価　証　券</td><td>各自推定</td><td></td></tr>
</table>

⑵　当期末に保有する有価証券は以下のとおりであり、すべて当期に取得したものである。

<table>
<tr><th>銘　　柄</th><th>帳 簿 価 額</th><th>当期末時価</th><th>保 有 目 的</th><th>備　　考</th></tr>
<tr><td>A社株式</td><td>（　　　）円</td><td>1,440ドル</td><td>売買目的</td><td>（注１）</td></tr>
<tr><td>B社株式</td><td>（　　　）円</td><td>960ドル</td><td>売買目的</td><td>（注２）</td></tr>
</table>

　　（注１）　A社株式は、取得原価1,410ドル、取得時の為替レート１ドル＝115円である。

　　（注２）　B社株式は、取得原価975ドル、取得時の為替レート１ドル＝100円である。

⑶　期末日の為替レートは１ドル＝105円である。

問題 4　外貨建有価証券(2)

基礎　🕐 5分　解答 >>> 64P

　下記の【資料】に基づいて、次の各問に答えなさい。事業年度は4月1日〜3月31日である。

問1　決算整理前残高試算表の投資有価証券勘定および有価証券利息勘定の金額を示しなさい。

問2　決算整理後残高試算表を示しなさい。

【資　料】

(1)

決算整理前残高試算表　　　　　　（単位：円）			
投 資 有 価 証 券	各自推定	有 価 証 券 利 息	各自推定

(2)　当期末に保有する有価証券は以下のとおりである。

銘　　柄	市場価格	帳簿価額	額面金額	当期末時価	保有目的
H社社債	有	（　　　）円	2,700ドル	2,485ドル	満期保有

(3)　H社社債は、当期首に発行と同時に取得した（取得原価2,430ドル、取得時の為替レート1ドル＝95円）ものである。額面金額と取得価額との差額は金利調整差額であることが認められるため、定額法（月割計算）による償却原価法を適用する。なお、クーポン利息は年利2％、利払日は毎年3月31日、償還期限は5年である。

(4)　期末日の為替レートは1ドル＝105円、期中平均為替レートは1ドル＝100円である。

問題 5　外貨建有価証券(3)

基礎　🕐 8分　解答 >>> 66P

　下記の【資料】に基づいて、次の各問に答えなさい。

問1　決算整理前残高試算表の投資有価証券勘定および関係会社株式勘定の金額を示しなさい。

問2　決算整理後残高試算表を示しなさい。

問3　仮に、その他有価証券について部分純資産直入法（税効果会計を適用）を採用した場合の決算整理後残高試算表を示しなさい。

【資料】

(1)

決算整理前残高試算表　　　（単位：円）

投 資 有 価 証 券	各自推定	
関 係 会 社 株 式	各自推定	

(2)　当期末に保有する有価証券は以下のとおりである。なお、その他有価証券の評価差額については、全部純資産直入法（税効果会計を適用）により処理する。

銘　　　　柄	市 場 価 格	帳 簿 価 額	当期末時価	保 有 目 的	備　　考
E 社株式	無	（　　）円	――	そ の 他	（注1）
F 社株式	有	（　　）円	900ドル	そ の 他	（注2）
G 社株式	有	（　　）円	315ドル	支配目的	（注3）

　（注1）　E社株式は、当期中に675ドルで取得したものである。なお、取得時の為替レートは1ドル＝95円である。

　（注2）　F社株式は、当期中に1,040ドルで取得したものである。なお、取得時の為替レートは1ドル＝93円である。

　（注3）　G社株式は、当期中に発行済株式総数の45％を360ドルで取得したものである。なお、取得時の為替レートは1ドル＝100円である。

(3)　期末日の為替レートは1ドル＝105円である。

(4)　税効果会計の適用に当たっては、法定実効税率を30％とする。なお、繰延税金資産と繰延税金負債の相殺は行わないものとする。

問題6　外貨建有価証券(4)　　基礎　3分　解答>>>69P

　下記の【資料】に基づいて、決算整理後残高試算表を示しなさい。

【資料】

(1)　　　　　　　　決算整理前残高試算表　　　（単位：円）

投 資 有 価 証 券	36,720	
関 係 会 社 株 式	100,800	

(2)　投資有価証券は、当期において取得したJ社株式（取得原価360ドル、取得時の為替レート1ドル＝102円）であり、「その他有価証券」に区分される。J社株式は期末時価（144ドル）が著しく下落しており、回復の見込みはないと判断される。

(3)　関係会社株式は、当期にK社発行済株式400株のうち160株を取得した（取得原価1,008ドル、取得時の為替レート1ドル＝100円、市場価格なし）際に計上したものである。期末におけるK社株式の実質価額（1株あたり3ドル）は著しく低下していると認められる。

(4)　期末日の為替レートは1ドル＝105円である。

 **為替予約(1)** 基礎 🕐 6分 解答>>>70P

　下記の【資料】に基づいて、為替予約に関して独立処理を採用した場合における(1)～(4)の時点の仕訳を示しなさい。なお、仕訳不要の場合には「仕訳なし」と記入し、収支は現金預金勘定、為替換算差額は為替差損益勘定で処理すること。

【資　料】

(1) X1年11月1日　商品360ドルを掛けで仕入れた（決済日はX2年4月30日）。
(2) X1年12月1日　(1)により生じた買掛金の増加をヘッジするため、X2年4月30日を決済期日とする360ドルの為替予約（買予約）を行った。
(3) X2年3月31日　決算を迎えた。
(4) X2年4月30日　買掛金および為替予約が決済された。
(5) 直物為替相場および予約レートは次のとおりである。

日　　　付	直物レート	予約レート
X1年11月1日（取　引　日）	120円	——
X1年12月1日（為替予約日）	113円	110円
X2年3月31日（決　算　日）	107円	105円
X2年4月30日（決　済　日）	100円	100円

 為替予約(2) 基礎 🕐 6分 解答>>>72P

　下記の【資料】に基づいて、為替予約に関して独立処理を採用した場合における(1)～(4)の時点の仕訳を示しなさい。なお、仕訳不要の場合には「仕訳なし」と記入し、収支は現金預金勘定、為替換算差額は為替差損益勘定で処理すること。

【資　料】

(1) X2年12月1日　商品120ドルのドル建輸出取引を行った。当該輸出取引は掛けで行われ、売掛金の決済日はX3年4月30日である。
(2) X3年2月1日　上記(1)の輸出取引によって生じた売掛金の決済金額の減少をヘッジする目的で、X3年4月30日を決済期日とする為替予約（売予約）120ドルを行った。
(3) X3年3月31日　決算を迎えた。
(4) X3年4月30日　売掛金および為替予約が決済された。
(5) 直物為替相場およびX3年4月30日を決済日とする予約レートは次のとおりである。

日　　　付	直物為替相場	予約レート
X2年12月1日（取　引　日）	101円	——
X3年2月1日（為替予約日）	103円	100円
X3年3月31日（決　算　日）	108円	106円
X3年4月30日（決　済　日）	105円	105円

問題 9 為替予約(3)

基礎 6分 解答>>>74P

下記の【資料】に基づいて、為替予約に関して振当処理を採用した場合における(1)～(4)の時点の仕訳を示しなさい。なお、直先差額は月割りで期間配分すること。また、収支は現金預金勘定、為替換算差額は為替差損益勘定で処理すること。

【資　料】

(1)　X1年11月1日　商品360ドルを掛けで仕入れた（決済日はX2年4月30日）。

(2)　X1年12月1日　(1)により生じた買掛金の増加をヘッジするため、X2年4月30日を決済期日とする360ドルの為替予約（買予約）を行った。

(3)　X2年3月31日　決算を迎えた。

(4)　X2年4月30日　買掛金および為替予約が決済された。

(5)　直物為替相場および予約レートは次のとおりである。

日　　付	直物レート	予約レート
X1年11月1日（取　引　日）	120円	——
X1年12月1日（為替予約日）	113円	110円
X2年3月31日（決　算　日）	107円	105円
X2年4月30日（決　済　日）	100円	100円

問題 10 為替予約(4)

基礎 6分 解答>>>76P

下記の【資料】に基づいて、為替予約に関して振当処理を採用した場合における(1)～(4)の時点の仕訳を示しなさい。なお、直先差額は月割りで期間配分すること。また、収支は現金預金勘定、為替換算差額は為替差損益勘定で処理すること。

【資　料】

(1)　X2年12月1日　商品120ドルのドル建輸出取引を行った。当該輸出取引は掛けで行われ、売掛金の決済日はX3年4月30日である。

(2)　X3年2月1日　上記(1)の輸出取引によって生じた売掛金の決済金額の減少をヘッジする目的で、X3年4月30日を決済期日とする為替予約（売予約）120ドルを行った。

(3)　X3年3月31日　決算を迎えた。

(4)　X3年4月30日　売掛金および為替予約が決済された。

(5)　直物為替相場およびX3年4月30日を決済日とする予約レートは次のとおりである。

日　　付	直物為替相場	予約レート
X2年12月1日（取　引　日）	101円	——
X3年2月1日（為替予約日）	103円	100円
X3年3月31日（決　算　日）	108円	106円
X3年4月30日（決　済　日）	105円	105円

　下記の【資料】に基づいて、決算整理後残高試算表を作成しなさい。なお、為替予約の会計処理は振当処理により行うこととし、借入金の予約日の直物レートによる換算額と予約レートによる換算額との差額については、予約日の属する期から決済日の属する期までの間で月割により期間按分し、支払利息に加減する処理を行うこととする。

　当期はX5年4月1日からX6年3月31日までの1年間であり、X6年3月31日の直物レートは1ドル＝115円である。

【資　料】

(1)

決算整理前残高試算表	（単位：千円）
短　期　借　入　金	288,000

(2)　短期借入金は、すべてX5年12月1日に調達した2,400千ドルの短期インパクト・ローンを同日の直物レートにより計上したものである（返済日はX6年5月31日、利息は年利率4％で、元利ともX6年5月31日に一括返済）。当社は、この借入金についてX6年3月1日に1ドル＝116円で元利とも為替予約を行ったが、これに関する会計処理は行っていない。なお、X6年3月1日の直物レートは1ドル＝119円であった。

問題 12 予定取引 　　　　　基礎　⏱ 4分　解答 >>> 80P

　下記の【資料】に基づいて、(1)～(2)の仕訳を示しなさい。仕訳不要の場合には借方科目欄に「仕訳なし」と記入すること。当期はX4年4月1日からX5年3月31日までの1年間である。

【資　料】

1　X5年2月10日に、今後予定している1,500千ドルの商品の輸入取引について円安による為替リスクをヘッジするために、X5年5月10日を限月とする1,500千ドルの買建て為替予約を行った。

2　輸入予定日はX5年4月10日、決済予定日はX5年5月10日である。

3　当該為替予約は実行可能性が極めて高いものであり、金融商品会計基準のヘッジの要件を満たしているものとする。なお、為替レートは以下のとおりである。

月　日	直物為替相場	先物為替相場
2月10日	108円／ドル	104円／ドル
3月31日	110円／ドル	107円／ドル

4　デリバティブである為替予約については、ヘッジ会計を適用する。

5　法定実効税率は30%であり、繰延ヘッジ損益には税効果会計を適用する。

(1)　X5年2月10日（予約日）

(2)　X5年3月31日（決算日）

問題 13 満期保有目的の債券（為替予約付、振当処理）　応用　⏱10分　解答>>>82P

　当社の【資料】に基づいて、(1)～(3)の時点の仕訳を示しなさい。なお、収支については現金預金勘定を使用すること。

【資　料】

1　当社はX1年4月1日に次の外貨建債券を発行価額950千ドル（債券金額：1,000千ドル、満期日：X5年3月31日、クーポン利子率：年利5％、利払日：毎年3月末日）で発行と同時に取得した。

　　当該債券については満期まで所有する意図をもって保有するものであり、取得価額と債券金額との差額については、すべて金利の調整である。

2　当社は外貨建債券の債券金額に対して満期償還時の為替変動リスクを回避するため、取得時に為替予約契約を締結している。為替予約の会計処理については、振当処理により行う。

3　直物為替相場およびX5年3月31日を決済期日とする予約レートは、次のとおりである。

	直物為替相場	予約レート
X1年4月1日（取　得　時）	120円	115円
X2年3月31日（決　算　日）	117円	113円
X5年3月31日（満　期　日）	118円	——

(1)　X1年4月1日（取得時）

(2)　X2年3月31日（決算日）

(3)　X5年3月31日（満期日）

問題
14 外貨預金による受払い 　応用　　10分　　解答>>>84P

次の各問に答えなさい。なお、仕訳が不要な場合は、借方科目欄に「仕訳なし」と記入すること。

問1　以下の①～③の取引の仕訳を示しなさい。

①　X2年3月1日　300ドルについて、予約レート1ドル146円という条件で、X銀行と為替予約を締結した（ドル買い、決済日X2年10月31日）。

②　X2年3月31日　決算日を迎えた。先物為替相場は1ドル148円である。

③　X2年10月31日　為替予約を決済した。直物為替相場は1ドル151円である。

【留意事項】

1　当社は、決算時に評価した為替予約について、翌期首の振り戻しを行っていない。

2　当社は、預金については「外貨預金」勘定と「円貨預金」勘定を使い分けており、為替予約実行時には入出金を両建てで記帳している。

問2　以下の【資料】を参照して、①～④の取引の仕訳を示すとともに、当期の貸借対照表に計上される外貨預金の金額を示しなさい。なお、外貨建取引は外貨預金口座で代金の受払いを行うものとし、帳簿上は外貨預金勘定を用いて記帳すること。

【資　料】当期における外貨建取引

	取　引　等	外貨預金の入出金	直物為替相場	
前期末	外貨預金残高	3,000ドル	133円／ドル	
①4/1（期首）	社債の発行	3,900ドル	130円／ドル	
②5/31	買掛金1,200ドルの支払い	△1,200ドル	135円／ドル	＊
③10/1	建物の取得	△4,000ドル	141円／ドル	
④3/31（期末）	社債利息の支払い	△200ドル	145円／ドル	
当期末	外貨預金残高	？　　ドル	145円／ドル	

＊　前期3月1日の仕入取引において計上されたもの（取引日レート：136円／ドル）

Chapter 3

本支店会計

 問題 1 **本支店間取引** 基礎 🕐 13分 解答 >>> 87P

　下記の【資料】に基づいて、本店および支店の仕訳を示しなさい。なお、商品売買取引は三分法で処理している。

【資　料】
(1)　支店は、本店の仕入先へ本店の買掛金12,000円を小切手を振り出して支払った。
(2)　本店は、支店の売掛金24,000円を支店の得意先振出の約束手形で回収した。
(3)　本店は、支店従業員の出張旅費36,000円を現金で立替払いした。
(4)　支店は、本店所管のビルの受取家賃60,000円を現金で受け取った。
(5)　本店は支店に原価48,000円の商品を、原価のままで送付した。
(6)　本店は支店に原価48,000円の商品を、原価の10%増しの価格で送付した。
(7)　支店は従来本店を通じて仕入れている商品96,000円（原価）を本店の仕入先から直接掛けにより仕入れた。本店を経由して仕入れた場合と同様の方法で処理を行う。なお、本店は支店への商品送付の際、原価の10%増しの価格で送付している。
(8)　支店は(7)で仕入れた商品10,560円（内部振替価格）を直接本店の仕入先に返品した。
(9)　本店は支店の得意先に商品60,000円（売価）を直接掛けにより売り上げた。この商品の本店仕入原価は36,000円であり、本店は支店に仕入原価の20%増しの価格で商品を発送している。なお、支店を経由して販売した場合と同様の方法で処理を行う。
(10)　有形固定資産については本店が一括管理している。決算にあたり本店は減価償却費24,000円を計上（間接控除法により記帳）し、適切な業績評価のため、支店に対して減価償却費10,800円を割り当てる。

問題 2 **未達取引** 基礎 🕐 5分 解答 >>> 88P

　下記の【資料】に基づいて、次の各問に答えなさい。
問1　【資料2】に基づいて、本店および支店の仕訳を示しなさい。
問2　未達取引整理後に一致する本店勘定および支店勘定の金額を示しなさい。

【資料1】本店勘定および支店勘定の残高
(1)　本店における未達取引整理前の支店勘定は借方残高　13,340円
(2)　支店における未達取引整理前の本店勘定は貸方残高　8,480円

【資料2】未達取引

(1) 本店は、支店に現金1,680円を送金したが、支店に未達である。

(2) 本店において、支店従業員の出張旅費360円を立替払いしているが、この通知が支店に未達である。

(3) 支店は、本店の買掛金2,400円を立替払いしたが、この通知が本店に未達である。

(4) 支店は、本店の仕入先から商品1,200円（原価）を直接掛により仕入れたが、この通知が本店に未達である。なお、支店では本店を経由して仕入れた場合と同様の会計処理を行っており、本店から支店への商品振替価格は、仕入原価の5%増しである。

(5) 本店は、支店の得意先に対して商品2,400円（売価）を直接掛により売上げたが、この通知が支店に未達である。なお、本店では支店を経由して売上げた場合と同様の会計処理を行っており、この商品の本店仕入原価は1,600円である。

 問題
3 未達取引・決算整理    基礎 15分 解答>>>90P

下記の**【資料】**に基づいて、本店および支店の決算整理後残高試算表を作成しなさい。なお、当期はX1年4月1日〜X2年3月31日である。

【資料1】

決算整理前残高試算表 　　　　　　（単位：千円）

借　方　科　目	本　店	支　店	貸　方　科　目	本　店	支　店
現　金　預　金	12,200	8,720	買　　掛　　金	7,380	6,000
受　取　手　形	4,000	2,800	貸　倒　引　当　金	100	40
売　　掛　　金	5,600	2,000	繰　延　内　部　利　益	160	——
繰　越　商　品	4,800	3,360	建物減価償却累計額	12,000	6,000
建　　　　　物	22,000	10,000	備品減価償却累計額	4,000	2,000
備　　　　　品	16,000	9,200	本　　　　　店	——	10,560
支　　　　　店	11,200	——	資　　本　　金	30,000	——
仕　　　　　入	64,000	16,000	繰越利益剰余金	6,000	——
本　店　仕　入	——	17,600	売　　　　　上	80,000	55,000
営　　業　　費	19,200	9,920	支　店　売　上	19,360	——
合　　　　　計	159,000	79,600	合　　　　　計	159,000	79,600

【資料2】 未達取引
(1) 本店は支店へ商品 | 各自推定 | 千円（振替価格）を送付したが、支店に未達である。
(2) 本店は支店の営業費 | 各自推定 | 千円を支払ったが、その連絡が支店に未達である。
(3) 支店は本店の売掛金1,600千円を回収したが、その連絡が本店に未達である。
(4) 未達取引は、決算日に到着したものとみなして処理を行うこと。

【資料3】 決算整理事項等
(1) 期末商品棚卸高（未達商品は含まれていない）
　　　本店：6,400千円　　　　　支店：5,120千円（うち、本店仕入分3,520千円）
(2) 期末売上債権に対して本支店ともに貸倒実績率2％の貸倒引当金を差額補充法により設定する。
(3) 減価償却を本支店ともに次のとおり行う。
　　　建物：定額法、残存価額は取得原価の10％、耐用年数30年
　　　　　　なお、本店の建物のうち2,000千円は当期の10月1日に取得したものである。
　　　備品：定率法、年償却率25％
　　　　　　なお、支店の備品のうち1,200千円は当期の12月1日に取得したものである。
(4) 本店は支店に仕入原価の10％増しの価格で商品を販売している。

 問題4 **決算振替**　　　　　　　　　　　 基礎　⏱13分　解答>>>94P

　下記の【資料】に基づいて、次の各問に答えなさい。なお、本店は支店に仕入原価の10％増しの価格で商品を販売している。
問1　本店および支店の損益勘定（日付は省略）を示しなさい。
問2　本店および支店の残高勘定（日付は省略）を示しなさい。

【資料1】

決算整理前残高試算表　　　　　（単位：千円）

借　方　科　目	本　店	支　店	貸　方　科　目	本　店	支　店
現　金　預　金	3,360	2,400	買　　掛　　金	1,200	2,784
売　　掛　　金	1,800	1,200	貸 倒 引 当 金	24	12
繰　越　商　品	1,440	1,008	繰 延 内 部 利 益	48	――
備　　　　　品	10,800	3,600	本　　　　　店	――	2,604
支　　　　　店	3,240	――	資　　本　　金	12,000	
仕　　　　　入	19,200	4,800	繰越利益剰余金	1,200	
本　店　仕　入	――	6,204	売　　　　　上	24,000	16,800
営　　業　　費	5,232	2,988	支　店　売　上	6,600	――
合　　　　計	45,072	22,200	合　　　　計	45,072	22,200

【資料2】未達取引

⑴　本店は支店へ商品396千円（振替価格）を送付したが、支店に未達である。

⑵　支店は本店へ現金240千円を送付したが、本店に未達である。

⑶　未達取引は、決算日に到着したものとみなして処理を行うこと。

【資料3】決算整理事項

⑴　期末商品棚卸高（未達商品は含まれていない）

　　本店　　1,920千円

　　支店　　1,512千円（うち本店仕入分792千円）

⑵　売掛金の期末残高に対して、本支店ともに貸倒実績率2％の貸倒引当金を洗替法により設定する。

⑶　備品につき、本支店ともに帳簿価額の25％を減価償却費として計上する。

⑷　本店において営業費276千円を見越計上する。

問題5　本支店合併財務諸表　　　基礎　20分　解答>>>98P

　当期（X1年4月1日〜X2年3月31日）に関する下記の【資料】に基づいて、次の各問に答えなさい。なお、本店は支店へ商品を送付する際に原価の10％の利益を加算している。

問1　本店および支店の決算整理後残高試算表を作成しなさい。

問2　本支店合併損益計算書および本支店合併貸借対照表を作成しなさい。

【資料1】

決算整理前残高試算表　　　　　（単位：千円）

借　方　科　目	本　店	支　店	貸　方　科　目	本　店	支　店
現　金　預　金	3,384	29,040	買　　掛　　金	13,632	7,620
売　　掛　　金	10,800	4,320	貸　倒　引　当　金	72	36
繰　越　商　品	6,000	5,016	建物減価償却累計額	14,400	8,400
建　　　　　物	36,000	48,000	繰　延　内　部　利　益	216	――
支　　　　　店	48,456	――	本　　　　　店	――	47,664
仕　　　　　入	112,800	24,000	資　　本　　金	60,000	――
本　店　仕　入	――	51,744	繰越利益剰余金	480	――
営　　業　　費	8,160	3,600	売　　　　　上	84,000	102,000
			支　店　売　上	52,800	――
合　　　　計	225,600	165,720	合　　　　計	225,600	165,720

【資料2】　決算日における本支店間未達事項

(1)　本店から支店への商品発送高　各自推定　千円

(2)　支店から本店への送金高216千円

(3)　本店は支店の売掛金　各自推定　千円を回収したが、その通知が支店に未達。

(4)　支店は本店の営業費240千円を支払ったが、その通知が本店に未達。

(5)　未達事項は、決算日に到着したものとみなして処理を行うこと。

【資料3】　決算整理事項

1　期末商品棚卸高（未達商品は含まれていない）

　(1)　本店：8,400千円

　(2)　支店：2,820千円（うち、本店仕入分1,980千円）

2　建物減価償却費

　(1)　本店：3,600千円

　(2)　支店：1,200千円

3　貸倒引当金は、売掛金の期末残高の2％を差額補充法により設定する。

4　費用の見越し・繰延べ

　(1)　本店：営業費の繰延額600千円

　(2)　支店：営業費の見越額420千円

問題 6 支店相互間取引

基礎　⏱15分　解答>>>103P

以下の【資料】に基づいて、次の各問に答えなさい。なお、当事業年度はX1年4月1日～ X2年3月31日である。

問1　合併整理において相殺消去されるべき京都支店勘定の金額および神戸支店勘定の金額を求めなさい。

問2　本支店合併損益計算書および本支店合併貸借対照表を作成しなさい。

【資料1】

決算整理前残高試算表　　　　　（単位：円）

借　方　科　目	本　店	京都支店	神戸支店	貸　方　科　目	本　店	京都支店	神戸支店
現　金　預　金	36,000	48,000	12,000	支　払　手　形	63,240	22,800	15,600
売　　掛　　金	105,600	33,600	19,200	買　　掛　　金	120,000	42,000	16,800
繰　越　商　品	124,800	52,800	42,240	借　　入　　金	120,000	――	――
建　　　　　物	369,600	19,200	9,600	貸　倒　引　当　金	720	240	120
京　都　支　店	56,400	――	――	減価償却累計額	54,720	8,640	5,760
神　戸　支　店	25,200	――	――	繰延内部利益	8,640		
仕　　　　　入	576,000	103,200	105,600	本　　　　　店	――	46,320	20,400
本　店　仕　入	――	132,000	85,800	資　　本　　金	240,000		
営　　業　　費	120,000	62,400	54,240	利　益　準　備　金	48,000		
支　払　利　息	7,200	――	――	繰越利益剰余金	12,000		
				売　　　　　上	530,400	331,200	270,000
				京都支店売上	137,280		
				神戸支店売上	85,800		
合　　　　計	1,420,800	451,200	328,680	合　　　　計	1,420,800	451,200	328,680

【資料2】未達事項

(1) 本店から京都支店への商品発送高5,280円（京都支店に未達）

(2) 本店から神戸支店への送金高14,400円（神戸支店に未達）

(3) 神戸支店が回収した京都支店の売掛金9,600円（本店および京都支店に未達）

(4) 京都支店が支払った本店の買掛金4,800円（本店に未達）

(5) 未達事項は、決算日に到着したものとみなして処理を行うこと。

【資料３】 決算整理事項

1　期末商品棚卸高（未達分は含まれていない）

　(1)　本　　店　　110,400円

　(2)　京都支店　　43,200円（うち、本店仕入分13,200円）

　(3)　神戸支店　　33,600円（うち、本店仕入分10,560円）

2　建物減価償却費

　(1)　本　　店　　13,920円

　(2)　京都支店　　 5,040円

　(3)　神戸支店　　 1,440円

3　貸倒引当金を売上債権期末残高に対して貸倒実績率２％により設定する（差額調整法）。

【資料４】 解答にあたっての注意事項

(1)　本店から各支店へ送付される商品には原価の10％の利益が加算されている。

(2)　当社は本店集中計算制度を採用している。

問題7　在外支店　　基礎　⏱20分　解答>>>107P

　当社は日本にある本店（以下「本店」という）と米国にある支店（以下「在外支店」という）からなり、支店独立会計制度を採用している。下記の【資料】に基づいて、次の各問に答えなさい。

問１　在外支店の決算整理後・換算後残高試算表を作成しなさい。

問２　仮に、在外支店の換算方法について本店勘定を除くすべての項目を決算時の為替相場で換算する方法を採用した場合における為替差損益の金額を求めなさい。なお、為替差損となる場合には、金額の前に「△」を付すこと。

【資料１】 在外支店の決算整理前・換算前残高試算表

決算整理前・換算前残高試算表　　（単位：千ドル）

現　金　預　金	228	前　　受　　金	312
売　　掛　　金	600	減価償却累計額	144
繰　越　商　品	504	本　　　　　店	840
備　　　　　品	480	売　　　　　上	3,240
本　店　仕　入	1,680		
営　　業　　費	1,044		
	4,536		4,536

【資料２】本支店間取引に関する事項等

⑴　在外支店は本店からのみ商品を仕入れている。なお、本店は毎期仕入原価の20％増しの価格で在外支店に販売している。

⑵　未達取引はない。

【資料３】決算整理事項等

⑴　期末商品棚卸高は432千ドルである。なお、商品の払出単価の決定方法として先入先出法を採用している。また、期首商品はすべて前期末（為替レートは１ドル＝122円）に取得したものである。

⑵　売掛金残高の１％の貸倒引当金を設定する。

⑶　備品については耐用年数６年、残存価額を取得原価の10％とする定額法により減価償却を行う。

【資料４】在外支店の換算に関する事項等

⑴　原則的な換算方法を採用している。

⑵　本店勘定の前期繰越額は600千ドル（円換算額は73,800千円）であった。なお、当期中の本支店間取引および取引時の為替レートは次のとおりである。

①　本店からの仕入：1,680千ドル（１ドル＝125円）

②　本店への送金：1,440千ドル（１ドル＝121円）

⑶　上記以外で換算に必要な為替レートは、次のとおりである。なお、売上および営業費の換算については、期中平均レートを用いる。

①　備 品 購 入 時：１ドル＝105円　　③　期中平均：１ドル＝120円

②　前受金受取時：１ドル＝118円　　④　当 期 末：１ドル＝115円

Chapter 4 製造業会計

問題 1 製造業会計(1)　　　　　　　　　基礎 ⏱10分 解答 >>> 111P

　下記の【資料】に基づいて、次の各問に答えなさい。

問1　材料勘定、材料仕入勘定、製造勘定および損益勘定を示しなさい。

問2　材料費、労務費および製造経費の金額を示しなさい。

【資料1】

決算整理前残高試算表　　　　　　　　（単位：円）

材　　　　　料	21,600	未 払 賃 金 給 料	3,600
建　　　　　物	240,000	減 価 償 却 累 計 額	69,600
機　　　　　械	60,000		
仮　　払　　金	3,600		
材　料　仕　入	252,000		
賃　金　給　料	166,800		
支　払　保　険　料	3,600		
修　　繕　　費	6,000		
その他の製造経費	92,712		
その他の営業費	31,200		

【資料2】決算整理事項

(1)　材料期末棚卸高

　① 帳簿棚卸高　　23,640円

　② 実地棚卸高　　22,800円

　　　なお、棚卸減耗のうち40％は正常なものであり、製造経費とする。

(2)　決算整理前残高試算表の未払賃金給料3,600円は前期における未払賃金給料である。当期における未払賃金給料は4,800円である。

(3)　仮払金3,600円は、法定福利費2,400円と福利施設負担額1,200円を支払った際に計上したものである。

(4)　減価償却を次のとおり行う。

種類	償却方法	減価償却累計額	償 却 率	残存割合
建物	定 額 法	54,000円	0.05	10％
機械	定 率 法	15,600円	0.25	0 ％

(5)　支払保険料のうち480円は次期に繰り延べる。

(6) 修繕費6,000円は、全額機械に対するものである。

(7) 製造関係と営業関係の配賦割合は次のとおりである。

	製造関係	営業関係
賃 金 給 料	70%	30%
法 定 福 利 費	70%	30%
福 利 施 設 負 担 額	70%	30%
建 物 減 価 償 却 費	60%	40%
機 械 減 価 償 却 費	100%	――
支 払 保 険 料	60%	40%

問題 2 製造業会計(2)　　　　　　基礎　⏱12分　解答>>>115P

甲製造株式会社の当期（X1年4月1日～X2年3月31日）における下記の【資料】に基づいて、次の各問に答えなさい。

問1　答案用紙に示した総勘定元帳の一部に適当な金額および相手科目を記入しなさい。

問2　製造原価報告書および損益計算書を示しなさい。

【資料1】

決算整理前残高試算表　　　　　　（単位：千円）

製　　　　　品	5,670	減 価 償 却 累 計 額	5,100
材　　　　　料	10,080	売　　　　　上	126,000
仕　掛　品	14,910		
機　　　　　械	13,500		
材　料　仕　入	40,320		
労　務　費	10,410		
製　造　経　費	14,520		

【資料2】製造原価要素の決算整理

(1) 期末材料棚卸高は8,820千円（減耗等はない）である。当期材料費は材料仕入勘定において期末に一括して算出している。

(2) 甲製造株式会社の賃金の支払いは、毎月20日締切りの25日払いであり、X2年3月21日から月末までの賃金は1,200千円である。

(3) 機械の減価償却は、耐用年数10年、残存価額を0円として、定率法（年償却率0.25）により行う。

【資料３】製品製造原価および売上原価に関する事項
(1) 期末仕掛品棚卸高は7,980千円である。製品製造原価は製造勘定で算出する。
(2) 期末製品棚卸高は5,460千円である。売上原価は製品勘定で算出する。

問題 3 製造業会計(3)　　　　　　　　　　基礎　8分　解答>>>118P

下記の【資料】に基づいて、次の各問に答えなさい。

問1　期末仕掛品原価および当期製品製造原価の金額を、(1)平均法、(2)先入先出法により計算しなさい。

問2　平均法によった場合の仕掛品勘定を示しなさい。

【資　料】

1　生産データ

期首仕掛品数量	600個	（加工進捗度20％）
当期投入量	3,000個	
合　計	3,600個	
期末仕掛品数量	480個	（加工進捗度50％）
完成品数量	3,120個	

（注）材料はすべて工程の始点で投入している。

2　原価データ

① 期首仕掛品原価　14,940円（内訳は材料費5,400円、加工費9,540円）

② 当期総製造費用

材　料　費	145,800円
労　務　費	67,500円
製　造　経　費	54,000円

問題 4　製造業会計(4)　　基礎　⏱ 4分　解答>>>121P

　下記の【資料】に基づいて、期末仕掛品原価および当期製品製造原価の金額を、(1)平均法、(2)先入先出法により計算しなさい。

【資料】

1　生産データ

　①　期首仕掛品棚卸数量　　　1,200個（加工進捗度20％）

　②　期末仕掛品棚卸数量　　　 960個（加工進捗度50％）

　③　当 期 完 成 品 数 量　　6,240個

　④　材料は工程を通して平均的に消費されている。

2　原価データ

　①　期首仕掛品原価　　　23,904円

　②　当期総製造費用

　　　材　料　費　　233,280円

　　　労　務　費　　108,000円

　　　経　　　費　　 86,400円

問題 5　製造業会計(5)　　基礎　⏱ 15分　解答>>>122P

　下記の【資料】に基づいて、製造原価報告書および損益計算書（売上総利益まで）を作成しなさい。

【資料１】

決算整理前残高試算表　　　　　　（単位：円）

製		品	1,010,688	製	品	売	上	各自推定
材		料	450,000					
仕	掛	品	1,129,950					
材	料 仕	入	2,307,060					
労	務	費	1,044,600					
製	造 経	費	1,378,710					

【資料２】決算整理事項

1　期末材料棚卸高

（1）帳簿棚卸高　360,000円

（2）実地棚卸高　330,000円

　　なお、減耗は全額、原価性があり、製造原価に算入する。

2　仕掛品に関する事項
　(1)　期末仕掛品の評価は総平均法による。なお、材料は工程の始点で全量投入している。
　(2)　期首仕掛品　420個（進捗度60％）（材料費626,940円、加工費503,010円）
　(3)　期末仕掛品　336個（進捗度50％）
　(4)　当期完成品数量　1,344個
3　製品に関する事項
　(1)　期末製品の評価は先入先出法による。
　(2)　期首製品 256個
　(3)　期末製品 280個
　(4)　製品は、1個あたり6,000円で販売している。
4　製造経費の中に、営業費として処理すべきものが144,000円含まれている。
5　製造部門の賞与引当金として216,000円を繰り入れる。
6　製造部門の減価償却費として237,600円を計上する。

 製造業会計(6)

　下記の【資料】に基づいて、次の各問の場合における期末仕掛品原価の金額を求めなさい。なお、材料は始点投入である。
問1　減損は20％の地点で発生し、先入先出法の場合（完成品と仕掛品の両者に負担）
問2　減損は終点で発生し、平均法の場合（完成品のみに負担）
問3　減損は80％の地点で発生し、先入先出法の場合（完成品のみに負担）

【資　料】
(1)　原価データ

	材　料　費	加　工　費
期 首 仕 掛 品	384,000円	864,000円
当期総製造費用	1,296,000円	1,944,000円
計	1,680,000円	2,808,000円

(2)　生産データ

期 首 仕 掛 品 量	8,000kg	（1 / 2）（注）カッコ内は加工進捗度
当 期 投 入 量	20,000kg	
計	28,000kg	
期 末 仕 掛 品 量	6,000kg	（2 / 3）
正 常 減 損 量	2,000kg	（　？　）
差引：完成品量	20,000kg	

Chapter 5　組織再編

 事業譲受　　基礎　3分　解答>>>128P

下記の【資料】に基づいて、乙社の事業譲受時における仕訳を示しなさい。

【資　料】

乙社は、甲社のA事業部門を事業譲受により取得することにした。事業譲受時における甲社のA事業部門に属する諸資産の適正な帳簿価額は72,000千円、諸負債の適正な帳簿価額は45,000千円であり、諸資産の時価は75,000千円、諸負債の時価は帳簿価額と同額であった。買収価額は32,700千円であり、乙社は小切手を振り出して支払った。

 **吸収合併(1)**　　基礎　4分　解答>>>129P

下記の【資料】に基づいて、A社のX1年4月1日における個別財務諸表上の会計処理を示しなさい。

【資　料】

(1)　A社とB社はX1年4月1日を合併期日として合併し、A社が吸収合併存続会社となった。なお、A社が取得企業、B社が被取得企業とされた。

(2)　合併比率（A社：B社）は、1：0.5であり、B社の発行済株式数は200,000株であった。

(3)　合併期日におけるA社株式の時価は1株あたり9千円である。A社は、B社株主へのA社株式の交付に当たり、新株を発行した。

(4)　A社は、増加すべき株主資本のうち資本金を300,000千円、資本準備金を150,000千円増加させ、残額についてはその他資本剰余金とした。

(5)　X1年3月31日現在のB社の個別貸借対照表は、次に示すとおりである。

B社個別貸借対照表　　　（単位：千円）

諸 資 産	645,000	諸 負 債	150,000
		資 本 金	150,000
		資 本 準 備 金	150,000
		利 益 準 備 金	30,000
		任 意 積 立 金	120,000
		繰 越 利 益 剰 余 金	45,000
	645,000		645,000

(6)　合併期日におけるB社の諸資産の時価は675,000千円、諸負債の時価は150,000千円であった。

A社は、X4年4月1日を合併期日としてB社を吸収合併した。下記の【資料】に基づいて、交付株式のうち、20,000株は自己株式（1株あたりの帳簿価額10,500円）を処分し、残りは新株を発行した場合におけるA社の合併仕訳を答えなさい。

【資　料】

(1) X4年3月31日のB社の貸借対照表は次のとおりである。

貸　借　対　照　表

X4年3月31日　　　　　　　　　　（単位：千円）

諸　　資　　産	1,125,000	諸　　　負　　　債	450,000
		資　　本　　金	225,000
		資　本　準　備　金	75,000
		利　益　準　備　金	90,000
		任　意　積　立　金	60,000
		繰越利益剰余金	225,000

　　（注）　諸資産の時価は1,200,000千円、諸負債の時価は465,000千円である。

(2) 合併比率は、A社：B社＝1：0.5である。

(3) B社の発行済株式数は100,000株である。

(4) X4年4月1日のA社株式の時価は1株あたり18,000円である。

(5) A社は、増加すべき株主資本のうち資本金を450,000千円、資本準備金を60,000千円増加させ、残額についてはその他資本剰余金とした。

28

下記の【資料】に基づいて、株式交換についてA社が行うべき個別財務諸表上の会計処理を示しなさい。

【資　料】

⑴　A社を株式交換完全親会社、B社を株式交換完全子会社とする株式交換を行った。株式の交換比率は1：0.5であり、A社およびB社の発行済株式数はそれぞれ100,000株である。

⑵　当該株式交換は、A社が取得企業、B社が被取得企業とされた。

⑶　A社は、A社株式を新株発行によりB社株主に交付した。なお、株式交換日におけるA社株式の時価は1株あたり48千円であった。

⑷　A社は、増加すべき株主資本のうち資本金を400,000千円増加させ、残額をその他資本剰余金とした。

⑸　株式交換日直前のB社の個別貸借対照表は、次に示すとおりである。

B社個別貸借対照表　　（単位：千円）

諸　資　産	1,720,000	諸　　負　　債	400,000
		資　本　金	400,000
		資　本　準　備　金	400,000
		利　益　準　備　金	80,000
		任　意　積　立　金	320,000
		繰　越　利　益　剰　余　金	120,000
	1,720,000		1,720,000

⑹　株式交換日におけるB社の諸資産の時価は1,800,000千円、諸負債の時価は400,000千円であった。

問題5 株式交換(2)

基礎 3分 解答>>>133P

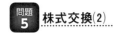

下記の【資料】に基づいて、株式交換についてA社が行うべき個別財務諸表上の会計処理を示しなさい。

【資　料】

(1) A社を株式交換完全親会社、B社を株式交換完全子会社とする株式交換を行った。株式の交換比率は1：0.5であり、A社およびB社の発行済株式数はそれぞれ100,000株である。

(2) 当該株式交換は、A社が取得企業、B社が被取得企業とされた。

(3) A社は、B社株主へのA社株式の交付にあたっては、自己株式（帳簿価額200,000千円）を充当し、残りの株式については新株を発行した。なお、株式交換日におけるA社株式の時価は1株あたり48千円であった。

(4) A社は、増加すべき株主資本のうち資本金を400,000千円増加させ、残額をその他資本剰余金とした。

(5) 株式交換日直前のB社の個別貸借対照表は、次に示すとおりである。

B社個別貸借対照表　　(単位：千円)

諸資産	1,720,000	諸負債	400,000
		資本金	400,000
		資本準備金	400,000
		利益準備金	80,000
		任意積立金	320,000
		繰越利益剰余金	120,000
	1,720,000		1,720,000

(6) 株式交換日におけるB社の諸資産の時価は1,800,000千円、諸負債の時価は400,000千円であった。

問題 6 企業評価額 応用 10分 解答 >>> 134P

下記の【資料】に基づいて、次の各問に答えなさい。

問1 A社の企業評価額

問2 B社の企業評価額

問3 合併比率

問4 A社がB社の株主に対して交付する株式の数

【資　料】

⑴ A社とB社はX1年4月1日を合併期日として合併し、A社が吸収合併存続会社となった。なお、A社が取得企業、B社が被取得企業とされた。

⑵ A社およびB社のX1年3月31日における個別貸借対照表は次に示すとおりである。

A社	貸 借 対 照 表	（単位：千円）

諸　資　産	270,000	諸　　負　　債	170,000
		資　　本　　金	56,000
		資　本　準　備　金	16,000
		利　益　準　備　金	20,000
		繰 越 利 益 剰 余 金	8,000
	270,000		270,000

B社	貸 借 対 照 表	（単位：千円）

諸　資　産	108,000	諸　　負　　債	60,000
		資　　本　　金	20,000
		資　本　準　備　金	10,000
		利　益　準　備　金	14,000
		繰 越 利 益 剰 余 金	4,000
	108,000		108,000

⑶ A社とB社の合併比率はX1年3月31日の簿価による純資産額と収益還元価値額の平均値を企業評価額とする方法に基づいて算定する。

⑷ X1年3月31日における発行済株式総数は、A社が240,000株、B社が160,000株である。

⑸ 株主資本利益率はA社が7％、B社が6％である。なお、A社とB社がともに属する業種の株主資本利益率（資本還元率）は5％である。

 **事業分離**(1)　　　　　　　　　　　　　　**基礎**　🕐 **3分**　**解答>>>135P**

　下記の【資料】に基づいて、甲社の事業分離時における仕訳を示しなさい。

【資　料】

　甲社は、A事業部門を乙社に事業譲渡することにした。事業譲渡時におけるA事業部門に属する諸資産の適正な帳簿価額は72,000千円、諸負債の適正な帳簿価額は45,000千円であり、諸資産の時価は75,000千円、諸負債の時価は帳簿価額と同額であった。買収価額は32,700千円であり、乙社は小切手を振り出して支払った。

 事業分離(2)　　　　　　　　　　　　　　**基礎**　🕐 **3分**　**解答>>>137P**

　下記の【資料】に基づいて、A社の事業分離時の仕訳を示しなさい。

【資　料】

⑴　A社は、業績が低迷しているA_1事業部門を分割してB社に移転した。なお、当該事業分離により、A社のA_1事業部門に対する投資は、清算されたと判断される。

⑵　A_1事業部門に属する資産・負債は、次のとおりである。

	諸　資　産	諸　負　債
適正な帳簿価額	1,290,000 千円	300,000 千円

⑶　B社はA_1事業部門の承継により新株100,000株を発行し、A社に交付する。なお、B社株式の事業分離日における時価は1株あたり18千円である。

⑷　A社は、事業分離前においてB社株式を保有しておらず、交付されたB社株式は「その他有価証券」に区分する。

 事業分離(3)　　　　　　　　　　　　　　**基礎**　🕐 **3分**　**解答>>>138P**

　甲社は、A事業部門の事業のすべてを分割・移転して完全子会社乙社を設立した。甲社のA事業部門に属する財産の適正な帳簿価額は、諸資産が89,600千円、諸負債が61,600千円である。甲社は、A事業部門を乙社に移転したことに対する対価として乙社株式のみを受け取っており、当該株式を通じて移転した事業に関する事業投資を引き続き行っている。

　よって、甲社の事業分離時の仕訳を示しなさい。

問題1 連結財務諸表(1)   基礎 6分 解答>>>139P

下記の【資料】に基づいて、連結精算表および連結貸借対照表を作成しなさい。

【資 料】

1　P社はX2年3月31日にS社の発行済株式総数の100%を3,000百万円で取得した。

2　P社およびS社の個別財務諸表は、次のとおりである。

(1)　P社個別財務諸表

貸 借 対 照 表
X2年3月31日　　　　　　（単位：百万円）

借 方 科 目	金 額	貸 方 科 目	金 額
諸 資 産	30,000	諸 負 債	9,000
関 係 会 社 株 式	3,000	資 本 金	18,000
		利 益 剰 余 金	6,000
合 計	33,000	合 計	33,000

(2)　S社個別財務諸表

貸 借 対 照 表
X2年3月31日　　　　　　（単位：百万円）

借 方 科 目	金 額	貸 方 科 目	金 額
諸 資 産	6,000	諸 負 債	3,000
		資 本 金	2,100
		利 益 剰 余 金	900
合 計	6,000	合 計	6,000

P社が、X2年3月31日にS社株式の100％を3,300百万円で取得し、S社を子会社として支配した場合の、X2年3月31日における連結貸借対照表を作成するために必要な連結修正仕訳を示しなさい。

【資 料】

(1) 当事業年度は、両社ともX1年4月1日からX2年3月31日である。

(2) のれんは発生年度の翌年度から20年間で定額法により償却する。

(3) P社は取得したS社株式を関係会社株式勘定に計上している。

(4) S社の個別財務諸表は次のとおりである。

貸 借 対 照 表
X2年3月31日 (単位：百万円)

借 方 科 目	金 額	貸 方 科 目	金 額
諸 資 産	6,000	諸 負 債	3,000
		資 本 金	2,100
		利 益 剰 余 金	900
合 計	6,000	合 計	6,000

問題 3 連結財務諸表(3)　　　　　　　基礎　⏱ 7分　解答 >>> 141P

　下記の【資料】に基づいて、次の各問に答えなさい。ただし、すべての行が埋まるとは限らない。

問1　P社が、X2年3月31日にS社株式の75%を2,250百万円で取得し、S社を子会社として支配した場合の、X2年3月31日における連結貸借対照表を作成するために必要な連結修正仕訳を示しなさい。

問2　P社が、X2年3月31日にS社株式の75%を2,550百万円で取得し、S社を子会社として支配した場合の、X2年3月31日における連結貸借対照表を作成するために必要な連結修正仕訳を示しなさい。

【資　料】

⑴　当事業年度は、両社ともX1年4月1日からX2年3月31日である。

⑵　のれんは発生年度の翌年度から20年間で定額法により償却する。

⑶　P社は取得したS社株式を関係会社株式勘定に計上している。

⑷　S社の個別財務諸表は次のとおりである。

貸　借　対　照　表
X2年3月31日
(単位：百万円)

借　方　科　目	金　　額	貸　方　科　目	金　　額
諸　　資　　産	6,000	諸　　負　　債	3,000
		資　　本　　金	2,100
		利　益　剰　余　金	900
合　　　計	6,000	合　　　計	6,000

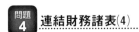

問題 4 連結財務諸表(4) 基礎 6分 解答 >>> 142P

下記の【資料】に基づいて、連結貸借対照表を作成しなさい。

【資　料】

(1) 当事業年度は、両社ともX1年4月1日からX2年3月31日である。

(2) P社はX2年3月31日にS社の発行済株式総数の80%を1,350百万円で取得した。

(3) P社は取得したS社株式を関係会社株式勘定に計上している。

(4) のれんは発生年度の翌年度から20年間で定額法により償却する。

(5) P社およびS社の個別財務諸表は、次のとおりである。

① P社個別財務諸表

貸 借 対 照 表
X2年3月31日 （単位：百万円）

借 方 科 目	金 額	貸 方 科 目	金 額
諸　　資　　産	15,000	諸　　負　　債	4,500
関 係 会 社 株 式	1,350	資　　本　　金	9,000
		利 益 剰 余 金	2,850
合　　　計	16,350	合　　　計	16,350

② S社個別財務諸表

貸 借 対 照 表
X2年3月31日 （単位：百万円）

借 方 科 目	金 額	貸 方 科 目	金 額
諸　　資　　産	3,000	諸　　負　　債	1,500
		資　　本　　金	1,050
		利 益 剰 余 金	450
合　　　計	3,000	合　　　計	3,000

問題 5 連結財務諸表(5)　　　　　基礎　4分　解答>>>144P

　子会社の資産および負債の時価評価の方法について、全面時価評価法を採用した場合におけるX1年3月31日の連結貸借対照表を作成しなさい。なお、時価評価にともない計上される評価差額については、税効果会計（法定実効税率：30％）を適用すること。

【資　料】

(1)　P社はX1年3月31日にS社の発行済株式総数の80％を5,220百万円で取得し、関係会社株式勘定に計上した。決算日は両社とも3月31日である。X1年3月31日のP社およびS社の貸借対照表は次のとおりである。

P 社 貸 借 対 照 表　　　　（単位：百万円）

諸　資　産	60,000	諸　負　債	17,520
関 係 会 社 株 式	5,220	資　本　金	36,000
		利 益 剰 余 金	11,700
	65,220		65,220

S 社 貸 借 対 照 表　　　　（単位：百万円）

諸　資　産	12,000	諸　負　債	6,900
		資　本　金	3,000
		利 益 剰 余 金	2,100
	12,000		12,000

(2)　S社の諸資産のうち土地の帳簿価額は2,400百万円であり、その時価は3,900百万円である。

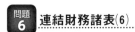問題 連結財務諸表(6)　　　　応用　20分　解答>>>145P

　下記の【資料】に基づいて、子会社の資産および負債の時価評価に全面時価評価法を採用した場合における当事業年度（X1年4月1日からX2年3月31日）の連結損益計算書、連結株主資本等変動計算書および連結貸借対照表を作成しなさい。なお、時価評価にともない計上される評価差額については税効果会計（法定実効税率：30%）を適用すること。

【資　料】

(1)　P社はX1年3月31日にS社の発行済株式総数の80%を5,220百万円で取得し、関係会社株式勘定に計上した。決算日は両社とも3月31日である。X1年3月31日のS社の貸借対照表は次のとおりであった。なお、諸資産のうち土地の帳簿価額は2,400百万円であり、その時価は3,900百万円である。

貸 借 対 照 表
X1年3月31日
（単位：百万円）

借　方　科　目	金　　額	貸　方　科　目	金　　額
諸　　資　　産	12,000	諸　　負　　債	6,900
		資　　本　　金	3,000
		利　益　剰　余　金	2,100
合　　　計	12,000	合　　　計	12,000

(2)　のれんは発生年度の翌年度から20年間で定額法により償却する。

(3)　P社およびS社のX2年3月31日における個別財務諸表は、次のとおりである。

損 益 計 算 書
自X1年4月1日　至X2年3月31日　　（単位：百万円）

借　方　科　目	P　社	S　社	貸　方　科　目	P　社	S　社
諸　　費　　用	52,500	14,100	諸　　収　　益	57,000	15,000
当　期　純　利　益	4,500	900			
合　　　計	57,000	15,000	合　　　計	57,000	15,000

38

株主資本等変動計算書
自X1年4月1日 至X2年3月31日 （単位：百万円）

| | 株 主 資 本 | | | | | |
| | 資 本 金 | | 利 益 剰 余 金 | | 株主資本合計 | |
	P社	S社	P社	S社	P社	S社
当 期 首 残 高	36,000	3,000	11,700	2,100	47,700	5,100
当 期 変 動 額						
剰余金の配当			△1,800	△ 300	△1,800	△ 300
当 期 純 利 益			4,500	900	4,500	900
当 期 末 残 高	36,000	3,000	14,400	2,700	50,400	5,700

貸 借 対 照 表
X2年3月31日 （単位：百万円）

借 方 科 目	P 社	S 社	貸 方 科 目	P 社	S 社
諸 資 産	68,100	14,400	諸 負 債	22,920	8,700
関 係 会 社 株 式	5,220		資 本 金	36,000	3,000
			利 益 剰 余 金	14,400	2,700
合 計	73,320	14,400	合 計	73,320	14,400

P社はX4年3月現在、S社の発行済議決権株式のうち70％を保有しており、これを子会社としている。そこで、次に示す【資料】に基づき、X3年度連結財務諸表を作成しなさい。

【資料1】

貸 借 対 照 表
X4年3月31日　　　　　　　　　　　　　　（単位：円）

資　　　　　産	P　社	S　社	負債・純資産	P　社	S　社
諸　　資　　産	119,750	87,500	諸　　負　　債	89,000	32,500
土　　　　　地	75,000	10,000	資　　本　　金	100,000	40,000
S　社　株　式	45,250	——	資　本　剰　余　金	5,000	5,000
			利　益　剰　余　金	46,000	20,000
	240,000	97,500		240,000	97,500

（単位：円）

株主資本等変動計算書（P社）		株主資本等変動計算書（S社）	
自X3年4月1日　至X4年3月31日		自X3年4月1日　至X4年3月31日	
資　　本　　金		資　　本　　金	
当　期　首　残　高	100,000	当　期　首　残　高	40,000
当　期　末　残　高	100,000	当　期　末　残　高	40,000
資　本　剰　余　金		資　本　剰　余　金	
当　期　首　残　高	5,000	当　期　首　残　高	5,000
当　期　末　残　高	5,000	当　期　末　残　高	5,000
利　益　剰　余　金		利　益　剰　余　金	
当　期　首　残　高	42,500	当　期　首　残　高	15,000
当　期　変　動　額		当　期　変　動　額	
剰　余　金　の　配　当	△9,000	剰　余　金　の　配　当	△2,500
当　期　純　利　益	12,500	当　期　純　利　益	7,500
当　期　末　残　高	46,000	当　期　末　残　高	20,000

損 益 計 算 書
自X3年4月1日　至X4年3月31日　　　（単位：円）

借 方 科 目	P 社	S 社	貸 方 科 目	P 社	S 社
諸　　費　　用	112,500	42,500	諸　　収　　益	114,500	48,600
当 期 純 利 益	12,500	7,500	受 取 配 当 金	10,500	1,400
	125,000	50,000		125,000	50,000

【資料2】解答上の留意事項

1．P社はX1年度末にS社（資本金40,000円、資本剰余金5,000円、利益剰余金14,000円）の発行済議決権株式の60％を37,500円で取得し、支配を獲得した。また、P社はX3年度末にS社の発行済議決権株式の10％を7,750円で追加取得した。

2．S社の土地（帳簿価額10,000円）のX1年度末およびX3年度末における時価は11,250円および13,550円である。なお、その他の資産および負債について、帳簿価額と時価の乖離は生じていない。

3．のれんは発行年度の翌年度から5年間で定額法により償却する。

4．税効果会計は無視する。

5．純資産の減少項目には「△」を付すこと。

P社は、X1年3月31日にS社の発行済議決権株式の80%を16,160円で取得し、支配を獲得した。X1年3月31日現在におけるS社の財政状態と、X2年3月31日現在におけるP社およびS社の貸借対照表は次のとおりである。なお、のれんは計上年度の翌年から10年で均等償却を行う。また、評価差額については、法人税等の実効税率を30%として税効果会計を適用する。これらの事項に基づいて、X2年3月31日現在における連結貸借対照表を作成しなさい。

X1年3月31日現在におけるS社貸借対照表

諸 資 産	諸 負 債	資 本 金	資本剰余金	利益剰余金
38,000円	20,000円	10,000円	5,000円	3,000円

なお、X1年3月31日時点におけるS社の諸資産の時価は42,000円、諸負債の時価は22,000円である。

貸 借 対 照 表
X2年3月31日 （単位：円）

資 産	P 社	S 社	負債・純資産	P 社	S 社
諸 資 産	64,000	42,000	諸 負 債	32,000	23,000
S 社 株 式	12,120	——	資 本 金	20,000	10,000
			資 本 剰 余 金	5,000	5,000
			利 益 剰 余 金	19,120	4,000
	76,120	42,000		76,120	42,000

なお、X2年3月31日時点におけるS社の諸資産の時価は46,000円、諸負債の時価は24,000円である。

P社がX2年3月31日に保有するS社株式の4分の1（20%）を5,040円で売却し、個別財務諸表上1,000円の子会社株式売却益を計上している。ただし、一部売却に関連する法人税等は考慮しなくてよい。

問題 9 連結財務諸表(9)　　　基礎　5分　解答 >>> 155P

下記の取引について、答案用紙にある連結修正仕訳を示しなさい。親会社P社および子会社S社の事業年度は、X5年4月1日からX6年3月31日までである。なお、法定実効税率は30%とする。

親会社P社は、子会社S社に対して次の条件で貸付けを行っている。なお、P社は金銭債権の期末残高に対して1%の貸倒引当金を設定している。なお、貸倒引当金の修正にあたっては税効果会計を適用すること。

貸 付 金 額	貸　　付　　日	返 済 期 日	金　　　　　利	利　　払　　日
3,000千円	X5年7月1日	X6年6月30日	年1.6%	12月末日、6月末日

問題 10 連結財務諸表(10)　　　基礎　7分　解答 >>> 157P

次の各問について、答案用紙にある連結修正仕訳を示しなさい。親会社P社および子会社S社の事業年度は同じである。なお、法定実効税率は30%とする。

問1　親会社P社は、子会社S社に対して当期より連結外部から仕入れた商品を、利益率10%でS社に掛けで販売している。当事業年度におけるP社からS社への売上高は6,600千円である。

　　S社の期末商品にはP社から仕入れた商品が1,500千円含まれている。

　　P社の期末売掛金のうちS社に対するものが3,000千円あり、P社は金銭債権の期末残高に対して1%の貸倒引当金を設定している。なお、未実現利益および貸倒引当金の修正にあたっては税効果会計を適用すること。

問2　親会社P社は、子会社S社に対して当期より連結外部から仕入れた商品を、利益率20%でS社に掛けで販売している。当事業年度におけるP社からS社への売上高は16,800千円であるが、その内、決算日直前に掛けで販売した900千円が子会社S社において未達であった。

　　S社の期末商品にはP社から仕入れた商品が3,600千円（未達分を除く）含まれている。なお、未実現利益の修正にあたっては税効果会計を適用すること。

問題 11 持分法　　　基礎　8分　解答 >>> 159P

P社は、X1年3月31日にA社の発行済株式総数の20%を150,000千円で取得し、A社を持分法適用会社とした。P社には他に連結子会社があり、連結財務諸表を作成しているという前提で、以下の【資料】に基づいて、設問(1)〜(3)に答えなさい。会計

年度は連結・個別ともに3月31日を決算日とする1年間である。

〈付記事項〉

・のれんは持分法適用時の翌年度から10年で毎期均等償却する。

・税効果会計は無視すること。

【資料1】X1年3月31日（持分法適用時）におけるA社の貸借対照表

貸 借 対 照 表
X1年3月31日　　　　　　　　　　（単位：千円）

諸　　資　　産	1,600,000	諸　　負　　債	1,000,000
土　　　　地	100,000	資　　本　　金	500,000
		利　益　剰　余　金	200,000
	1,700,000		1,700,000

X1年3月31日における土地の時価は120,000千円であった。その他の資産、負債に時価と帳簿価額との相違はない。

【資料2】X1年度（X1年4月1日〜X2年3月31日）

X2年3月31日におけるA社の利益剰余金は250,000千円であった。なお、期中に剰余金の配当および処分は行っていない。

【資料3】X2年度（X2年4月1日〜X3年3月31日）

1. X3年3月31日におけるA社の利益剰余金は330,000千円であった。なお、期中に剰余金の配当および処分は行っていない。
2. X2年度からA社はP社と商品売買取引を開始した。この取引で、P社がA社に商品を販売する際の利益率は毎期25％である。A社は期末においてP社から仕入れた商品30,000千円を保有している。

〈設問〉

(1) X1年度の連結損益計算書におけるA社株式に係る持分法による投資損益の金額を答えなさい（損失の場合には金額の前に△を付すこと。以下の問いも同様）。

(2) X1年度連結貸借対照表におけるA社株式に係る持分法投資額を答えなさい。

(3) X2年度連結貸借対照表におけるA社株式に係る持分法投資額を答えなさい。

Chapter 7　キャッシュ・フロー計算書

1 キャッシュ・フロー計算書(1)　基礎 ⏱10分 解答>>>161P

　次の【資料】に基づいて、直接法によるキャッシュ・フロー計算書を作成しなさい。
なお、金額がマイナスになる場合には、金額の前に△の符号を付すこと。

【資料1】財務諸表

比 較 貸 借 対 照 表　（単位：千円）

借 方 科 目	前 期	当 期	貸 方 科 目	前 期	当 期
現 金 及 び 預 金	508,000	621,160	支 払 手 形・買 掛 金	192,800	208,000
受 取 手 形・売 掛 金	322,000	278,000	未 払 法 人 税 等	116,560	92,000
貸 倒 引 当 金	△ 6,440	△ 5,560	未 払 費 用	2,600	2,120
商　　　　品	34,000	32,000	賞 与 引 当 金	4,000	4,800
未 収 収 益	2,800	3,600	資 本 金	800,000	1,200,000
建　　　　物	2,080,000	1,920,000	資 本 準 備 金	600,000	600,000
減価償却累計額	△561,600	△460,800	その他資本剰余金	160,000	160,000
建 設 仮 勘 定	——	400,000	利 益 準 備 金	100,000	100,000
長 期 貸 付 金	320,000	360,000	新 築 積 立 金	——	400,000
			別 途 積 立 金	60,000	60,000
			繰 越 利 益 剰 余 金	662,800	321,480
合　　　　計	2,698,760	3,148,400	合　　　　計	2,698,760	3,148,400

損 益 計 算 書　　　　　　　　　　（単位：千円）

借　方　科　目	金　　額	貸　方　科　目	金　　額
売　上　原　価	880,000	売　　上　　高	1,524,000
人　　件　　費	137,600	受　取　利　息	24,800
その他の営業費	83,400	固定資産売却益	21,920
減　価　償　却　費	33,120		
貸倒引当金繰入額	1,120		
賞与引当金繰入額	4,800		
法　人　税　等	172,000		
当　期　純　利　益	258,680		
合　　　　計	1,570,720	合　　　　計	1,570,720

株主資本等変動計算書　　　　　　　　　（単位：千円）

	株　主　資　本										純資産合計
	資本金	資本剰余金			利益剰余金					株主資本合計	
		資本準備金	その他資本剰余金	資本剰余金合計	利益準備金	その他利益剰余金			利益剰余金合計		
						新築積立金	別途積立金	繰越利益剰余金			
当期首残高	800,000	600,000	160,000	760,000	100,000	――	60,000	662,800	822,800	2,382,800	2,382,800
当期変動額											
新株の発行	400,000									400,000	400,000
剰余金の配当								△200,000	△200,000	△200,000	△200,000
新築積立金の積立						400,000		△400,000			
当期純利益								258,680	258,680	258,680	258,680
当期変動額合計	400,000	――	――	――	――	400,000	――	△341,320	58,680	458,680	458,680
当期末残高	1,200,000	600,000	160,000	760,000	100,000	400,000	60,000	321,480	881,480	2,841,480	2,841,480

【資料２】

1　前期末の現金及び預金は、すべて現金及び現金同等物である。なお、前期末において、現金及び預金以外に現金同等物に該当するものはない。

2　経過勘定の内訳は、次に示すとおりである。

　⑴　未収収益：受取利息

　⑵　未払費用：人件費

3　期中において建物（取得原価160,000千円、期首減価償却累計額129,600千円）を売却している。なお、損益計算書の減価償却費のうち4,320千円は当該建物に係るものである。

4　建設仮勘定は、建物の取得のために支出したものである。

5　剰余金の配当はすべて金銭によるものである。

問題 2 キャッシュ・フロー計算書(2)　　　応用　⏱10分　解答>>>164P

問題1 の【資料】に基づいて、間接法によるキャッシュ・フロー計算書（営業活動によるキャッシュ・フローの小計の区分まで）を作成しなさい。なお、金額がマイナスになる場合には、金額の前に△の符号を付すこと。

問題 3 キャッシュ・フロー計算書(3)　　　応用　⏱20分　解答>>>166P

G社のX1年度（X1年4月1日〜X2年3月31日）における以下の【資料】を参照して、空欄　①　〜　⑥　の金額を求めなさい。

〈解答上の注意事項〉

・（　）の金額は各自推定すること。

・金額がマイナスの場合には、前に△を付すこと。

【資料1】貸借対照表

貸 借 対 照 表　　　　　　（単位：千円）

借　　　方	X1年3月31日	X2年3月31日	貸　　　方	X1年3月31日	X2年3月31日
現　　　　　金	3,200	①	支払手形及び買掛金	11,000	②
定 期 預 金	10,000	11,000	短 期 借 入 金	8,000	9,600
受取手形及び売掛金	12,800	14,400	未 払 利 息	240	320
貸 倒 引 当 金	△800	△1,080	未 払 法 人 税 等	12,000	10,000
商　　　　　品	12,000	13,200	長 期 借 入 金	20,000	25,000
未 収 利 息	40	80	資　　本　　金	180,000	180,000
短 期 貸 付 金	4,000	4,800	資 本 準 備 金	8,000	8,000
有 形 固 定 資 産	320,000	(　　　)	利 益 準 備 金	16,000	(　　　)
減価償却累計額	△96,000	△128,000	繰越利益剰余金	24,000	③
投 資 有 価 証 券	14,000	(　　　)			
	279,240	(　　　)		279,240	(　　　)

注：定期預金の内訳は以下の通りである。当社では、預入期間3カ月以内の定期預金は、キャッシュ・フロー計算書において現金同等物として扱う。したがって、現金勘定の残高とキャッシュ・フロー計算書の現金及び現金同等物の金額は一致していない。

預入期間	期　　首	期　　末
3カ月	2,000千円	2,500千円
1年	8,000千円	8,500千円

【資料２】損益計算書

<u>損益計算書</u>

X1年４月１日～X2年３月31日　（単位：千円）

売　上　高	720,000
売　上　原　価	432,000
売　上　総　利　益	288,000
販売費及び一般管理費	
営　業　費	221,360
貸倒引当金繰入額	600
減　価　償　却　費	32,000
営　業　利　益	34,040
営業外収益	
受　取　利　息	240
受　取　配　当　金	2,400
営業外費用	
支　払　利　息	1,280
税引前当期純利益	35,400
法　人　税　等	15,920
当　期　純　利　益	19,480

（注）営業費には人件費が含まれている。

48

【資料３】キャッシュ・フロー計算書

キャッシュ・フロー計算書
X1年4月1日〜X2年3月31日 （単位：千円）

営業活動によるキャッシュ・フロー

営業収入　　　　　　　　　　　　　　　　　　④

商品の仕入による支出　　　　　　　　　　△430,200

営業支出（人件費の支出を含む）　　　　　△221,360

　　　小計　　　　　　　　　　　　　　　（　　　　　）

利息及び配当金の受取額　　　　　　　　　　2,600

利息の支払額　　　　　　　　　　　　　　（　　　　　）

法人税等の支払額　　　　　　　　　　　　（　　　　　）

営業活動によるキャッシュ・フロー　　　　（　　　　　）

投資活動によるキャッシュ・フロー

有形固定資産の取得による支出及び売却による収入※　　△36,000

貸付による支出及び貸付金の回収による収入※　　（　　　　　）

定期預金の預入による支出及び払戻による収入※　　△500

投資活動によるキャッシュ・フロー　　　　　⑤

財務活動によるキャッシュ・フロー

借入れによる収入及び借入金の返済による支出※　　6,600

配当金の支払額　　　　　　　　　　　　　△18,000

財務活動によるキャッシュ・フロー　　　　△11,400

現金及び現金同等物の増減額　　　　　　　　⑥

現金及び現金同等物の期首残高　　　　　　　5,200

現金及び現金同等物の期末残高　　　　　　（　　　　　）

（注）※の金額は収支の純額で記載している。さらに、キャッシュ・フローの純額がゼロの場合は、記載自体を省略している。

【資料4】

1. 売上及び仕入は、掛取引または手形取引により行われている。また、受取手形及び売掛金の回収、支払手形及び買掛金の支払いは現金により行われている。
2. 貸倒引当金の設定対象は、売上債権のみである。
3. 当期中に現金配当18,000千円を行い、これに伴う利益準備金の積立を会社法に従って行った。それ以外に剰余金の処分は行っていない。
4. 当期において、貸付金、有形固定資産、投資有価証券、借入金の変動は、すべて現金取引によって生じたものである。
5. 当期における営業費（人件費を含む）、法人税等の支払い、利息及び配当金の受取り・支払いは現金により行われている。

問題4 キャッシュ・フロー計算書と総勘定元帳　応用　⏱20分　解答>>>172P

次の【資料】を参照して、空欄①〜⑥に入る金額を答えなさい。

（解答上の留意事項）

1　【資料】から判明すること以外は考慮する必要はない。
2　総勘定元帳の諸勘定は、便宜上、千円単位で表示しており、千円未満の端数はない。
3　期中に取得・売却した固定資産の減価償却費の計算は、月割とする。

【資料1】キャッシュ・フロー計算書（直接法、一部）

キャッシュ・フロー計算書
自X1年4月1日　至X2年3月31日　（単位：千円）

営業活動によるキャッシュ・フロー		
営業収入		609,900
商品の仕入れによる支出	△	340,000
人件費の支出	△	140,000
その他の営業支出	△	30,000
小計		99,900
⋮		
投資活動によるキャッシュ・フロー		
有形固定資産の取得による支出	△	48,000

有形固定資産の売却による収入		19,100
投資活動によるキャッシュ・フロー	△	28,900

⋮

【資料２】総勘定元帳（一部）

大陸式簿記法で記帳している。

開　始　残　高			（単位：千円）
支 払 手 形	40,000	現 金 預 金	省略
買　　掛　　金	110,000	受 取 手 形	30,000
退 職 給 付 引 当 金	11,000	売　　掛　　金	145,000
貸 倒 引 当 金	3,500	繰 越 商 品	100,000
減 価 償 却 累 計 額	65,600	建　　　　　物	140,000

損		益	（単位：千円）
仕　　　　　入	（　　①　　）	売　　　　上	（　　②　　）
商 品 評 価 損	2,000		
給　　　　　料	139,400		
貸 倒 引 当 金 繰 入 額	2,100		
退 職 給 付 費 用	（　　③　　）		
減 価 償 却 費	（　　④　　）		
手 形 売 却 損	100		
固 定 資 産 売 却 損	（　　⑤　　）		

閉　鎖　残　高			（単位：千円）
現 金 預 金	省略	支 払 手 形	30,000
受 取 手 形	20,000	買　　掛　　金	130,000
売　　掛　　金	160,000	未　　払　　金	72,000
繰 越 商 品	128,000	退 職 給 付 引 当 金	12,000
建　　　　物	（　　　　　）	貸 倒 引 当 金	3,600
		減 価 償 却 累 計 額	（　　⑥　　）

【資料3】 その他の事項
1 商品売買取引は、全て掛けで行っている。
2 当期中、売掛金の支払いとして、約束手形110,000千円の裏書譲渡を受けた。
3 当期中、売掛金の支払いとして受け取っていた約束手形10,000千円を取引銀行で割り引き、手取金は当座預金に預け入れた。なお、キャッシュ・フロー計算書では手取額を収入として計上している。
4 期首の売掛金の一部が貸し倒れた。金額は各自推定すること。
5 当期中、買掛金の支払いとして、約束手形90,000千円を振り出した。
6 当期中、買掛金の支払いとして振り出していた約束手形100,000千円が、当座預金で決済された。
7 退職一時金500千円と年金掛金100千円を当座預金からの口座振替で支払った。
8 X1年6月30日、建物A（取得原価：60,000千円、残存価額：0円、耐用年数：50年、償却方法：定額法、使用期間：32年3カ月）を売却処分し、代金は当座預金に預け入れた。
9 建物B（取得原価：80,000千円、残存価額：0円、耐用年数：50年、償却方法：定額法）は、当期末までに18年間使用している。
10 X1年12月1日、建物C（取得原価：各自推定、残存価額：0円、耐用年数：50年、償却方法：定額法）を取得し、代金の一部は小切手を振り出して支払い、残額72,000千円はX2年度に支払うこととした。

問題集

解答・解説

Chapter 1

会計上の変更・誤謬の訂正

解答 1 **会計方針の変更**

	日付	時間	学習メモ
1回目	／	／5分	
2回目	／	／5分	
3回目	／	／5分	

問1 (単位：千円)

借　方　科　目	金　　　額	貸　方　科　目	金　　　額
繰　越　商　品	2,000	繰越利益剰余金	2,000

問2

決算整理後残高試算表　　　（単位：千円）

繰　越　商　品　（　38,000)	繰越利益剰余金　（　202,000)
仕　　　　　　　入　（　309,000)	

解説 （仕訳の単位：千円）

1 **遡及適用に関する修正仕訳**

（繰　越　商　品）	2,000 *	（繰越利益剰余金）	2,000

* 総平均法の当期首残高：30,000千円 ┐
　先入先出法の当期首残高：32,000千円 ◀─┘ ＋2,000千円

2 **決算整理仕訳（売上原価の算定）**

（仕　　　　　　入）	32,000	（繰　越　商　品）	32,000 *1
（繰　越　商　品）	38,000 *2	（仕　　　　　　入）	38,000

* 1　先入先出法の当期首残高
* 2　先入先出法の当期末残高

54

出題論点

・会計方針の変更が行われた場合の会計処理

学習のポイント

・棚卸資産の会計方針の変更が行われた場合、新たな会計方針を遡及適用し、当期首残高（前期末残高）の金額に反映することになります。
・遡及適用したことによる累積的影響額は、当期首の繰越利益剰余金として処理する点をおさえましょう。

会計上の見積りの変更

	日付	時間	学習メモ
1回目	／	／6分	
2回目	／	／6分	
3回目	／	／6分	

決算整理後残高試算表　　　　　（単位：千円）

備　　　　　品	810,000	減価償却累計額	（　292,500）
減 価 償 却 費	（　146,250）		

解説　（仕訳の単位：千円）

1　備品X（当期首に変更した場合）

　当期首に固定資産の耐用年数を変更した場合、当期の減価償却は「変更後の耐用年数」に基づいて金額を算定します。

（減 価 償 却 費）	90,000 *	（減価償却累計額）	90,000

$$* \quad (360{,}000\,千円 - 360{,}000\,千円 \times \frac{2\,年}{8\,年}) \times \frac{1\,年}{変更後の耐用年数5\,年 - 償却済年数2\,年}$$
$$= 90{,}000\,千円$$

2　備品Y（当期末に変更した場合）

　当期末に固定資産の耐用年数を変更した場合、当期の減価償却は「変更前の耐用年数」に基づいて金額を算定します。

| （減　価　償　却　費） | 56,250 * | （減価償却累計額） | 56,250 |

* $450,000 \text{千円} \times \dfrac{1\text{年}}{8\text{年}} = 56,250 \text{千円}$

〈参考〉 備品Yの翌期の減価償却

| （減　価　償　却　費） | 112,500 * | （減価償却累計額） | 112,500 |

* （450,000 千円 − 56,250 千円 − 56,250 千円）÷（5 年 − 2 年）= 112,500 千円

 出題論点

・会計上の見積りの変更が行われた場合の会計処理
・有形固定資産等の耐用年数の変更が行われた時点による会計処理の違い

 学習のポイント

・本問は、会計上の見積りの変更なので、当該変更は将来にわたり会計処理を行う点をおさえましょう。
・当期首に耐用年数の変更が行われた場合には、当期首から耐用年数の変更を反映させ、当期末に耐用年数の変更が行われた場合には、翌期から耐用年数の変更を反映させる点をおさえましょう。

 解答 3 **過去の誤謬の訂正**

	日付	時間	学習メモ
1回目	／	／10分	
2回目	／	／10分	
3回目	／	／10分	

問1

(1) 商品　　　　　　　　　　　　　　　　　　　　　　　（単位：千円）

借　方　科　目	金　　　額	貸　方　科　目	金　　　額
繰越利益剰余金	3,500	繰　越　商　品	3,500

(2) 備品　　　　　　　　　　　　　　　　　　　　　　　（単位：千円）

借　方　科　目	金　　　額	貸　方　科　目	金　　　額
備　　　　　　品	6,500	繰越利益剰余金	6,500

(3) 営業費　　　　　　　　　　　　　　　　　　　　　　（単位：千円）

借　方　科　目	金　　　額	貸　方　科　目	金　　　額
繰越利益剰余金	150	営　　業　　費	150

問2

決算整理後残高試算表　　　　　　（単位：千円）

繰　越　商　品	（　　32,000）	未　払　営　業　費	（　　　200）
備　　　　　品	（　　86,500）	繰越利益剰余金	（　202,850）
仕　　　　　入	（　309,500）		
営　　業　　費	（　　9,650）		
減　価　償　却　費	（　　25,000）		

解説　（仕訳の単位：千円）

1　誤謬の訂正に関する修正仕訳

前期以前の累積的影響額を反映させます。

(1) 商品

（繰越利益剰余金）	3,500	（繰　越　商　品）	3,500

(2) 備品

（備　　　　　品）	6,500	（繰越利益剰余金）	6,500

(3) 営業費

（繰越利益剰余金）	150	（営　　業　　費）	150

（参考）営業費の仕訳の考え方

(1) 未払営業費の誤謬の訂正

（繰越利益剰余金）	150	（未 払 営 業 費）	150

(2) 当期首（再振替）

（未 払 営 業 費）	150	（営　　業　　費）	150

2 決算整理仕訳

(1) 売上原価の算定

（仕　　　　　入）	26,500	（繰 越 商 品）	26,500 ＊
（繰 越 商 品）	32,000	（仕　　　　　入）	32,000

＊ 訂正前繰越商品 30,000 千円 − 3,500 千円 = 26,500 千円

(2) 減価償却費の計上

（減 価 償 却 費）	25,000	（備　　　　　品）	25,000

(3) 営業費の見越計上

（営　　業　　費）	200	（未 払 営 業 費）	200

 出題論点

・過去の誤謬を訂正した場合の会計処理

 学習のポイント

・過去の誤謬を訂正した場合は、修正再表示による累積的影響額を当期首の繰越
利益剰余金に反映させる点をおさえましょう。

Chapter 2

外貨建取引等

解答 1 **外貨建取引(1)**

	日付	時間	学習メモ
1回目	／	／10分	
2回目	／	／10分	
3回目	／	／10分	

（単位：円）

		借　方　科　目	金　　額	貸　方　科　目	金　　額
取引1	(1)	仕　　　　　　入	14,400	買　　掛　　金	14,400
	(2)	買　　掛　　金	14,400	現　　　　　金	13,200
				為　替　差　損　益	1,200
取引2	(1)	前　　渡　　金	30,000	現　　　　　金	30,000
	(2)	仕　　　　　　入	145,200	前　　渡　　金	30,000
				買　　掛　　金	115,200
	(3)	買　　掛　　金	57,600	現　　　　　金	55,200
				為　替　差　損　益	2,400
取引3	(1)	売　　掛　　金	30,000	売　　　　　上	30,000
	(2)	当　座　預　金	14,400	売　　掛　　金	15,000
		為　替　差　損　益	600		
取引4	(1)	当　座　預　金	14,400	前　　受　　金	14,400
	(2)	前　　受　　金	14,400	売　　　　　上	69,600
		売　　掛　　金	55,200		
	(3)	当　座　預　金	52,800	売　　掛　　金	55,200
		為　替　差　損　益	2,400		

解答・解説

CH 2

59

解説

【取引1】
(1) 仕入：120ドル×HR120円＝14,400円
(2) 現金：120ドル×HR110円＝13,200円
　　為替差損益：貸借差額

【取引2】
(1) 前渡金：240ドル×HR125円＝30,000円
(2) 買掛金：（1,200ドル－240ドル）×HR120円＝115,200円
　　仕入：前渡金30,000円＋買掛金115,200円＝145,200円
(3) 買掛金：480ドル×HR120円＝57,600円
　　現金：480ドル×HR115円＝55,200円
　　為替差損益：貸借差額

【取引3】
(1) 売上：240ドル×HR125円＝30,000円
(2) 当座預金：120ドル×HR120円＝14,400円
　　為替差損益：貸借差額

【取引4】
(1) 前受金：120ドル×HR120円＝14,400円
(2) 売掛金：（600ドル－120ドル）×HR115円＝55,200円
　　売上：前受金14,400円＋売掛金55,200円＝69,600円
(3) 当座預金：480ドル×HR110円＝52,800円
　　為替差損益：貸借差額

 出題論点

・外貨建の商品取引
・取引日および決済日の会計処理

 学習のポイント

・外貨建取引の問題では、どの為替相場を用いるのかという点、およびどの時点
　で為替差損益を算定するのかがポイントになります。

解答 2 外貨建取引(2)

	日付	時間	学習メモ
1回目	／	／6分	
2回目	／	／6分	
3回目	／	／6分	

問1

(単位：円)

	借 方 科 目	金 額	貸 方 科 目	金 額
(1)	売 掛 金	1,200	為 替 差 損 益	1,200
(2)	為 替 差 損 益	7,200	貸 付 金	7,200
	未 収 利 息	4,392	受 取 利 息	4,392
(3)	為 替 差 損 益	960	支 払 手 形	960
(4)	仕 訳 不 要			

問2

決算整理後残高試算表　　　　(単位：円)

売 掛 金	(300,000)	支 払 手 形	(216,960)
貸 付 金	(292,800)	前 受 金	(14,520)
未 収 利 息	(4,392)	受 取 利 息	(4,392)
為 替 差 損 益	(480)		

解説

(1) 売掛金
　① 売掛金の外貨ベースの金額：72,000円 ÷ HR120円 = 600ドル
　② 帳簿価額：　　　　　　　　　　72,000円 ┐
　　　CR換算額：600ドル × CR122円 = 73,200円 ◄──┘ +1,200円
(2) 貸付金
　① 貸付金の外貨ベースの金額：300,000円 ÷ HR125円 = 2,400ドル
　② 帳簿価額：　　　　　　　　　　300,000円 ┐
　　　CR換算額：2,400ドル × CR122円 = 292,800円 ◄──┘ △7,200円

③ 未収利息の外貨額：$2,400 \text{ ドル} \times 6\% \times \dfrac{3 \text{ カ月}}{12 \text{ カ月}} = 36 \text{ ドル}$

CR換算額：$36 \text{ ドル} \times \text{CR122円} = 4,392 \text{円}$

(3) 支払手形

① 支払手形の外貨ベースの金額：$57,600 \text{円} \div \text{HR120円} = 480 \text{ ドル}$

② 帳簿価額：　　　　　　　　　57,600円 ┐

CR換算額：$480 \text{ ドル} \times \text{CR122円} = 58,560 \text{円}$ ◀── ┘ ＋960円

(4) 前受金は、金銭債務に該当しないため期末に換算替えは行いません。

(5) 為替差損益

決算整理前残高試算表の貸方に為替差損益6,480円があることに注意してください。

為　替　差　損　益

(2) 貸付金 7,200円	前T／Bの金額　6,480円
	(1) 売掛金　1,200円
(3) 支払手形　960円	⇦後T／B　480円

 出題論点

・決算時の会計処理

 学習のポイント

・現金預金や金銭債権など資産、負債の多くは、CR換算をします。しかし、前受金のように換算替えをしないものがあるので、明確に区別できるようにしましょう。

 外貨建有価証券(1)

	日付	時間	学習メモ
1回目	／	／3分	
2回目	／	／3分	
3回目	／	／3分	

問1 有価証券 | 259,650 | 円

問2

決算整理後残高試算表　　　　（単位：円）

有　価　証　券　（　　252,000）
有価証券評価損益　（　　　7,650）

解説 （仕訳の単位：円）

(1) 前T / B有価証券の 各自推定 の金額
A社株式：1,410ドル×HR115円＝162,150円 ┐ 合計259,650円
B社株式：975ドル×HR100円＝97,500円 ┘

(2) 決算整理

| （有価証券評価損益） | 7,650 | （有　価　証　券） | 7,650 * |

＊　円貨取得原価：　　　　　　　　　　　　　　　　　　259,650円 ┐
　　円貨時価：（A株1,440ドル＋B株960ドル）×CR105円＝252,000円 ◄┘ △7,650円

〈A社株式〉

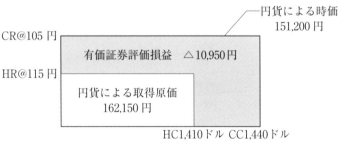

〈B社株式〉

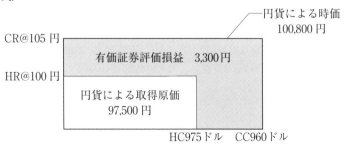

出題論点

・外貨建有価証券（売買目的有価証券）

学習のポイント

・円貨の時価を求めるための計算過程をしっかりおさえましょう。

外貨建有価証券(2)

	日付	時間	学習メモ
1回目	／	／5分	
2回目	／	／5分	
3回目	／	／5分	

問1　投資有価証券 ⬚ 230,850 ⬚ 円

　　　　有価証券利息 ⬚ 5,670 ⬚ 円

問2

決算整理後残高試算表		（単位：円）
投 資 有 価 証 券 （　　230,850）	有 価 証 券 利 息 （　　11,070）	
	為 替 差 損 益 （　　24,570）	

（※ 投資有価証券 260,820）

解説　（仕訳の単位：円）

1　前T/Bの各自推定の金額

(1)　投資有価証券：外貨取得原価2,430ドル× HR95円 = 230,850円

(2)　有価証券利息：額面2,700ドル× 2％×利払日HR105円 = 5,670円

2 決算整理

(1) 金利調整差額の償却

（投 資 有 価 証 券）	5,400 *	（有 価 証 券 利 息）	5,400

* 外貨償却額：$(2,700 \text{ドル} - 2,430 \text{ドル}) \times \dfrac{12 \text{カ月}}{60 \text{カ月}} = 54 \text{ドル}$

　円貨償却額：$54 \text{ドル} \times \text{AR}100 \text{円} = 5,400 \text{円}$

(2) 期末換算替え

（投 資 有 価 証 券）	24,570 *	（為 替 差 損 益）	24,570

*① 外貨償却原価：外貨取得原価 2,430 ドル + 外貨償却額 54 ドル = 2,484 ドル
　② 評価額：外貨償却原価 2,484 ドル × CR105 円 = 260,820 円
　③ 換算差額：
　　円貨償却原価：円貨取得原価 230,850 円 + 円貨償却額 5,400 円 = 236,250 円 ┐
　　評 価 額：　　　　　　　　　　　　　　　　　　　　　260,820 円 ◀ ┘ + 24,570 円

〈H社社債〉

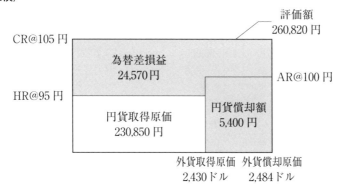

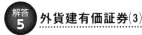

	日付	時間	学習メモ
1回目	／	／8分	
2回目	／	／8分	
3回目	／	／8分	

問1　投資有価証券 ☐ 160,845 円

　　　関係会社株式 ☐ 36,000 円

問2

決算整理後残高試算表　　　　　　　（単位：円）

投 資 有 価 証 券	（ 165,375）	繰 延 税 金 負 債	（ 2,025）
関 係 会 社 株 式	（ 36,000）	その他有価証券評価差額金	（ 3,171）
繰 延 税 金 資 産	（ 666）		

問3

決算整理後残高試算表　　　　　　　（単位：円）

投 資 有 価 証 券	（ 165,375）	繰 延 税 金 負 債	（ 2,025）
関 係 会 社 株 式	（ 36,000）	その他有価証券評価差額金	（ 4,725）
繰 延 税 金 資 産	（ 666）	法 人 税 等 調 整 額	（ 666）
投資有価証券評価損益	（ 2,220）		

解説　（仕訳の単位：円）

問1　前T／Bの各自推定の金額

(1)　投資有価証券

　　　E社株式：675ドル×HR95円＝64,125円 ⎫
　　　F社株式：1,040ドル×HR93円＝96,720円 ⎬ 合計 160,845円

(2)　関係会社株式

　　　G社株式：360ドル×HR100円＝36,000円

問2　全部純資産直入法・決算整理仕訳

(1)　E社株式

（投 資 有 価 証 券）	6,750 *1	（繰 延 税 金 負 債）	2,025 *2
		（その他有価証券評価差額金）	4,725 *3

＊1　円貨取得原価：　　　　　　　　　　　　64,125 円 ┐
　　　評　価　額：675 ドル × CR105 円 = 70,875 円 ◄┘ ＋ 6,750 円

＊2　評価差額 6,750 円 × 30% = 2,025 円

＊3　評価差額 6,750 円 − 税効果相当額 2,025 円 = 4,725 円

評価額
70,875 円

CR@105 円

評価差額　6,750 円

HR@95 円

円貨による取得原価
64,125 円

HC675 ドル

(2)　F社株式

（繰 延 税 金 資 産）	666 *2	（投 資 有 価 証 券）	2,220 *1
（その他有価証券評価差額金）	1,554 *3		

＊1　円貨取得原価：　　　　　　　　　　　　96,720 円 ┐
　　　円 貨 時 価：900 ドル × CR105 円 = 94,500 円 ◄┘ △2,220 円

＊2　評価差額 2,220 円 × 30% = 666 円

＊3　評価差額 2,220 円 − 税効果相当額 666 円 = 1,554 円

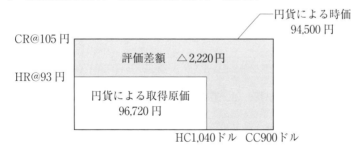

円貨による時価
94,500 円

CR@105 円

評価差額　△2,220 円

HR@93 円

円貨による取得原価
96,720 円

HC1,040 ドル　CC900 ドル

(3)　G社株式

仕　訳　不　要

問3 部分純資産直入法・決算整理仕訳

(1) E社株式

（投 資 有 価 証 券）	6,750 *1	（繰 延 税 金 負 債）	2,025 *2
		（その他有価証券評価差額金）	4,725 *3

* 1　円貨取得原価：　　　　　　　64,125 円 ┐
　　　評　価　額：675 ドル × CR105 円 = 70,875 円 ◄┘ + 6,750 円
* 2　評価差額 6,750 円 × 30% = 2,025 円
* 3　評価差額 6,750 円 - 税効果相当額 2,025 円 = 4,725 円

(2) F社株式

（投資有価証券評価損益）	2,220	（投 資 有 価 証 券）	2,220 *

* 　円貨取得原価：　　　　　　　96,720 円 ┐
　　円 貨 時 価：900 ドル × CR105 円 = 94,500 円 ◄┘ △ 2,220 円

(3) G社株式

仕　　訳　　な　　し

(4) 税効果会計

（繰 延 税 金 資 産）	666 *	（法 人 税 等 調 整 額）	666

* 　一時差異 2,220 円（F社株式）× 30% = 666 円

✓ **出題論点**

・外貨建有価証券（その他有価証券・関係会社株式）

✓ **学習のポイント**

・その他有価証券（株式等）は、市場価格があるか否かで計算方法が変わるので、注意しましょう。
・関係会社株式は、期末の換算替えは行わない点に注意しましょう。

解答 6 外貨建有価証券(4)

	日付	時間	学習メモ
1回目	／	／3分	
2回目	／	／3分	
3回目	／	／3分	

決算整理後残高試算表　　　　（単位：円）

投 資 有 価 証 券 （　　15,120）
関 係 会 社 株 式 （　　50,400）
投資有価証券評価損 （　　21,600）
関係会社株式評価損 （　　50,400）

解説　（仕訳の単位：円）

(1) J社株式

（投資有価証券評価損）　21,600　　　（投 資 有 価 証 券）　21,600 *

＊　円貨取得原価：360ドル × HR102円 = 36,720円 ┐
　　円 貨 時 価：144ドル × CR105円 = 15,120円 ◄─┘ △21,600円

(2) K社株式

（関係会社株式評価損）　50,400　　　（関 係 会 社 株 式）　50,400 *

＊　実質価額：@3ドル × 160株 = 480ドル
　　円貨取得原価：1,008ドル × HR100円 = 100,800円 ┐
　　円貨実質価額：480ドル × CR105円 = 50,400円 ◄─┘ △50,400円

✓ 出題論点

・外貨建有価証券（減損処理）

✓ 学習のポイント

・減損処理を行うかの判定は、外貨ベースで行う点に注意しましょう。

	日付	時間	学習メモ
1回目	／	／6分	
2回目	／	／6分	
3回目	／	／6分	

（単位：円）

	借　方　科　目	金　　額	貸　方　科　目	金　　額
(1)	仕　　　　　　入	43,200	買　　掛　　金	43,200
(2)	仕　訳　な　し			
(3)	買　　掛　　金	4,680	為　替　差　損　益	4,680
	為　替　差　損　益	1,800	為　替　予　約	1,800
(4)	買　　掛　　金	38,520	現　金　預　金	36,000
			為　替　差　損　益	2,520
	為　替　予　約	1,800	現　金　預　金	3,600
	為　替　差　損　益	1,800		

解説（仕訳の単位：円）

(1) 取引日

（仕　　　　　入）　43,200　（買　　掛　　金）　43,200 *

＊　360 ドル × SR120 円 = 43,200 円

(2) 為替予約日（買予約）

仕　訳　な　し

(3) 決算日

① 買掛金の期末換算

（買　　掛　　金）　4,680 *　（為　替　差　損　益）　4,680

＊　帳簿価額：　　　　　　　　　　43,200 円 ─┐
　　期末換算額：360 ドル × CR107 円 = 38,520 円 ◀─┘ △4,680 円（差益）

② 為替予約

| （為　替　差　損　益） | 1,800 | （為　替　予　約） | 1,800 * |

* 360 ドル×（決算日 FR105 円－予約日 FR110 円）＝△1,800 円（差損）

(4) 決済日

① 買掛金の決済による支出額

| （買　　　掛　　　金） | 38,520 | （現　金　預　金） | 36,000 *1 |
| | | （為　替　差　損　益） | 2,520 *2 |

*1　360 ドル× SR100 円＝ 36,000 円
*2　貸借差額

② 為替予約の決済

| （為　替　予　約） | 1,800 | （現　金　預　金） | 3,600 *1 |
| （為　替　差　損　益） | 1,800 *2 | | |

*1　(a)　外貨支出額：360 ドル×予約日 FR110 円＝ 39,600 円
　　(b)　円貨収入額：360 ドル× SR100 円＝ 36,000 円
　　∴　収入 36,000 円－支出 39,600 円＝△3,600 円（支出超過）
*2　貸借差額

✓ **出題論点**

・為替予約（独立処理・買予約）

✓ **学習のポイント**

・独立処理では、ヘッジ対象（外貨建取引）とヘッジ手段（為替予約）を別々に
　仕訳していく必要があります。
・買予約の場合、円高になると為替差損が生じ、円安になると為替差益が生じる
　点をしっかりおさえましょう。

	日付	時間	学習メモ
1回目	／	／6分	
2回目	／	／6分	
3回目	／	／6分	

(単位：円)

	借 方 科 目	金 額	貸 方 科 目	金 額
(1)	売 掛 金	12,120	売 上	12,120
(2)	仕 訳 な し			
(3)	売 掛 金	840	為 替 差 損 益	840
	為 替 差 損 益	720	為 替 予 約	720
(4)	現 金 預 金	12,600	売 掛 金	12,960
	為 替 差 損 益	360		
	為 替 予 約	720	現 金 預 金	600
			為 替 差 損 益	120

解説 （仕訳の単位：円）

(1) 取引日

（売 掛 金)	12,120 *	（売 上)	12,120

＊ 120 ドル× SR101 円 = 12,120 円

(2) 為替予約日（売予約）

仕 訳 な し

(3) 決算日

① 売掛金の期末換算替え

（売 掛 金)	840 *	（為 替 差 損 益)	840

＊ 帳 簿 価 額： 12,120 円 ┐
　 期末換算額：120 ドル× CR108 円 = 12,960 円 ◀ ┘ + 840 円（差益）

② 為替予約

(為 替 差 損 益)	720	(為 替 予 約)	720 *

  *　120 ドル×（予約日 FR100 円－決算日 FR106 円）＝△720 円（差損）

⑷　決済日

①　売掛金の回収による収入額

(現 金 預 金)	12,600 *1	(売 掛 金)	12,960
(為 替 差 損 益)	360 *2		

  *1　120 ドル× SR105 円＝ 12,600 円
  *2　貸借差額

②　為替予約の決済

(為 替 予 約)	720	(現 金 預 金)	600 *1
		(為 替 差 損 益)	120 *2

  *1　(a)　外貨支出額：120 ドル× SR105 円＝ 12,600 円
  　　　(b)　円貨収入額：120 ドル×予約日 FR100 円＝ 12,000 円
  　　　∴　収入 12,000 円－支出 12,600 円＝△600 円（支出超過）
  *2　貸借差額

✓ **出題論点**

・為替予約（独立処理・売予約）

✓ **学習のポイント**

・売予約の場合、円高になると為替差益が生じ、円安になると為替差損が生じる
　点をしっかりおさえましょう。
・問題 7 は買予約の問題でしたが、本問は売予約の問題となっています。解き終
　わったら、それぞれの仕訳を比較してみてください。

解答 9　為替予約(3)

	日付	時間	学習メモ
1回目	／	／6分	
2回目	／	／6分	
3回目	／	／6分	

（単位：円）

	借　方　科　目	金　　額	貸　方　科　目	金　　額
(1)	仕　　　　　　入	43,200	買　　掛　　金	43,200
(2)	買　　掛　　金	2,520	為　替　差　損　益	2,520
	買　　掛　　金	1,080	前　受　収　益	1,080
(3)	前　受　収　益	864	為　替　差　損　益	864
(4)	買　　掛　　金	39,600	現　金　預　金	39,600
	前　受　収　益	216	為　替　差　損　益	216

解説　（仕訳の単位：円）

(1)　取引日

（仕　　　　　　入）	43,200	（買　　掛　　金）	43,200 *

＊　360 ドル × SR120 円 = 43,200 円

(2)　予約日

①　直々差額

（買　　掛　　金）	2,520 *	（為　替　差　損　益）	2,520

＊　帳　簿　価　額：　　　　　　　　　　　　43,200 円 ─┐
　　予約日 SR 換算額：360 ドル × 予約日 SR113 円 = 40,680 円 ◄─┘ △ 2,520 円（差益）

②　直先差額

（買　　掛　　金）	1,080 *	（前　受　収　益）	1,080

＊　予約日 SR 換算額：　　　　　　　　　　40,680 円 ─┐
　　予約日 FR 換算額：360 ドル × FR110 円 = 39,600 円 ◄─┘ △ 1,080 円（差益）

74

(3) 決算日

| （前 受 収 益） | 864 | （為 替 差 損 益） | 864 * |

* 直先差額 $1,080$ 円 $\times \dfrac{4\,\text{カ月}}{5\,\text{カ月}} = 864$ 円

(4) 決済日

① 買掛金の決済

| （買 掛 金） | 39,600 | （現 金 預 金） | 39,600 * |

* 360 ドル × FR110 円 = 39,600 円

② 直先差額の按分

| （前 受 収 益） | 216 | （為 替 差 損 益） | 216 * |

* $1,080$ 円 $\times \dfrac{1\,\text{カ月}}{5\,\text{カ月}} = 216$ 円

（参考）為替予約の状況

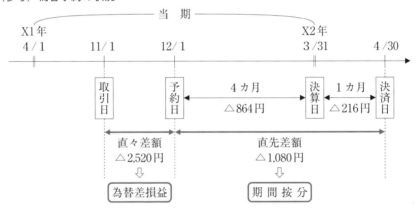

✓ 出題論点

・為替予約（振当処理・買予約）

✓ 学習のポイント

・直々差額と直先差額の会計処理の違いをしっかりおさえましょう。

・はじめのうちは、「（参考）為替予約の状況」に記載されているタイムテーブルを書くようにしましょう。慣れてくれば、本問程度の問題であればタイムテーブルなしでも自然と解けるようになります。

	日付	時間	学習メモ
1回目	／	／6分	
2回目	／	／6分	
3回目	／	／6分	

（単位：円）

	借 方 科 目	金 額	貸 方 科 目	金 額
(1)	売 掛 金	12,120	売 上	12,120
(2)	売 掛 金	240	為 替 差 損 益	240
	前 払 費 用	360	売 掛 金	360
(3)	為 替 差 損 益	240	前 払 費 用	240
(4)	現 金 預 金	12,000	売 掛 金	12,000
	為 替 差 損 益	120	前 払 費 用	120

解説（仕訳の単位：円）

(1) 取引日

（売 掛 金）	12,120 *	（売 上）	12,120

＊ 120 ドル × SR101 円 = 12,120 円

(2) 予約日

① 直々差額

（売 掛 金）	240 *	（為 替 差 損 益）	240

＊ 帳 簿 価 額：　　　　　　　　　　　12,120 円 ┐
　 予約日 SR 換算額：120 ドル × SR103 円 = 12,360 円 ◄┘ + 240 円（差益）

② 直先差額

（前 払 費 用）	360	（売 掛 金）	360 *

＊ 予約日 SR 換算額：　　　　　　　　　12,360 円 ┐
　 約定 FR 換算額：120 ドル × FR100 円 = 12,000 円 ◄┘ △360 円（差損）

(3) 決算日

| (為 替 差 損 益) | 240 * | (前 払 費 用) | 240 |

    * 　直先差額 360 円 $\times \dfrac{2\,\text{カ月}}{3\,\text{カ月}} = 240$ 円

(4) 決済日

  ① 　売掛金の決済

| (現 金 預 金) | 12,000 * | (売 　 掛 　 金) | 12,000 |

    * 　120 ドル × 約定 FR100 円 = 12,000 円

  ② 　直先差額の按分

| (為 替 差 損 益) | 120 * | (前 払 費 用) | 120 |

    * 　360 円 $\times \dfrac{1\,\text{カ月}}{3\,\text{カ月}} = 120$ 円

（参考）　為替予約の状況

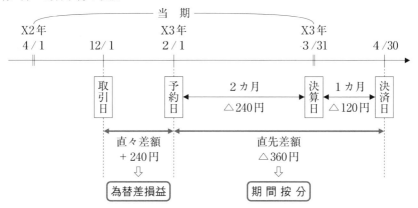

出題論点

・為替予約（振当処理・売予約）

学習のポイント

・問題9は買予約の問題でしたが、本問は売予約の問題となっています。仕訳を
　しっかりとおさえることで、為替差益が発生するのか為替差損が発生するのか
　間違えないようにしましょう。

	日付	時間	学習メモ
1回目	／	／8分	
2回目	／	／8分	
3回目	／	／8分	

決算整理後残高試算表　　　（単位：千円）

支 払 利 息 （	1,312）	短 期 借 入 金 （	278,400）
		未 払 利 息 （	3,712）
		（前 受 収 益）（	4,800）
		為 替 差 損 益 （	2,400）

解説　（仕訳の単位：千円）

(1)　為替予約に係る修正

①　直々差額

（短 期 借 入 金）	2,400 *	（為 替 差 損 益）	2,400

＊　帳 簿 価 額：　　　　　　　　　　　288,000 千円 ┐
　　予約日 SR 換算額：2,400 千ドル× SR119 円 = 285,600 千円 ◄┘ △2,400 千円（差益）

②　直先差額

（短 期 借 入 金）	7,200 *	（前 受 収 益）	7,200

＊　予約日 SR 換算額：　　　　　　　　285,600 千円 ┐
　　約定 FR 換算額：2,400 千ドル× FR116 円 = 278,400 千円 ◄┘ △7,200 千円（差益）

(2)　直先差額のうち当期分を支払利息に振替え
　　　問題文の指示により為替差損益ではなく、支払利息に振り替えます。

（前 受 収 益）	2,400 *	（支 払 利 息）	2,400

＊　直先差額 7,200 千円× $\dfrac{1 \text{カ月}}{3 \text{カ月}}$ = 2,400 千円

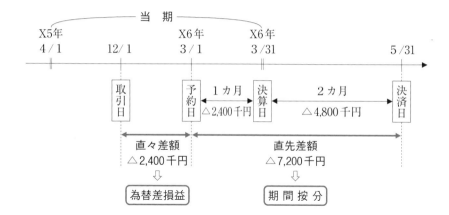

(3) 利息の見越し

元利とも為替予約を行っているため、利息の見越額についても FR で換算します。

（支　払　利　息）	3,712 *	（未　払　利　息）	3,712

＊　2,400 千ドル × 4 ％ × $\dfrac{4 \text{カ月}}{12 \text{カ月}}$ × FR116 円 = 3,712 千円

 出題論点

・為替予約（振当処理）

 学習のポイント

・借入金の元本のみについて為替予約を行っているときと、元本および利息について為替予約を行っている場合とで、支払利息の計算に使用する為替相場が異なるので問題文の指示を読み飛ばさないように注意しましょう。

解答 12 予定取引

	日付	時間	学習メモ
1回目	／	／4分	
2回目	／	／4分	
3回目	／	／4分	

（単位：千円）

	借 方 科 目	金 額	貸 方 科 目	金 額
(1)	仕 訳 な し			
(2)	為 替 予 約	4,500	繰 延 税 金 負 債	1,350
			繰 延 ヘ ッ ジ 損 益	3,150

解説（仕訳の単位：千円）

(1) X5年2月10日（予約日）

為替予約日では財産の増減変化は生じないため、仕訳は不要となります。

仕　訳　な　し

(2) X5年3月31日（決算日）

ヘッジ手段である為替予約に係る損益について、税効果を適用したうえで、繰延ヘッジ損益として純資産の部に繰り延べます。

（為　替　予　約）	4,500 *1	（繰 延 税 金 負 債）	1,350 *2
		（繰 延 ヘ ッ ジ 損 益）	3,150 *3

*1　（決算日 FR107円 − 予約日 FR104円）× 1,500千ドル = 4,500千円
*2　4,500千円 × 税率30% = 1,350千円
*3　貸借差額

出題論点

・予定取引

 学習のポイント

・外貨建ての輸入取引は次期以降に行う予定であるため、決算日時点では、ヘッジ手段である為替予約に関する仕訳のみを行う点に注意しましょう。

	日付	時間	学習メモ
1回目	／	／10分	
2回目	／	／10分	
3回目	／	／10分	

(1) X1年4月1日（取得日） （単位：千円）

借　方　科　目	金　　　額	貸　方　科　目	金　　　額
投 資 有 価 証 券	115,000	現　金　預　金	114,000
		長 期 前 受 収 益	1,000

(2) X2年3月31日（決算日） （単位：千円）

借　方　科　目	金　　　額	貸　方　科　目	金　　　額
現　金　預　金	5,850	有 価 証 券 利 息	5,850
長 期 前 受 収 益	250	為 替 差 損 益	250

(3) X5年3月31日（満期日） （単位：千円）

借　方　科　目	金　　　額	貸　方　科　目	金　　　額
現　金　預　金	120,900	有 価 証 券 利 息	5,900
		有　価　証　券	115,000
長 期 前 受 収 益	250	為 替 差 損 益	250

解説 （仕訳の単位：千円）

(1) X1年4月1日（取得日）

外貨建ての取得原価を取得時の直物為替相場で換算した額と債券金額を予約レートで換算した額との差額を長期前受収益として処理します。

（投 資 有 価 証 券）	115,000 *1	（現　金　預　金）	114,000 *2
		（長 期 前 受 収 益）	1,000 *3

* 1　債券金額 1,000 千ドル × FR115 円 = 115,000 千円
* 2　取得原価 950 千ドル × SR120 円 = 114,000 千円
* 3　貸借差額

(2) X2年3月31日（決算日）

① クーポン利息の受取

　本問では、債券金額に対してのみ為替予約を締結しています。したがって、利息の計算においては、為替予約を適用せず直物為替相場117円を用います。

（現　金　預　金）	5,850	（有価証券利息）	5,850 *

　＊　債券金額1,000千ドル×5％×CR117円＝5,850千円

② 長期前受収益の期間配分

（長期前受収益）	250 *	（為替差損益）	250

　＊　$1,000 千円 \times \dfrac{12カ月}{48カ月} = 250$ 千円

(3) X5年3月31日（満期日）

① クーポン利息の受取および元本の受取

　一年基準に基づいて、前期末に投資有価証券勘定から有価証券勘定に振り替えています。

（現　金　預　金）	120,900 *2	（有価証券利息）	5,900 *1
		（有価証券）	115,000

　＊1　1,000千ドル×5％×CR118円＝5,900千円
　＊2　貸方合計

② 長期前受収益の期間配分

（長期前受収益）	250 *	（為替差損益）	250

　＊　$1,000 千円 \times \dfrac{12カ月}{48カ月} = 250$ 千円

✔ **出題論点**

・満期保有目的債券の額面金額に為替予約を付した場合の会計処理

✔ **学習のポイント**

・満期保有目的債券も振当処理の対象となることがある点に注意しましょう。
・決算日において1年以内に満期日が到来するときは、1年基準により満期保有目的債券を「投資有価証券」勘定から「有価証券」勘定へ振り替える必要があります。満期日の仕訳を確認しましょう。

解答 14 外貨預金による受払い

	日付	時間	学習メモ
1回目	／	／10分	
2回目	／	／10分	
3回目	／	／10分	

問1 (単位：円)

	借方科目	金額	貸方科目	金額
① X2年3月1日	仕 訳 な し			
② X2年3月31日	為 替 予 約	600	為 替 差 損 益	600
③ X2年10月31日	外 貨 預 金	45,300	円 貨 預 金	43,800
			為 替 予 約	600
			為 替 差 損 益	900

問2 (単位：円)

	借方科目	金額	貸方科目	金額
①4月1日 社債の発行	外 貨 預 金	507,000	社 債	507,000
②5月31日 買掛金の支払い	買 掛 金	159,600	外 貨 預 金	162,000
	為 替 差 損 益	2,400		
③10月1日 建物の取得	建 物	564,000	外 貨 預 金	564,000
④3月31日 社債利息の支払い	社 債 利 息	29,000	外 貨 預 金	29,000

貸借対照表における外貨預金の金額	217,500 円

解説

問1

① X2年3月1日

仕 訳 な し

② X2年3月31日

（為　替　予　約）	600 *	（為　替　差　損　益）	600

* 300ドル×（3/31FR148円 − 3/1FR146円）= 600円

③ X2年10月31日

（外　貨　預　金）	45,300 *1	（円　貨　預　金）	43,800 *2
		（為　替　予　約）	600 *3
		（為　替　差　損　益）	900 *4

* 1　300ドル×SR151円 = 45,300円
* 2　300ドル×3/1FR146円 = 43,800円
* 3　②より
* 4　貸借差額

（参考）　外貨預金も円貨預金も帳簿上、普通預金勘定で記帳している場合、上記③の
　　　　　仕訳は以下のようになります。

（普　通　預　金）	45,300	（普　通　預　金）	43,800
		（為　替　予　約）	600
		（為　替　差　損　益）	900

問2

① 4月1日　社債の発行

（外　貨　預　金）	507,000 *	（社　　　　　債）	507,000

* 3,900ドル×SR130円 = 507,000円

② 5月31日　買掛金の支払い

買掛金は前期中に計上されたものですが、帳簿上、前期末において換算替えされ
ています（前期末レート133円）。

（買　　掛　　金）	159,600 *1	（外　貨　預　金）	162,000 *2
（為　替　差　損　益）	2,400 *3		

* 1　1,200ドル×前期末レート133円 = 159,600円
* 2　1,200ドル×SR135円 = 162,000円
* 3　貸借差額

③ 10月1日　建物の取得

（建　　　　　物）	564,000 *	（外　貨　預　金）	564,000

* 4,000ドル×SR141円 = 564,000円

④　3月31日　社債利息の支払い

（社　債　利　息）	29,000 *	（外　貨　預　金）	29,000

　　＊　200 ドル × SR145 円 ＝ 29,000 円

⑤　貸借対照表における外貨預金の金額

　　貸借対照表計上額：当期末 1,500 ドル＊ × CR145 円 ＝ 217,500 円

　　＊　3,000 ドル ＋ 3,900 ドル － 1,200 ドル － 4,000 ドル － 200 ドル ＝ 1,500 ドル

✓ **出題論点**

・外貨預金による受払い

✓ **学習のポイント**

・外貨建取引は、原則として、当該取引発生時の為替相場による円換算額をもって記録します。生活上の感覚では、例えば代金をたまたま持っていた 100 ドル紙幣で支払った場合、円貨をドル紙幣に両替した時点のレートが重要ですが、会計処理上は取引発生時の為替相場で換算し記帳します。受払手段が外国通貨ではなく外貨預金による場合でも、同様に換算します。

・外貨建金銭債権債務（外貨預金を含む）については、決算時の為替相場による円換算額を付します。このとき、換算替えによる為替差損益が計上されます。

✓ **本試験での出題例**

・現金過不足の問題において、期末の金庫の中に外国通貨が入っていることがあります。この場合、期末日のレートで邦貨に換算替えします。

Chapter 3

本支店会計

解答 1 本支店間取引

	日付	時間	学習メモ
1回目	／	／13分	
2回目	／	／13分	
3回目	／	／13分	

（単位：円）

	本 店 の 仕 訳				支 店 の 仕 訳			
	借方科目	金 額	貸方科目	金 額	借方科目	金 額	貸方科目	金 額
(1)	買 掛 金	12,000	支　　店	12,000	本　　店	12,000	当 座 預 金	12,000
(2)	受 取 手 形	24,000	支　　店	24,000	本　　店	24,000	売 掛 金	24,000
(3)	支　　店	36,000	現　　金	36,000	旅費交通費	36,000	本　　店	36,000
(4)	支　　店	60,000	受 取 家 賃	60,000	現　　金	60,000	本　　店	60,000
(5)	支　　店	48,000	仕　　入	48,000	仕　　入	48,000	本　　店	48,000
(6)	支　　店	52,800	支 店 売 上	52,800*1	本 店 仕 入	52,800	本　　店	52,800
(7)	仕　　入	96,000	買 掛 金	96,000	本 店 仕 入	105,600	本　　店	105,600
	支　　店	105,600	支 店 売 上	105,600*2				
(8)	支 店 売 上	10,560	支　　店	10,560	本　　店	10,560	本 店 仕 入	10,560
	買 掛 金	9,600	仕　　入	9,600*3				
(9)	支　　店	43,200	支 店 売 上	43,200*4	本 店 仕 入	43,200	本　　店	43,200
					売 掛 金	60,000	売　　上	60,000
(10)	減価償却費	24,000	減価償却累計額	24,000	減価償却費	10,800	本　　店	10,800
	支　　店	10,800	減価償却費	10,800				

＊1　振替価額：48,000 円 × 1.1 ＝ 52,800 円

＊2　振替価額：96,000 円 × 1.1 ＝ 105,600 円

＊3　仕入原価：10,560 円 × $\dfrac{1}{1.1}$ ＝ 9,600 円

＊4　振替価額：36,000 円 × 1.2 ＝ 43,200 円

出題論点

・本支店間取引

学習のポイント

・本支店間に生じる取引は、照合勘定を用いて会計処理を行います。通常の本支店間取引においては本店勘定・支店勘定は本支店間の債権・債務と考えて処理するとわかりやすいでしょう。

未達取引

	日付	時間	学習メモ
1回目	／	／5分	
2回目	／	／5分	
3回目	／	／5分	

問1

(単位：円)

	本店の仕訳				支店の仕訳			
	借方科目	金額	貸方科目	金額	借方科目	金額	貸方科目	金額
(1)					現　　金	1,680	本　　店	1,680
(2)					旅費交通費	360	本　　店	360
(3)	買　掛　金	2,400	支　　店	2,400				
(4)	仕　　入	1,200	買　掛　金	1,200				
	支　　店	1,260	支店売上	1,260				
(5)					本店仕入	1,680	本　　店	1,680
					売　掛　金	2,400	売　　上	2,400

問2 | 12,200 | 円

【解説】

　照合勘定である支店勘定と本店勘定の残高は、貸借反対で必ず一致します。よって、不一致の場合には、決算整理を行う前に未達取引の会計処理を行い、その金額を一致させる必要があります。

問1

　⑴　本店から現金1,680円が送金されたため、支店の仕訳としては、借方に現金を計上し、貸方に本店勘定を計上します。

　⑵　本店が支店の出張旅費360円を立て替えて支払っているため、支店の仕訳としては、借方に旅費交通費を計上し、貸方に本店勘定を計上します。

　⑶　支店が本店の買掛金2,400円を立て替えて支払っているため、本店の仕訳としては、買掛金の減少として借方に買掛金を計上し、貸方に支店勘定を計上します。

　⑷　本店においては、仕入原価1,200円の商品にかかる掛仕入の仕訳がなされていないため、当該掛仕入の仕訳を行います。また、仕入原価1,200円に1.05をかけた1,260円について、借方に支店勘定を計上し、貸方に支店売上を計上します。

　⑸　支店においては、売上価額2,400円の商品にかかる掛売上の仕訳がなされていないため、当該掛売上の仕訳を行います。また、本店仕入原価1,600円に1.05をかけた1,680円について、借方に本店仕入を計上し、貸方に本店勘定を計上します。

問2

本店勘定と支店勘定は次のようになります。（単位：円）

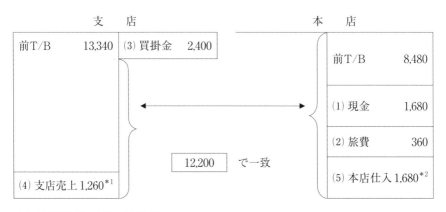

＊1　⑷ 1,200円×1.05＝1,260円
＊2　⑸ 1,600円×1.05＝1,680円

出題論点

・未達取引

 学習のポイント

・支店勘定と本店勘定それぞれのＴ勘定を作成し、残高が一致することを確認しましょう。
・本店と支店、どちらに未達取引の処理を行う必要があるのか、問題文を再確認しましょう。
・商品の直接仕入・直接売上については、未達側における商品の仕入・売上の仕訳を忘れずに行いましょう。

 未達取引・決算整理

	日付	時間	学習メモ
1回目	／	／ 15分	
2回目	／	／ 15分	
3回目	／	／ 15分	

決算整理後残高試算表　　　　　　（単位：千円）

借　方　科　目	本　店	支　店	貸　方　科　目	本　店	支　店
現　金　預　金	12,200	8,720	買　　掛　　金	7,380	6,000
受　取　手　形	4,000	2,800	貸 倒 引 当 金	(160)	(96)
売　　掛　　金	(4,000)	2,000	繰 延 内 部 利 益	160	——
繰　越　商　品	(6,400)	(6,880)	建物減価償却累計額	(12,630)	(6,300)
建　　　　　物	22,000	10,000	備品減価償却累計額	(7,000)	(3,600)
備　　　　　品	16,000	9,200	本　　　　　店	——	(12,800)
支　　　　　店	(12,800)	——	資　　本　　金	30,000	——
売　上　原　価	(62,400)	(31,840)	繰越利益剰余金	6,000	——
営　　業　　費	19,200	(10,400)	売　　　　　上	80,000	55,000
建物減価償却費	(630)	(300)	支　店　売　上	19,360	——
備品減価償却費	(3,000)	(1,600)			
貸倒引当金繰入	(60)	(56)			
合　　　　　計	(162,690)	(83,796)	合　　　　　計	(162,690)	(83,796)

解説 （仕訳の単位：千円）

1　未達取引の整理

　　未達取引整理後、照合勘定は必ず一致します。この関係を利用して、未達取引の不明金額を推定します。

(1)　支店

（本　店　仕　入）	1,760 *	（本　　　　　店）	1,760

　　＊　下記本店仕入勘定(1)参照

(2)　支店

（営　　業　　費）	480	（本　　　　　店）	480 *

　　＊　下記本店勘定(2)参照

(3)　本店

（支　　　　　店）	1,600	（売　　掛　　金）	1,600

(4) 照合勘定

　本店勘定と支店勘定、本店仕入勘定と支店売上勘定は次のようになります（単位：千円）。

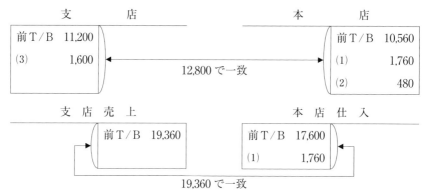

支　　　店	
前 T／B　11,200	
(3)　　　　1,600	

12,800 で一致

本　　　店	
前 T／B　10,560	
(1)　　　1,760	
(2)　　　　480	

支　店　売　上	
前 T／B　19,360	

本　店　仕　入	
前 T／B　17,600	
(1)　　　1,760	

19,360 で一致

2　決算整理

(1) 売上原価の算定

　答案用紙の決算整理後残高試算表より、売上原価勘定で売上原価を算定する方法と判断します。

① 本店

（売　上　原　価）	4,800	（繰　越　商　品）	4,800
（売　上　原　価）	64,000	（仕　　　　　入）	64,000
（繰　越　商　品）	6,400	（売　上　原　価）	6,400

② 支店

（売　上　原　価）	3,360	（繰　越　商　品）	3,360
（売　上　原　価）	16,000	（仕　　　　　入）	16,000
（売　上　原　価）	19,360	（本　店　仕　入）	19,360 *1
（繰　越　商　品）	6,880 *2	（売　上　原　価）	6,880

＊1　前 T／B 本店仕入 17,600 千円＋未達 1,760 千円＝19,360 千円

＊2　5,120 千円＋未達 1,760 千円＝6,880 千円

(2) 貸倒引当金

① 本店

（貸 倒 引 当 金 繰 入）	60 *	（貸 倒 引 当 金）	60

＊　{受取手形 4,000 千円＋売掛金（5,600 千円－未達 1,600 千円）}×2％－前 T／B 貸倒引当金 100 千円＝60 千円

② 支店

（貸倒引当金繰入）	56 *	（貸 倒 引 当 金）	56

＊ （受取手形 2,800 千円 ＋ 売掛金 2,000 千円）× 2 ％ － 前 T／B 貸倒引当金 40 千円
　 ＝ 56 千円

(3) 減価償却

① 建物

(a) 本店

（建物減価償却費）	630 *	（建物減価償却累計額）	630

＊ 既存分：$20,000 千円 × 0.9 × \dfrac{1 年}{30 年} = 600 千円$

　 新規分：$2,000 千円 × 0.9 × \dfrac{1 年}{30 年} × \dfrac{6 カ月}{12 カ月} = 30 千円$ ｝ 合計　630 千円

(b) 支店

（建物減価償却費）	300 *	（建物減価償却累計額）	300

＊ $10,000 千円 × 0.9 × \dfrac{1 年}{30 年} = 300 千円$

② 備品

(a) 本店

（備品減価償却費）	3,000 *	（備品減価償却累計額）	3,000

＊ （16,000 千円 － 4,000 千円）× 25％ ＝ 3,000 千円

(b) 支店

（備品減価償却費）	1,600 *	（備品減価償却累計額）	1,600

＊ 既存分：（8,000 千円 － 2,000 千円）× 25％ ＝ 1,500 千円

　 新規分：$1,200 千円 × 25％ × \dfrac{4 カ月}{12 カ月} = 100 千円$ ｝ 合計　1,600 千円

 出題論点

・未達取引

 学習のポイント

・会社全体の利益はどうやって算定するのか、また、会社全体としての公表用財
　務諸表はどのように作成するのかを意識して学習しましょう。つねに簿記一巡
　を念頭におき、現在行っている処理が簿記一巡のどこに該当するかを意識しな

がら学習すると効果的です。

決算振替

	日付	時間	学習メモ
1回目	／	／ 13分	
2回目	／	／ 13分	
3回目	／	／ 13分	

問1

(本店)　　　　　　損　　益（単位：千円）

仕　　　入	（18,720）	売　　　上	（24,000）
営 業 費	（ 5,508）	支店売上	（ 6,600）
減価償却費	（ 2,700）	貸倒引当金戻入	（　24）
貸倒引当金繰入	（　36）	（支　店）	（ 2,400）
（繰延内部利益控除）	（　108）	（繰延内部利益戻入）	（　48）
（繰越利益剰余金）	（ 6,000）		
	（33,072）		（33,072）

(支店)　　　　　　損　　益（単位：千円）

仕　　　入	（10,500）	売　　　上	（16,800）
営 業 費	（ 2,988）	貸倒引当金戻入	（　12）
減価償却費	（　900）		
貸倒引当金繰入	（　24）		
（本　　店）	（ 2,400）		
	（16,812）		（16,812）

問2

(本店)　　　　　　残　　高（単位：千円）

現金預金	（ 3,600）	買 掛 金	1,200
売 掛 金	1,800	未払営業費	（　276）
繰越商品	（ 1,920）	貸倒引当金	（　36）
備　　品	（ 8,100）	繰延内部利益	（　108）
支　　店	（ 5,400）	資 本 金	12,000
		繰越利益剰余金	（ 7,200）
	（20,820）		（20,820）

(支店)　　　　　　残　　高（単位：千円）

現金預金	2,400	買 掛 金	2,784
売 掛 金	1,200	貸倒引当金	（　24）
繰越商品	（ 1,908）	本　　店	（ 5,400）
備　　品	（ 2,700）		
	（ 8,208）		（ 8,208）

解説 （仕訳の単位：千円）

1 未達取引

(1) 支店

（本　店　仕　入）	396	（本　　　　店）	396

(2) 本店

（現　金　預　金）	240	（支　　　　店）	240

2 決算整理

(1) 売上原価の算定

　　損益勘定より、仕入勘定で売上原価を算定する方法と判断します。なお、支店の損益勘定に本店仕入勘定がないことより、支店の仕入勘定には、本店仕入を含めると判断します。

① 本店

（仕　　　　　入）	1,440	（繰　越　商　品）	1,440
（繰　越　商　品）	1,920	（仕　　　　　入）	1,920

② 支店

（仕　　　　　入）	1,008	（繰　越　商　品）	1,008
（仕　　　　　入）	6,600	（本　店　仕　入）	6,600 *1
（繰　越　商　品）	1,908 *2	（仕　　　　　入）	1,908

＊1　前T／B本店仕入6,204千円＋未達396千円＝6,600千円

＊2　1,512千円＋未達396千円＝1,908千円

(2) 貸倒引当金

① 本店

（貸　倒　引　当　金）	24	（貸倒引当金戻入）	24
（貸倒引当金繰入）	36	（貸　倒　引　当　金）	36 *

＊　1,800千円×2％＝36千円

② 支店

（貸　倒　引　当　金）	12	（貸倒引当金戻入）	12
（貸倒引当金繰入）	24	（貸　倒　引　当　金）	24 *

＊　1,200千円×2％＝24千円

(3) 減価償却

決算整理前残高試算表および残高勘定に減価償却累計額勘定がないことより直接控除法を採用していると判断します。したがって、決算整理前残高試算表の備品勘定の金額は帳簿価額となります。

① 本店

| （減 価 償 却 費） | 2,700 * | （備　　　　　　　品） | 2,700 |

＊　10,800 千円 × 25％ = 2,700 千円

② 支店

| （減 価 償 却 費） | 900 * | （備　　　　　　　品） | 900 |

＊　3,600 千円 × 25％ = 900 千円

(4) 営業費の見越計上（本店）

| （営　　業　　費） | 276 | （未 払 営 業 費） | 276 |

3　決算振替

(1) 費用・収益の振替え

① 本店

（損　　　　　　益）	26,964	（仕　　　　　　　入）	18,720
		（営　　業　　費）	5,508
		（減 価 償 却 費）	2,700
		（貸 倒 引 当 金 繰 入）	36
（売　　　　　　上）	24,000	（損　　　　　　益）	30,624
（支　店　売　上）	6,600		
（貸 倒 引 当 金 戻 入）	24		

② 支店

（損　　　　　　益）	14,412	（仕　　　　　　　入）	10,500
		（営　　業　　費）	2,988
		（減 価 償 却 費）	900
		（貸 倒 引 当 金 繰 入）	24
（売　　　　　　上）	16,800	（損　　　　　　益）	16,812
（貸 倒 引 当 金 戻 入）	12		

(2) 支店純損益の振替え

① 支店

（損	益）	2,400		（本	店）		2,400

② 本店

（支	店）	2,400		（損	益）		2,400

(3) 内部利益の整理（本店）

（繰 延 内 部 利 益）	48	（繰 延 内 部 利 益 戻 入）	48	*1
（繰 延 内 部 利 益 控 除）	108 *2	（繰 延 内 部 利 益）	108	

*1 期首分（戻入）：前 T / B 繰延内部利益 48 千円

*2 期末分（控除）：$(792\ 千円 + 未達\ 396\ 千円) \times \dfrac{0.1}{1.1} = 108\ 千円$

(4) 損益勘定への振替え

（繰 延 内 部 利 益 戻 入）	48	（損 益）	48
（損 益）	108	（繰 延 内 部 利 益 控 除）	108

(5) 全体純損益の振替え

（損 益）	6,000	（繰 越 利 益 剰 余 金）	6,000

(6) 残高勘定への振替え

① 本店

（残		高）	20,820	（現	金	預	金）	3,600
				（売		掛	金）	1,800
				（繰	越	商	品）	1,920
				（備			品）	8,100
				（支			店）	5,400
（買		掛 金）	1,200	（残			高）	20,820
（未 払 営 業 費）			276					
（貸 倒 引 当 金）			36					
（繰 延 内 部 利 益）			108					
（資		本 金）	12,000					
（繰 越 利 益 剰 余 金）			7,200					

解答・解説

CH
3

② 支店

（残		高）	8,208	（現	金	預	金）	2,400
				（売		掛	金）	1,200
				（繰	越	商	品）	1,908
				（備			品）	2,700
（買		掛	金）	2,784	（残		高）	8,208
（貸 倒 引 当 金）			24					
（本		店）	5,400					

 出題論点

・決算振替
・資本振替

 学習のポイント

・本支店会計の決算振替には、支店損益の振替え、会社全体の損益の算定、内部
利益の調整などの論点があります。帳簿上の処理をイメージしながら学習しま
しょう。

解答 5　本支店合併財務諸表

	日付	時間	学習メモ
1回目	／	／20分	
2回目	／	／20分	
3回目	／	／20分	

問1

決算整理後残高試算表　　　　　　　（単位：千円）

借　方　科　目	本　店	支　店	貸　方　科　目	本　店	支　店
現　金　預　金	（　3,600）	29,040	買　　掛　　金	13,632	7,620
売　　掛　　金	10,800	（　3,600）	未　払　費　用	——	（　420）
繰　越　商　品	（　8,400）	（　3,876）	貸　倒　引　当　金	（　216）	（　72）
前　払　費　用	（　600）	——	建物減価償却累計額	（　18,000）	（　9,600）
建　　　　　物	36,000	48,000	繰　延　内　部　利　益	（　216）	——
支　　　　　店	（　48,000）		本　　　　　店		（　48,000）
売　上　原　価	（　110,400）	（　77,940）	資　　本　　金	60,000	——
営　　業　　費	（　7,800）	（　4,020）	繰越利益剰余金	480	——
減　価　償　却　費	（　3,600）	（　1,200）	売　　　　　上	84,000	102,000
貸倒引当金繰入	（　144）	（　36）	支　店　売　上	（　52,800）	——
合　　　　計	（　229,344）	（　167,712）	合　　　　計	（　229,344）	（　167,712）

問2

本支店合併損益計算書
自X1年4月1日　至X2年3月31日　　（単位：千円）

売　上　原　価	（　135,600）	売　　上　　高	（　186,000）
営　　業　　費	（　11,820）		
減　価　償　却　費	（　4,800）		
貸　倒　引　当　金　繰　入	（　180）		
当　期　純　利　益	（　33,600）		
	（　186,000）		（　186,000）

本支店合併貸借対照表
X2年3月31日　　（単位：千円）

現　金　預　金	（　32,640）	買　　掛　　金	（　21,252）
売　　掛　　金	（　14,400）	未　払　費　用	（　420）
商　　　　　品	（　12,000）	貸　倒　引　当　金	（　288）
前　払　費　用	（　600）	資　　本　　金	（　60,000）
建　　　　　物	（　84,000）	繰越利益剰余金	（　34,080）
減　価　償　却　累　計　額	（△　27,600）		
	（　116,040）		（　116,040）

解説 （仕訳の単位：千円）

問1

1 未達取引

(1) 支店

（本 店 仕 入）	1,056 *	（本　　　　店）	1,056

　　＊　下記本店仕入勘定(1)参照

(2) 本店

（現 金 預 金）	216	（支　　　　店）	216

(3) 支店

（本　　　　店）	720 *	（売　掛　金）	720

　　＊　下記本店勘定(3)参照

(4) 本店

（営　業　費）	240	（支　　　　店）	240

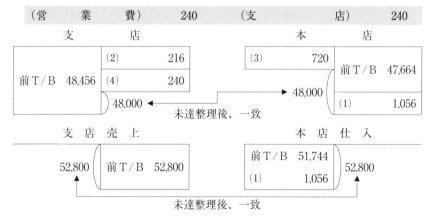

2 決算整理

(1) 売上原価の算定

　① 本店

（売　上　原　価）	6,000	（繰　越　商　品）	6,000
（売　上　原　価）	112,800	（仕　　　　　入）	112,800
（繰　越　商　品）	8,400	（売　上　原　価）	8,400

② 支店

（売 上 原 価）	5,016	（繰 越 商 品）	5,016
（売 上 原 価）	24,000	（仕 入）	24,000
（売 上 原 価）	52,800	（本 店 仕 入）	52,800 [*1]
（繰 越 商 品）	3,876 [*2]	（売 上 原 価）	3,876

 ＊1 　前T／B本店仕入 51,744 千円＋未達 1,056 千円＝ 52,800 千円
 ＊2 　2,820 千円＋未達 1,056 千円＝ 3,876 千円

(2) 減価償却
 ① 本店

（減 価 償 却 費）	3,600	（建物減価償却累計額）	3,600

 ② 支店

（減 価 償 却 費）	1,200	（建物減価償却累計額）	1,200

(3) 貸倒引当金
 ① 本店

（貸 倒 引 当 金 繰 入）	144 ＊	（貸 倒 引 当 金）	144

 ＊ 　10,800 千円× 2 ％－前T／B 72 千円＝ 144 千円

 ② 支店

（貸 倒 引 当 金 繰 入）	36 ＊	（貸 倒 引 当 金）	36

 ＊ 　（4,320 千円－未達 720 千円）× 2 ％－前T／B 36 千円＝ 36 千円

(4) 費用の見越し・繰延べ
 ① 本店

（前 払 費 用）	600	（営 業 費）	600

 ② 支店

（営 業 費）	420	（未 払 費 用）	420

解答・解説

CH
3

問2

1　合併P/Lの作成

(1)　売上高（外部売上高のみ）：本店84,000千円＋支店102,000千円＝186,000千円

(2)　売上原価

①　期首商品棚卸高：本店6,000千円＋支店5,016千円－内部利益216千円
　　　　　　　　　　　＝10,800千円

②　仕入高（外部仕入高のみ）：本店112,800千円＋支店24,000千円＝136,800千円

③　期末商品棚卸高：本店8,400千円＋支店3,876千円－内部利益276千円*
　　　　　　　　　　　＝12,000千円

　　*　（1,980千円＋未達1,056千円）$\times \dfrac{0.1}{1.1}$＝276千円

④　①＋②－③＝135,600千円

(3)　その他の項目：本店分と支店分を合算して計上します。

2　合併B/Sの作成

(1)　現金預金：本店3,384千円＋未達216千円＋支店29,040千円＝32,640千円

(2)　売掛金：本店10,800千円＋支店4,320千円－未達720千円＝14,400千円

(3)　商品：本店8,400千円＋支店3,876千円－内部利益276千円＝12,000千円

(4)　その他の項目：本店分と支店分を合算して計上します。

 出題論点

・本支店合併財務諸表の作成

 学習のポイント

・本支店合併財務諸表の作成の学習は、まず作成手続をおさえます。本支店合併
　財務諸表を作成するために必要な本店・支店勘定の相殺消去や、内部取引高の
　相殺消去・内部利益の除去の各手続きの方法をおさえましょう。

解答 6 支店相互間取引

	日付	時間	学習メモ
1回目	／	／15分	
2回目	／	／15分	
3回目	／	／15分	

問1

京都支店勘定の金額 ‖ 42,000 ‖ 円

神戸支店勘定の金額 ‖ 34,800 ‖ 円

問2

合 併 損 益 計 算 書
自X1年4月1日　至X2年3月31日　　（単位：円）

期首商品棚卸高	(211,200)	売　　上　　高	(1,131,600)
当期商品仕入高	(784,800)	期末商品棚卸高	(189,840)
営　　業　　費	(236,640)		
減 価 償 却 費	(20,400)		
貸倒引当金繰入	(1,896)		
支 払 利 息	7,200		
当 期 純 利 益	(59,304)		
	(1,321,440)		(1,321,440)

合 併 貸 借 対 照 表
X2年3月31日　　（単位：円）

現 金 預 金	(110,400)	支 払 手 形	(101,640)
売 掛 金	(148,800)	買 掛 金	(174,000)
貸 倒 引 当 金	(△ 2,976)	借 入 金	120,000
商 品	(189,840)	資 本 金	240,000
建 物	(398,400)	利 益 準 備 金	48,000
減価償却累計額	(△ 89,520)	繰越利益剰余金	(71,304)
	(754,944)		(754,944)

103

（仕訳の単位：円）

1 未達事項の整理

(1) 京都支店

（本　店　仕　入）	5,280	（本　　　　　店）	5,280

(2) 神戸支店

（現　金　預　金）	14,400	（本　　　　　店）	14,400

(3) 本問は本店集中計算制度で処理するため、神戸支店が京都支店の売掛金を回収した時には、（借）現金預金 9,600（貸）本店 9,600 という仕訳を行っています。したがって、京都支店および本店の仕訳は次のようになります。

① 京都支店

（本　　　　　店）	9,600	（売　　掛　　金）	9,600

② 本店

（神　戸　支　店）	9,600	（京　都　支　店）	9,600

(4) 本店

（買　　掛　　金）	4,800	（京　都　支　店）	4,800

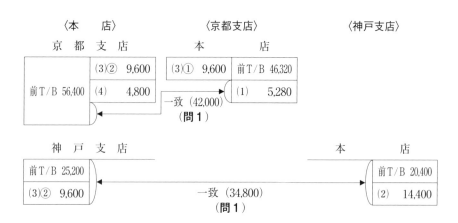

一致（137,280）

一致（85,800）

2 合併P／L・B／Sの作成

(1) P／L・売上高：本店530,400円＋京都331,200円＋神戸270,000円＝1,131,600円

(2) P／L・期首商品棚卸高：本店124,800円＋京都52,800円＋神戸42,240円
　　　　　　　　　　　　　－内部利益8,640円＝211,200円

(3) P／L・当期商品仕入高：本店576,000円＋京都103,200円＋神戸105,600円
　　　　　　　　　　　　　＝784,800円

(4) P／L・期末商品棚卸高：本店110,400円＋京都48,480円＋神戸33,600円
　　　　　　　　　　　　　－内部利益2,640円[*]＝189,840円

　　＊　$\{京都（13,200円＋5,280円）＋神戸10,560円\} × \dfrac{0.1}{1.1} = 2,640円$

(5) P／L・営業費：本店120,000円＋京都62,400円＋神戸54,240円＝236,640円

(6) P／L・減価償却費

　　① 本店

| （減 価 償 却 費） | 13,920 | （減 価 償 却 累 計 額） | 13,920 |

　　② 京都支店

| （減 価 償 却 費） | 5,040 | （減 価 償 却 累 計 額） | 5,040 |

　　③ 神戸支店

| （減 価 償 却 費） | 1,440 | （減 価 償 却 累 計 額） | 1,440 |

　　∴ 本店13,920円＋京都5,040円＋神戸1,440円＝20,400円

(7) P／L・貸倒引当金繰入

　　① 本店

| （貸 倒 引 当 金 繰 入） | 1,392 [*] | （貸 倒 引 当 金） | 1,392 |

　　＊　105,600円×2％－720円＝1,392円

解答・解説

CH 3

② 京都支店

（貸 倒 引 当 金 繰 入）	240 *	（貸 倒 引 当 金）	240

＊ （33,600 円 − 9,600 円）× 2 ％ − 240 円 = 240 円

③ 神戸支店

（貸 倒 引 当 金 繰 入）	264 *	（貸 倒 引 当 金）	264

＊ 19,200 円 × 2 ％ − 120 円 = 264 円

∴ 本店 1,392 円 + 京都 240 円 + 神戸 264 円 = 1,896 円

⑻ B／S・現金預金：本店 36,000 円 + 京都 48,000 円 + 神戸（12,000 円 + 14,400 円）
= 110,400 円

⑼ B／S・売掛金：本店 105,600 円 + 京都（33,600 円 − 9,600 円）＋ 神戸 19,200 円
= 148,800 円

⑽ B／S・貸倒引当金：本店 2,112 円 + 京都 480 円 + 神戸 384 円 = 2,976 円

⑾ B／S・商品：189,840 円（P／L 期末商品棚卸高より）

⑿ B／S・建物：本店 369,600 円 + 京都 19,200 円 + 神戸 9,600 円 = 398,400 円

⒀ B／S・減価償却累計額：本店（54,720 円 + 13,920 円）+ 京都（8,640 円 + 5,040 円）
＋ 神戸（5,760 円 + 1,440 円）= 89,520 円

⒁ B／S・支払手形：本店 63,240 円 + 京都 22,800 円 + 神戸 15,600 円 = 101,640 円

⒂ B／S・買掛金：本店（120,000 円 − 4,800 円）＋ 京都 42,000 円 + 神戸 16,800 円
= 174,000 円

 出題論点

・支店相互間取引（本店集中計算制度）

 学習のポイント

・本店集中計算制度の場合、それぞれの支店が本店を通して取引したものとみなして処理する点をおさえましょう。

	日付	時間	学習メモ
1回目	／	／ 20分	
2回目	／	／ 20分	
3回目	／	／ 20分	

問1

決算整理後・換算後残高試算表　（単位：千ドル・千円）

借　方　科　目	外貨建	換算後	貸　方　科　目	外貨建	換算後
現　金　預　金	（　　228）	（　26,220）	前　　受　　金	（　　312）	（　36,816）
売　　掛　　金	（　　600）	（　69,000）	貸　倒　引　当　金	（　　　6）	（　　690）
繰　越　商　品	（　　432）	（　54,000）	減価償却累計額	（　　216）	（　22,680）
備　　　　　品	（　　480）	（　50,400）	本　　　　　店	（　　840）	（109,560）
売　上　原　価	（　1,752）	（217,488）	売　　　　　上	（　3,240）	（388,800）
営　　業　　費	（　1,044）	（125,280）			
貸倒引当金繰入	（　　　6）	（　　690）			
減　価　償　却　費	（　　72）	（　7,560）			
為　替　差　損　益	――	（　7,908）			
合　　　　計	（　4,614）	（558,546）	合　　　　計	（　4,614）	（558,546）

問2

為替差損益　□　△ 12,960　□ 千円

問 1

1 決算整理

(1) 売上原価の算定

（売　上　原　価）	504	（繰　越　商　品）	504
（売　上　原　価）	1,680	（本　店　仕　入）	1,680
（繰　越　商　品）	432	（売　上　原　価）	432

(2) 貸倒引当金の設定

| （貸 倒 引 当 金 繰 入） | 6 | （貸　倒　引　当　金） | 6 * |

*　600 千ドル × 1 ％ = 6 千ドル

(3) 減価償却

| （減 価 償 却 費） | 72 * | （減 価 償 却 累 計 額） | 72 |

*　$480 千ドル × 0.9 × \dfrac{1 年}{6 年} = 72 千ドル$

2 換算

決算整理後・換算後残高試算表　　（単位：千ドル・千円）

借　方　科　目	外貨建	レート	換算後	貸　方　科　目	外貨建	レート	換算後
現 金 預 金	228	115	26,220	前　受　金	312	118	36,816
売 掛 金	600	115	69,000	貸 倒 引 当 金	6	115	690
繰 越 商 品	432	（ ① ）	54,000	減価償却累計額	216	105	22,680
備 品	480	105	50,400	本　店	840	（ ② ）	109,560
売 上 原 価	1,752	（ ① ）	217,488	売　上	3,240	120	388,800
営 業 費	1,044	120	125,280				
貸倒引当金繰入	6	115	690				
減 価 償 却 費	72	105	7,560				
為 替 差 損 益	——	差額	7,908				
合　　計	4,614	——	558,546	合　　計	4,614	——	558,546

①　決算整理後残高試算表における売上原価勘定は、一括換算するのではなく、売上原価の内訳項目をそれぞれ換算して最終的に差額として算定します。

円換算後商品原価（千円）

504千ドル×122円 ⇒	期　首 61,488	売上原価	⇐ 差額
1,680千ドル×125円 ⇒	本店仕入 210,000	∴　217,488	
		期　末 54,000	⇐ 432千ドル×125円

② 決算整理後残高試算表における本店勘定は、取引ごとに HR 換算して算定します。

本　　　　店（千円）

1,440千ドル×121円 ⇒	送金高 174,240	期　首 73,800
差額 ⇒	期末 ∴ 109,560	本店仕入 210,000 ⇐ 1,680千ドル×125円

問2

決算整理後・換算後残高試算表　（単位：千ドル・千円）

借　方　科　目	外貨建	レート	換算後	貸　方　科　目	外貨建	レート	換算後
現　金　預　金	228	115	26,220	前　受　金	312	115	35,880
売　　掛　　金	600	115	69,000	貸倒引当金	6	115	690
繰　越　商　品	432	115	49,680	減価償却累計額	216	115	24,840
備　　　　　品	480	115	55,200	本　　　　店	840	（ ① ）	109,560
売　上　原　価	1,752	115	201,480	売　　　　上	3,240	115	372,600
営　　業　　費	1,044	115	120,060				
貸倒引当金繰入	6	115	690				
減　価　償　却　費	72	115	8,280				
為　替　差　損　益	――	差額	12,960				
合　　　　計	4,614	――	543,570	合　　　　計	4,614	――	543,570

① 上記問1参照

出題論点

・在外支店の換算

学習のポイント

・換算方法には原則処理と特例処理があるので、それぞれの換算方法をしっかり
　理解しましょう。
・財務諸表の換算の流れもあわせておさえましょう。

Chapter 4

製造業会計

解答 1 **製造業会計**(1)

	日付	時間	学習メモ
1回目	／	／ 10分	
2回目	／	／ 10分	
3回目	／	／ 10分	

問1 (単位:円)

材　　料

前　期　繰　越	(	21,600)	材　料　仕　入	(	21,600)
材　料　仕　入	(	23,640)	材料棚卸減耗費	(	840)
			次　期　繰　越	(	22,800)
	(	45,240)		(	45,240)

材　料　仕　入

試　　算　　表		252,000	材　　　　　料	(	23,640)
材　　　　　料	(	21,600)	製　　　　　造	(	249,960)
	(	273,600)		(	273,600)

製　　造

材　料　仕　入	(	249,960)	
賃　金　給　料	(	117,600)	
法　定　福　利　費	(	1,680)	
福利施設負担額	(	840)	
建物減価償却費	(	6,480)	
機械減価償却費	(	11,100)	
支　払　保　険　料	(	1,872)	
修　　繕　　費	(	6,000)	
材料棚卸減耗費	(	336)	
その他の製造経費		92,712	

解答・解説

CH 4

111

損　　　　　益

賃 金 給 料	（	50,400）	
法 定 福 利 費	（	720）	
福 利 施 設 負 担 額	（	360）	
建 物 減 価 償 却 費	（	4,320）	
支 払 保 険 料	（	1,248）	
そ の 他 の 営 業 費		31,200	
材 料 棚 卸 減 耗 費	（	504）	

問2　材料費　　249,960　円　　労務費　　119,280　円

　　　製造経費　　119,340　円

解説　（仕訳の単位：円）

問1

(1) 材料費の計算

（材　料　仕　入）	21,600	（材　　　　　　料）	21,600	
（材　　　　　料）	23,640	（材　料　仕　入）	23,640	
（材 料 棚 卸 減 耗 費）	840	（材　　　　　料）	840	
（製　　　　　造）	250,296	（材　料　仕　入）	249,960	*
		（材 料 棚 卸 減 耗 費）	336	*

* ①　材料費：期首21,600円＋当期仕入252,000円－期末帳簿23,640円＝249,960円
（製造勘定へ）

②　材料棚卸減耗費：帳簿23,640円－実地22,800円＝840円 $\begin{cases} 40\%＝336円（製造勘定へ） \\ 60\%＝504円（損益勘定へ） \end{cases}$

(2) 未払賃金給料

決算整理前残高試算表の未払賃金給料3,600円は再振替仕訳が未処理となっている分なので、賃金給料勘定に振り替え消去します。

（未 払 賃 金 給 料）	3,600	（賃　金　給　料）	3,600	
（賃　金　給　料）	4,800	（未 払 賃 金 給 料）	4,800	
（製　　　　　造）	117,600	（賃　金　給　料）	117,600	*

* 賃金給料168,000円× $\begin{cases} 70\%＝117,600円（製造勘定へ） \\ 30\%＝\ 50,400円（損益勘定へ） \end{cases}$

(3) 仮払金

（法　定　福　利　費）	2,400		（仮　　　払　　　金）	3,600	
（福 利 施 設 負 担 額）	1,200				
（製　　　　　　造）	2,520		（法　定　福　利　費）	1,680	*
			（福 利 施 設 負 担 額）	840	*

* 法定福利費2,400円× $\begin{cases} 70\% = 1,680円（製造勘定へ） \\ 30\% = 720円（損益勘定へ） \end{cases}$

　福利施設負担額1,200円× $\begin{cases} 70\% = 840円（製造勘定へ） \\ 30\% = 360円（損益勘定へ） \end{cases}$

(4) 減価償却

（建 物 減 価 償 却 費）	10,800	*1	（減 価 償 却 累 計 額）	21,900	
（機 械 減 価 償 却 費）	11,100	*2			
（製　　　　　　造）	17,580		（建 物 減 価 償 却 費）	6,480	*3
			（機 械 減 価 償 却 費）	11,100	*3

* 1　240,000円×0.9×0.05 = 10,800円
* 2　(60,000円 − 15,600円)×0.25 = 11,100円
* 3　建物減価償却費10,800円× $\begin{cases} 60\% = 6,480円（製造勘定へ） \\ 40\% = 4,320円（損益勘定へ） \end{cases}$

　機械減価償却費11,100円（製造勘定へ）

(5) 保険料の繰延べ

（前 払 保 険 料）	480		（支 払 保 険 料）	480	
（製　　　　　造）	1,872		（支 払 保 険 料）	1,872	*

* 支払保険料3,120円× $\begin{cases} 60\% = 1,872円（製造勘定へ） \\ 40\% = 1,248円（損益勘定へ） \end{cases}$

(6) 修繕費

（製　　　　　造）	6,000		（修　　繕　　費）	6,000

(7) その他の製造経費

（製　　　　　造）	92,712		（その他の製造経費）	92,712

(8) 労務費および製造経費（**問2**）

① 労務費

賃 金 給 料	117,600 円
法 定 福 利 費	1,680 円
合　　　計	119,280 円

② 製造経費

福利施設負担額	840 円
建物減価償却費	6,480 円
機械減価償却費	11,100 円
支 払 保 険 料	1,872 円
修　繕　費	6,000 円
材料棚卸減耗費	336 円
その他の製造経費	92,712 円
合　　　計	119,340 円

(9) 決算振替（費用の振替仕訳のみ）

（損　　　益）	88,752	（賃　金　給　料）	50,400
		（法 定 福 利 費）	720
		（福 利 施 設 負 担 額）	360
		（建 物 減 価 償 却 費）	4,320
		（支 払 保 険 料）	1,248
		（その他の営業費）	31,200
		（材 料 棚 卸 減 耗 費）	504

 出題論点

・製造業会計（勘定記入・費目別の計算）

 学習のポイント

・各取引の仕訳をおさえた上で、勘定の流れを理解していきましょう。
・製造関係となる部分と営業関係となる部分は、問題文の指示に従い解答する必要があるため、必ず指示を確認するようにしましょう。

製造業会計(2)
....

	日付	時間	学習メモ
1回目	／	／12分	
2回目	／	／12分	
3回目	／	／12分	

問1 総勘定元帳の一部（単位：千円）

材　料　仕　入

試　算　表	40,320	（材　　料）	(8,820)	
（材　　料）	(10,080)	製　　造	(41,580)	
	(50,400)		(50,400)	

製　　　　　造

（材料仕入）	(41,580)	仕　掛　品	(7,980)
（労　務　費）	(11,610)	（製　　品）	(76,740)
（製造経費）	(16,620)		
仕　掛　品	(14,910)		
	(84,720)		(84,720)

労　　務　　費

試　算　表	10,410	製　　造	(11,610)
未払労務費	(1,200)		
	(11,610)		(11,610)

製　　　　　品

前期繰越	(5,670)	（売上原価）	(76,950)
（製　　造）	(76,740)	次期繰越	(5,460)
	(82,410)		(82,410)

製　造　経　費

試　算　表	14,520	製　　造	(16,620)
減価償却累計額	(2,100)		
	(16,620)		(16,620)

問2

製 造 原 価 報 告 書

(単位：千円)

Ⅰ 材　料　費
  1　期首材料棚卸高　　　　（　　　10,080）
  2　当期材料仕入高　　　　（　　　40,320）
　　　　合　　　計　　　　（　　　50,400）
  3　期末材料棚卸高　　　　（　　　 8,820）
　　　当 期 材 料 費　　　　　　　　　　　（　　　41,580）
Ⅱ 労　務　費　　　　　　　　　　　　　　（　　　11,610）
Ⅲ 経　　　費　　　　　　　　　　　　　　（　　　16,620）
　　当 期 総 製 造 費 用　　　　　　　　　（　　　69,810）
　　期首仕掛品棚卸高　　　　　　　　　　　（　　　14,910）
　　　　合　　　計　　　　　　　　　　　　（　　　84,720）
　　期末仕掛品棚卸高　　　　　　　　　　　（　　　 7,980）
　　当 期 製 品 製 造 原 価　　　　　　　　（　　　76,740）

損 益 計 算 書

(単位：千円)

Ⅰ 売　上　高　　　　　　　　　　　　　　（　　126,000）
Ⅱ 売　上　原　価
  1　期首製品棚卸高　　　　（　　　 5,670）
  2　当期製品製造原価　　　（　　　76,740）
　　　　合　　　計　　　　（　　　82,410）
  3　期末製品棚卸高　　　　（　　　 5,460）　（　　　76,950）
　　売 上 総 利 益　　　　　　　　　　　　（　　　49,050）

解説 （仕訳の単位：千円）

1　材料費の算定

（材　料　仕　入）	10,080	（材　　　　　料）	10,080
（材　　　　　料）	8,820	（材　料　仕　入）	8,820

2　賃金の見越し

（労　　務　　費）	1,200	（未　払　労　務　費）	1,200

3　減価償却

（製　造　経　費）	2,100 *	（減価償却累計額）	2,100

*　（13,500千円－5,100千円）×0.25＝2,100千円

4　当期製品製造原価の算定

（製　　　　造）	69,810	（材　料　仕　入）	41,580
		（労　　務　　費）	11,610
		（製　造　経　費）	16,620
（製　　　　造）	14,910	（仕　　掛　　品）	14,910
（仕　　掛　　品）	7,980	（製　　　　造）	7,980
（製　　　　品）	76,740	（製　　　　造）	76,740

5　売上原価の算定

（売　上　原　価）	76,950 *	（製　　　　品）	76,950

*　期首製品5,670千円＋当期製品製造原価76,740千円－期末製品5,460千円＝76,950千円

✓ **出題論点**

・総勘定元帳の作成
・製造原価報告書および損益計算書の作成

✓ **学習のポイント**

・製造原価報告書および損益計算書の作成までの流れをおさえましょう。
・製品の製造原価および売上原価をどの勘定で算定するかの指示は必ず確認しましょう。

	日付	時間	学習メモ
1回目	／	／8分	
2回目	／	／8分	
3回目	／	／8分	

問1

	期末仕掛品原価	当期製品製造原価
(1) 平 均 法	29,520 円	252,720 円
(2) 先 入 先 出 法	32,328 円	249,912 円

問2 （単位：円）

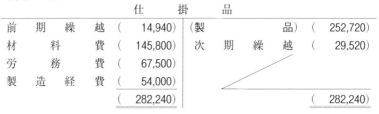

仕 掛 品

前 期 繰 越 （ 14,940)	(製　　　　品)	（ 252,720)
材 料 費 （ 145,800)	次 期 繰 越	（ 29,520)
労 務 費 （ 67,500)		
製 造 経 費 （ 54,000)		
（ 282,240)		（ 282,240)

解説

　材料を始点投入しているので、材料費と加工費（労務費＋製造経費）はわけて計算します。

(1)　平均法

　　①　期末仕掛品の評価

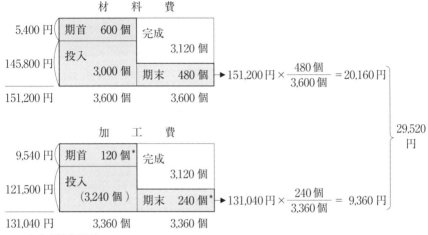

材　料　費

5,400 円	期首　　600 個	完成
145,800 円	投入　　3,000 個	3,120 個
		期末　　480 個

151,200 円　　　3,600 個　　　3,600 個

$\rightarrow 151,200 \text{円} \times \dfrac{480\,\text{個}}{3,600\,\text{個}} = 20,160\,\text{円}$

加　工　費

9,540 円	期首　　120 個*	完成
121,500 円	投入　（3,240 個）	3,120 個
		期末　　240 個*

131,040 円　　　3,360 個　　　3,360 個

$\rightarrow 131,040 \text{円} \times \dfrac{240\,\text{個}}{3,360\,\text{個}} = 9,360\,\text{円}$

29,520円

＊　完成品換算数量
　　期首：600個×0.2＝120個
　　期末：480個×0.5＝240個

　　②　当期製品製造原価の算定
　　　　期首仕掛品14,940円＋当期総製造費用267,300円－期末仕掛品29,520円
　　　　＝252,720円

(2) 先入先出法

① 期末仕掛品の評価

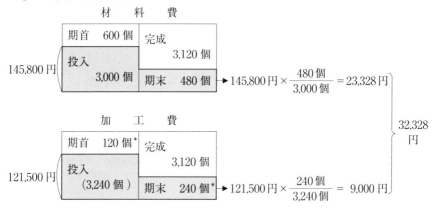

材　料　費

期首　600 個	完成
	3,120 個
投入	
3,000 個	期末　480 個

145,800 円 → $145,800 円 \times \dfrac{480 個}{3,000 個} = 23,328 円$

加　工　費

期首　120 個*	完成
	3,120 個
投入	
（3,240 個）	期末　240 個*

121,500 円 → $121,500 円 \times \dfrac{240 個}{3,240 個} = 9,000 円$

} 32,328 円

② 当期製品製造原価の算定

期首仕掛品14,940円 + 当期総製造費用267,300円 − 期末仕掛品32,328円
= 249,912円

 出題論点

・材料を始点投入した場合
・先入先出法と平均法

 学習のポイント

・加工費の期首・期末仕掛品には加工進捗度を考慮する必要がある点に注意しましょう。
・先入先出法、平均法の会計処理の違いをしっかりと理解できているか確認してください。

製造業会計(4)

	日付	時間	学習メモ
1回目	／	／ 4分	
2回目	／	／ 4分	
3回目	／	／ 4分	

	期末仕掛品原価	当期製品製造原価
(1) 平均法	32,256 円	419,328 円
(2) 先入先出法	31,680 円	419,904 円

解説

　材料を平均投入しているので、材料費と加工費（労務費＋製造経費）は一緒に計算することができます。

(1) 平均法

材料費＋加工費

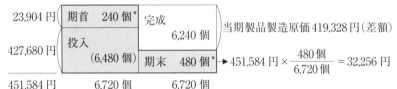

* 完成品換算数量
　期首：1,200個×0.2＝240個
　期末：960個×0.5＝480個

(2) 先入先出法

材料費＋加工費

出題論点

・材料を平均投入した場合

 学習のポイント

・材料平均投入の場合、材料費と加工費で原価の発生割合が同じとなることに注意しましょう。

 製造業会計(5)

	日付	時間	学習メモ
1回目	／	／15分	
2回目	／	／15分	
3回目	／	／15分	

製 造 原 価 報 告 書

(単位：円)

```
Ⅰ 材    料    費
  1  期首材料棚卸高   (       450,000)
  2  当期材料仕入高   (     2,307,060)
        合      計    (     2,757,060)
  3  期末材料棚卸高   (       360,000)  (      2,397,060)
Ⅱ 労    務    費
  1  労    務    費   (     1,044,600)
  2 (賞与引当金繰入)  (       216,000)  (      1,260,600)
Ⅲ 経         費
  1  製  造  経  費   (     1,234,710)
  2 (材料棚卸減耗費)  (        30,000)
  3 (減 価 償 却 費)  (       237,600)  (      1,502,310)
     当期総製造費用                    (      5,159,970)
     期首仕掛品棚卸高                   (      1,129,950)
        合      計                     (      6,289,920)
     期末仕掛品棚卸高                   (        967,680)
     当期製品製造原価                   (      5,322,240)
```

損 益 計 算 書

(単位：円)

Ⅰ 売 上 高		(7,920,000)
Ⅱ 売 上 原 価		
1 期首製品棚卸高	(1,010,688)	
2 当期製品製造原価	(5,322,240)	
合 計	(6,332,928)	
3 期末製品棚卸高	(1,108,800)	(5,224,128)
売 上 総 利 益		(2,695,872)

解説

1 数量の流れの分析および決算整理前残高試算表各自推定の算定

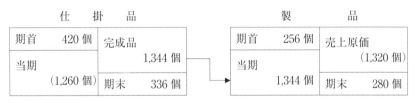

∴ 前T／B製品売上：@6,000円×1,320個＝7,920,000円

2 当期総製造費用の算定

(1) 材料費：期首450,000円＋材料仕入2,307,060円－期末帳簿360,000円＝2,397,060円
(2) 加工費
① 労 務 費：前T／B 1,044,600円＋賞与引当金繰入216,000円＝1,260,600円
② 経 費：前T／B 1,378,710円－営業費144,000円＋棚卸減耗費30,000円
＋減価償却費237,600円＝1,502,310円
③ ①＋②＝2,762,910円

3 期末仕掛品の評価（平均法、材料始点投入）

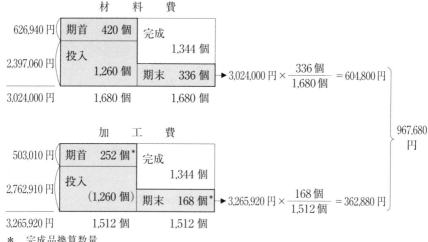

材　料　費

626,940 円 ⎰ 期首　420 個　完成
　　　　　　　　　　　　　　　1,344 個
2,397,060 円 ⎱ 投入
　　　　　　　　　1,260 個　期末　336 個 → 3,024,000 円 × $\frac{336 個}{1,680 個}$ = 604,800 円
—————————
3,024,000 円　　　1,680 個　　　1,680 個

967,680 円

加　工　費

503,010 円 ⎰ 期首　252 個*　完成
　　　　　　　　　　　　　　　1,344 個
2,762,910 円 ⎱ 投入
　　　　　　　（1,260 個）　期末　168 個* → 3,265,920 円 × $\frac{168 個}{1,512 個}$ = 362,880 円
—————————
3,265,920 円　　　1,512 個　　　1,512 個

＊　完成品換算数量
　　期首：420個 × 0.6 = 252個
　　期末：336個 × 0.5 = 168個

4 期末製品の評価（先入先出法）

製　　　品

当期製品　期首　256 個　売上原価
製造原価　　　　　　　　　　1,320 個
（C／Rより）　完成
5,322,240 円　　　1,344 個　期末　280 個 → 5,322,240 円 × $\frac{280 個}{1,344 個}$ = 1,108,800 円

出題論点

・製造原価報告書および損益計算書の作成

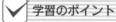

学習のポイント

・本問では、仕掛品と製品における期末棚卸資産の評価方法が異なっています。
　ケアレスミスを防ぐため、問題文の指示に線を引いたり、○をつけるといった
　工夫をしてみましょう。

解答 6 製造業会計(6)

	日付	時間	学習メモ
1回目	／	／ 12分	
2回目	／	／ 12分	
3回目	／	／ 12分	

問1	問2	問3
820,800 円	792,000 円	748,800 円

解説

問1 減損の発生点＜期末仕掛品進捗度 ⇨ 両者負担（減損量は無視）

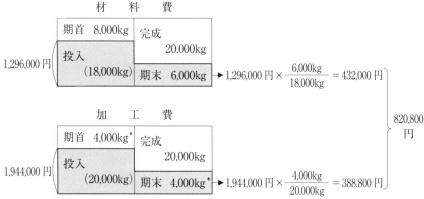

* 完成品換算数量

期首：$8,000\text{kg} \times \dfrac{1}{2} = 4,000\text{kg}$

期末：$6,000\text{kg} \times \dfrac{2}{3} = 4,000\text{kg}$

問2 減損の発生点＞期末仕掛品進捗度 ⇨ 完成品のみ負担（減損量を含める）

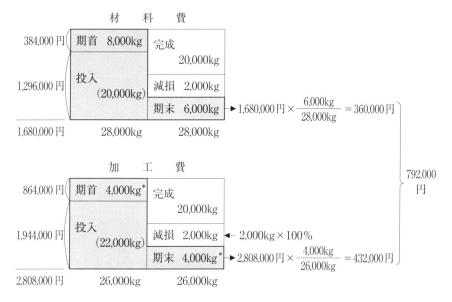

問3 減損の発生点＞期末仕掛品進捗度 ⇨ 完成品のみ負担（減損量を含める）

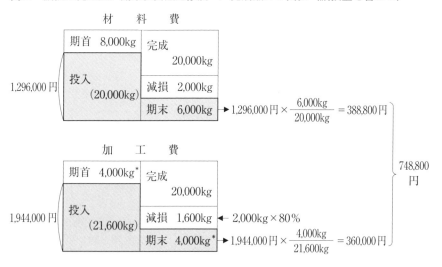

出題論点

・期末仕掛品原価の算定（減損あり）

 学習のポイント

・減損の発生点と仕掛品の進捗状況の違いによって、どのような会計処理を行う
　のかを問う問題です。それぞれの場合における完成品と期末仕掛品が、どのよ
　うに減損を負担すべきなのかをイメージして解きましょう。

組織再編

Chapter **5**

解答 **1** 事業譲受

	日付	時間	学習メモ
1回目	／	／3分	
2回目	／	／3分	
3回目	／	／3分	

（単位：千円）

	借 方 科 目	金 額	貸 方 科 目	金 額
乙 社	諸 資 産	75,000	諸 負 債	45,000
	の れ ん	2,700	現 金 預 金	32,700

解説　（仕訳の単位：千円）

　取得したA事業に対して、パーチェス法を適用します。移転した資産および負債は「時価」により計上します。

乙社（事業譲受）

（諸 資 産)	75,000 [*1]	（諸 負 債)	45,000 [*1]
（の れ ん）	2,700 [*2]	（現 金 預 金)	32,700

＊1　時価
＊2　貸借差額

（参考）分離元企業の会計処理

　分離元企業が受け取った現金等の財産は、原則として「時価」により計上し、移転した事業に係る株主資本相当額との差額は、原則として「移転損益」とします。

甲社（事業譲渡）

（諸 負 債)	45,000 [*1]	（諸 資 産)	72,000 [*1]
（現 金 預 金)	32,700	（移 転 損 益)	5,700 [*2]

＊1　帳簿価額
＊2　貸借差額

出題論点

・事業譲受

 学習のポイント

・受け入れた資産および負債を時価で評価し、対価との差額をのれんとして計上するという流れをおさえましょう。

 吸収合併(1)

	日付	時間	学習メモ
1回目	／	／ 4分	
2回目	／	／ 4分	
3回目	／	／ 4分	

（単位：千円）

借 方 科 目	金 額	貸 方 科 目	金 額
諸 資 産	675,000	諸 負 債	150,000
の れ ん	375,000	資 本 金	300,000
		資 本 準 備 金	150,000
		その他資本剰余金	450,000

解説

合併比率とは、合併の場合における株式の交換比率をいいます。

交付株式数：200,000株×0.5 = 100,000株

取得原価：@9千円×100,000株 = 900,000千円

その他資本剰余金：900,000千円－資本金300,000千円－資本準備金150,000千円
= 450,000千円

諸資産および諸負債：時価で計上

のれん：取得原価900,000千円－（諸資産675,000千円－諸負債150,000千円）
= 375,000千円

	パーチェス法	（単位：千円）

時価⇨

諸　　資　　産	諸　　負　　債	150,000	⇦時価
	資　　本　　金	300,000	
675,000	資　本　準　備　金	150,000	

差額⇨

の　　れ　　ん	その他資本剰余金	（450,000）	
375,000			

取得
原価

✓　**出題論点**

・吸収合併（新株を発行した場合）

✓　**学習のポイント**

・合併比率を使った交付株式数の計算と取得原価の計算が、しっかり解けるようにしましょう。
・増加させる払込資本の内訳は問題文の指示に従いますので、必ず指示を確認しましょう。

解答
3　**吸収合併(2)**

	日付	時間	学習メモ
1回目	／	／4分	
2回目	／	／4分	
3回目	／	／4分	

(単位：千円)

借　方　科　目	金　　額	貸　方　科　目	金　　額
諸　　資　　産	1,200,000	諸　　負　　債	465,000
の　　れ　　ん	165,000	自　己　株　式	210,000
		資　　本　　金	450,000
		資　本　準　備　金	60,000
		その他資本剰余金	180,000

解説

吸収合併による企業結合は「取得」として扱われ、パーチェス法により処理します。

交付株式数：100,000株×0.5＝50,000株

取得原価：@18千円×50,000株＝900,000千円

自己株式：@10.5千円×20,000株＝210,000千円

その他資本剰余金：900,000千円－自己株式210,000千円－資本金450,000千円
　　　　　　　　　－資本準備金60,000千円＝180,000千円

諸資産および諸負債：時価で計上

のれん：取得原価900,000千円－（諸資産1,200,000千円－諸負債465,000千円）
　　　＝165,000千円

パーチェス法　　　（単位：千円）

出題論点

・吸収合併（新株の発行と同時に自己株式を処分した場合）

学習のポイント

・新株の発行と同時に自己株式を処分している場合、取得原価から処分した自己株式の帳簿価額を控除した金額を払込資本の増加額とする点に注意しましょう。

 解答 4 **株式交換(1)**

	日付	時間	学習メモ
1回目	／	／ 3分	
2回目	／	／ 3分	
3回目	／	／ 3分	

（単位：千円）

借 方 科 目	金 額	貸 方 科 目	金 額
関 係 会 社 株 式	2,400,000	資 本 金	400,000
		その他資本剰余金	2,000,000

解説

交付株式数：100,000株 × 0.5 = 50,000株

取得原価：@48千円 × 50,000株 = 2,400,000千円

その他資本剰余金：取得原価2,400,000千円 − 資本金400,000千円 = 2,000,000千円

 出題論点

・株式交換（新株の発行の場合）

 学習のポイント

・取得原価の算定方法を理解できているか確認しましょう。

解答 5 株式交換(2)

	日付	時間	学習メモ
1回目	／	／3分	
2回目	／	／3分	
3回目	／	／3分	

（単位：千円）

借 方 科 目	金 額	貸 方 科 目	金 額
関 係 会 社 株 式	2,400,000	自 己 株 式	200,000
		資 本 金	400,000
		その他資本剰余金	1,800,000

解説

　株式交換の個別財務諸表上の会計処理では、完全親会社が取得する完全子会社株式の取得原価は、交付する完全親会社株式の株式交換日における時価に交付株式数を乗じて算定します。

　交付株式数：100,000株 × 0.5 = 50,000株

　取得原価：＠48千円 × 50,000株 = 2,400,000千円

　その他資本剰余金：取得原価2,400,000千円 − 自己株式200,000千円

　　　　　　　　　　 − 資本金400,000千円 = 1,800,000千円

✓ 出題論点

・株式交換（新株の発行と同時に自己株式を処分した場合）

✓ 学習のポイント

・吸収合併と同様に新株の発行と同時に自己株式を処分している場合、取得原価から処分した自己株式の帳簿価額を控除した金額を払込資本の増加額とする点に注意しましょう。

企業評価額

	日付	時間	学習メモ
1回目	／	／10分	
2回目	／	／10分	
3回目	／	／10分	

問1

A社の企業評価額 | 120,000 | 千円

問2

B社の企業評価額 | 52,800 | 千円

問3

合併比率　　1： | 0.66 |

問4

交付する株式の数 | 105,600 | 株

解説

問1　A社の企業評価額

簿価純資産額：諸資産270,000千円 − 諸負債170,000千円 = 100,000千円

収益還元価値：株主資本100,000千円 × 株主資本利益率7％ ÷ 資本還元率5％
　　　　　　 = 140,000千円

平均値：（100,000千円 + 140,000千円）× $\frac{1}{2}$ = 120,000千円

問2　B社の企業評価額

簿価純資産額：諸資産108,000千円 − 諸負債60,000千円 = 48,000千円

収益還元価値：株主資本48,000千円 × 株主資本利益率6％ ÷ 資本還元率5％
　　　　　　 = 57,600千円

平均値：（48,000千円 + 57,600千円）× $\frac{1}{2}$ = 52,800千円

問3　合併比率

$$\frac{\text{B社評価額}52,800\text{千円} \div \text{B社発行済株式数}160,000\text{株}}{\text{A社評価額}120,000\text{千円} \div \text{A社発行済株式数}240,000\text{株}} = \frac{@330\text{円}}{@500\text{円}} = 0.66$$

問4　A社がB社の株主に対して交付する株式の数

B社発行済株式数160,000株 × 合併比率0.66 = 105,600株

出題論点

・企業評価額の算定

学習のポイント

・企業評価額の算定方法には、いくつかの方法が考えられます。本問では、税理士試験の対策上、重要と考えられる簿価による純資産額と収益還元価値額の折衷法を出題しています。それぞれの方法で、どの数値を使うのか確認しながら解きましょう。

事業分離(1)

	日付	時間	学習メモ
1回目	／	／3分	
2回目	／	／3分	
3回目	／	／3分	

（単位：千円）

	借　方　科　目	金　　額	貸　方　科　目	金　　額
甲　社	諸　　負　　債	45,000	諸　　資　　産	72,000
	現　金　預　金	32,700	移　転　損　益	5,700

解説 （仕訳の単位：千円）

　分離元企業が受け取った現金を「時価」により計上し、移転事業に係る株主資本相当額との差額は、「移転損益」とします。

甲社（事業譲渡）

（諸　　負　　債）	45,000 *1	（諸　　資　　産）	72,000 *1
（現　金　預　金）	32,700 *2	（移　転　損　益）	5,700 *3

＊1　適正な帳簿価額
＊2　時価
＊3　貸借差額

（参考）分離先企業の会計処理

　取得したA事業に対して、パーチェス法を適用します。移転した資産および負債は「時価」により計上します。

乙社（事業譲受）

（諸　　資　　産）	75,000 *1	（諸　　負　　債）	45,000 *1
（の　　れ　　ん）	2,700 *2	（現　金　預　金）	32,700

＊1　時価
＊2　貸借差額

 出題論点

・事業分離（対価が現金のみの場合）

 学習のポイント

・対価が現金であるため、投資は清算されたと考えます。その結果、移転損益を計上する点をおさえましょう。
・事業分離の問題では、対価が何なのかをまず確認しましょう。

事業分離(2)

	日付	時間	学習メモ
1回目	／	／3分	
2回目	／	／3分	
3回目	／	／3分	

(単位：千円)

借 方 科 目	金 額	貸 方 科 目	金 額
諸 負 債	300,000	諸 資 産	1,290,000
投 資 有 価 証 券	1,800,000	移 転 損 益	810,000

【解説】

　分離元企業の個別財務諸表上、分離元企業が受け取った分離先企業の株式の取得原価は「時価」により計上し、移転事業に係る株主資本相当額との差額は「移転損益」とします。

　諸資産および諸負債：適正な帳簿価額

　投資有価証券：@18千円×100,000株＝1,800,000千円

　移転損益：貸借差額

✓ **出題論点**

・事業分離の会計処理（対価が株式等の場合・投資の清算）

✓ **学習のポイント**

・対価が株式の場合、事業分離後の分離先が子会社・関連会社なのか、またはそれ以外なのかを確認しましょう。
・分離先の株式を「その他有価証券」として保有する場合、投資の清算となるため移転損益を計上する点に注意しましょう。

	日付	時間	学習メモ
1回目	／	／3分	
2回目	／	／3分	
3回目	／	／3分	

（単位：千円）

借　方　科　目	金　　額	貸　方　科　目	金　　額
諸　　負　　債	61,600	諸　資　産	89,600
関 係 会 社 株 式	28,000		

解説

　分離元企業の個別財務諸表上、分離元企業が受け取った分離先企業の株式の取得原価は「移転した事業に係る株主資本相当額」に基づいて算定します。したがって、「移転損益」は認識しません。

　諸資産および諸負債：適正な帳簿価額

　関係会社株式：貸借差額

 出題論点

・事業分離の会計処理（対価が株式・投資の継続）

✓ 学習のポイント

・移転した事業に関する投資がそのまま継続しているとみる場合、移転損益は認識しないということに注意しましょう。

138

連結財務諸表

解答・解説

CH 6

解答 1 連結財務諸表(1)

	日付	時間	学習メモ
1回目	／	／6分	
2回目	／	／6分	
3回目	／	／6分	

連 結 精 算 表
X2年3月31日

(単位：百万円)

勘 定 科 目	個別財務諸表			連 結 修正仕訳	連 結 財務諸表
	P 社	S 社	合 計		
〔貸借対照表〕					
諸 資 産	30,000	6,000	36,000		36,000
関 係 会 社 株 式	3,000		3,000	(3,000)	
借 方 合 計	33,000	6,000	39,000	(3,000)	36,000
諸 負 債	(9,000)	(3,000)	(12,000)		(12,000)
資 本 金	(18,000)	(2,100)	(20,100)	2,100	(18,000)
利 益 剰 余 金	(6,000)	(900)	(6,900)	900	(6,000)
貸 方 合 計	(33,000)	(6,000)	(39,000)	3,000	(36,000)

連 結 貸 借 対 照 表
X2年3月31日

(単位：百万円)

借 方 科 目	金 額	貸 方 科 目	金 額
諸 資 産	36,000	諸 負 債	12,000
		資 本 金	18,000
		利 益 剰 余 金	6,000
合 計	36,000	合 計	36,000

解説 （仕訳の単位：百万円）

連結修正仕訳（投資と資本の相殺消去）

（資　　本　　金）	2,100 *²	（関 係 会 社 株 式）	3,000 *¹
（利　益　剰　余　金）	900 *²		

* 1　P社（親会社）B／Sより
* 2　S社（子会社）B／Sより

 出題論点

・連結精算表の作成
・連結貸借対照表の作成

 学習のポイント

・連結財務諸表は、個別財務諸表を単純合算したものに連結修正仕訳を行うことで作成します。それぞれのケースにどのような連結修正仕訳を行うのかを考えながら学習しましょう。

 連結財務諸表(2)

	日付	時間	学習メモ
1回目	／	／5分	
2回目	／	／5分	
3回目	／	／5分	

（単位：百万円）

借　方　科　目	金　　額	貸　方　科　目	金　　額
資　　　本　　　金	2,100	関 係 会 社 株 式	3,300
利　益　剰　余　金	900		
の　　　れ　　　ん	300		

解説

　親会社の子会社に対する投資とこれに対応する子会社の資本との相殺消去にあたり生じた差額は、のれんとして処理します。

　のれん：関係会社株式3,300百万円 − (資本金2,100百万円 + 利益剰余金900百万円)
　　　　　× 100％ = 300百万円

 出題論点

・連結修正仕訳
・のれんの発生

 学習のポイント

・のれんが発生する場合の初年度の連結修正仕訳を答える問題です。のれんの償却は翌年度からと指示されているので、間違えてのれんを償却してしまわないように気をつけましょう。

 解答3 連結財務諸表(3)

	日付	時間	学習メモ
1回目	／	／7分	
2回目	／	／7分	
3回目	／	／7分	

問1 　　　　　　　　　　　　　　　　　　　　　　　　　(単位：百万円)

借　方　科　目	金　　　額	貸　方　科　目	金　　　額
資　　本　　金	2,100	関 係 会 社 株 式	2,250
利 益 剰 余 金	900	非 支 配 株 主 持 分	750

問2

(単位：百万円)

借　方　科　目	金　　額	貸　方　科　目	金　　額
資　　本　　金	2,100	関 係 会 社 株 式	2,550
利　益　剰　余　金	900	非 支 配 株 主 持 分	750
の　　れ　　ん	300		

解説

問1

非支配株主持分：（資本金2,100百万円＋利益剰余金900百万円）×（1－75％）
　　　　　　　　＝750百万円

問2

非支配株主持分：（資本金2,100百万円＋利益剰余金900百万円）×（1－75％）
　　　　　　　　＝750百万円

のれん：関係会社株式2,550百万円－（資本金2,100百万円＋利益剰余金900百万円）
　　　　×75％＝300百万円

 出題論点

・非支配株主持分の算定

 学習のポイント

・完全子会社ではない連結子会社がある場合の処理を答える問題です。親会社の
　持分と非支配株主の持分がそれぞれ何パーセントになるのかを間違えないよう
　にしましょう。

 連結財務諸表(4)

	日付	時間	学習メモ
1回目	／	／6分	
2回目	／	／6分	
3回目	／	／6分	

連 結 貸 借 対 照 表
X2年3月31日
（単位：百万円）

借　方　科　目	金　　額	貸　方　科　目	金　　額
諸　　資　　産	18,000	諸　　負　　債	6,000
の　　れ　　ん	150	資　　本　　金	9,000
		利　益　剰　余　金	2,850
		非 支 配 株 主 持 分	300
合　　　計	18,150	合　　　計	18,150

解説　（仕訳の単位：百万円）

連結修正仕訳（投資と資本の相殺消去）

（資　　　本　　　金）	1,050 *2	（関 係 会 社 株 式）	1,350 *1
（利　益　剰　余　金）	450 *2	（非 支 配 株 主 持 分）	300 *4
（の　　　れ　　　ん）	150 *3		

＊1　P社（親会社）B/Sより
＊2　S社（子会社）B/Sより
＊3　関係会社株式 1,350 百万円 −（資本金 1,050 百万円 ＋ 利益剰余金 450 百万円）
　　　× 80% = 150 百万円
＊4　（資本金 1,050 百万円 ＋ 利益剰余金 450 百万円）×（1 − 80%）= 300 百万円

 出題論点

・連結貸借対照表の作成

 学習のポイント

・関係会社株式と資本合計（親会社株主持分割合）の差額からのれんを求める点
　および非支配株主持分割合に基づいて非支配株主持分を求める点に注意しま
　しょう。

解答 5 連結財務諸表(5)

	日付	時間	学習メモ
1回目	／	／ 4分	
2回目	／	／ 4分	
3回目	／	／ 4分	

連 結 貸 借 対 照 表

X1年3月31日

(単位：百万円)

借 方 科 目	金 額	貸 方 科 目	金 額
諸 資 産	73,500	諸 負 債	24,870
の れ ん	300	資 本 金	36,000
		利 益 剰 余 金	11,700
		非 支 配 株 主 持 分	1,230
合 計	73,800	合 計	73,800

解説 (仕訳の単位：百万円)

1 子会社の資産・負債の時価評価

(諸 資 産)	1,500 *1	(諸 負 債)	450 *2
土地		繰延税金負債	
		(評 価 差 額)	1,050 *3

* 1　時価3,900百万円 − 帳簿価額2,400百万円 = 1,500百万円（評価差益）
* 2　1,500百万円 × 30% = 450百万円
* 3　貸借差額

2 連結修正仕訳（投資と資本の相殺消去）

(資 本 金)	3,000 *2	(関 係 会 社 株 式)	5,220 *1
(利 益 剰 余 金)	2,100 *2	(非 支 配 株 主 持 分)	1,230 *5
(評 価 差 額)	1,050 *3		
(の れ ん)	300 *4		

* 1　P社（親会社）B／Sより
* 2　S社（子会社）B／Sより
* 3　上記1より

＊4　関係会社株式 5,220 百万円 −（資本金 3,000 百万円 ＋利益剰余金 2,100 百万円
　　　＋評価差額 1,050 百万円）× 80% ＝ 300 百万円

＊5　（資本金 3,000 百万円 ＋利益剰余金 2,100 百万円 ＋評価差額 1,050 百万円）
　　　×（1 − 80%）＝1,230 百万円

 出題論点

・連結貸借対照表の作成
・評価差額の処理

 学習のポイント

・子会社の資産（土地）に時価と帳簿価額の差額がある場合の問題です。評価差額には税効果会計が適用されるため難しく感じるかもしれませんが、落ち着いて1つずつ仕訳を行いましょう。

解答6　**連結財務諸表(6)**

	日付	時間	学習メモ
1回目	／	／20分	
2回目	／	／20分	
3回目	／	／20分	

連　結　損　益　計　算　書
自 X1 年 4 月 1 日　至 X2 年 3 月 31 日

（単位：百万円）

借　方　科　目	金　　額	貸　方　科　目	金　　額
諸　　費　　用	66,600	諸　　収　　益	71,760
の れ ん 償 却 額	15		
非支配株主に帰属する当期純利益	180		
親会社株主に帰属する当期純利益	4,965		
合　　　　計	71,760	合　　　　計	71,760

連結株主資本等変動計算書
自X1年4月1日　至X2年3月31日
（単位：百万円）

	株　　主　　資　　本			非支配株主持分
	資　本　金	利益剰余金	株主資本合計	
当 期 首 残 高	36,000	11,700	47,700	1,230
当 期 変 動 額				
剰余金の配当		△　1,800	△　1,800	
親会社株主に帰属する当期純利益		4,965	4,965	
株主資本以外の項目の当期変動額（純額）				120
当 期 末 残 高	36,000	14,865	50,865	1,350

連 結 貸 借 対 照 表
X2年3月31日
（単位：百万円）

借　方　科　目	金　　額	貸　方　科　目	金　　額
諸　　資　　産	84,000	諸　　負　　債	32,070
の　れ　ん	285	資　　本　　金	36,000
		利　益　剰　余　金	14,865
		非 支 配 株 主 持 分	1,350
合　　　計	84,285	合　　　計	84,285

解説　（仕訳の単位：百万円）

1　子会社の資産・負債の時価評価

（諸　　資　　産）	1,500 *1	（諸　　負　　債）	450 *2
土地		繰延税金負債	
		（評　価　差　額）	1,050 *3

＊1　時価 3,900 百万円－帳簿価額 2,400 百万円 = 1,500 百万円（評価差益）

＊2　1,500 百万円× 30％ = 450 百万円

＊3　貸借差額

2 開始仕訳

（資本金当期首残高）	3,000 *2	（関 係 会 社 株 式）	5,220 *1
（利益剰余金当期首残高）	2,100 *2	（非支配株主持分当期首残高）	1,230 *5
（評　価　差　額）	1,050 *3		
（の　　　れ　　　ん）	300 *4		

＊ 1　P社（親会社）B／Sより

＊ 2　S社（子会社）X1年3月31日のB／SまたはS社（子会社）株主資本等変動計算書より

＊ 3　上記1より

＊ 4　関係会社株式5,220百万円 −（資本金3,000百万円 + 利益剰余金2,100百万円 + 評価差額1,050百万円）× 80% = 300百万円

＊ 5　（資本金3,000百万円 + 利益剰余金2,100百万円 + 評価差額1,050百万円）×（1 − 80%）= 1,230百万円

3 のれんの償却

（の れ ん 償 却 額）	15 *	（の　　　れ　　　ん）	15

＊　$300 \text{百万円} \times \dfrac{1\text{年}}{20\text{年}} = 15 \text{百万円}$

4 子会社の当期純利益の按分

（非支配株主に帰属する当期純利益）	180 *	（非支配株主持分当期変動額）	180

＊　子会社の当期純利益900百万円 ×（1 − 80%）= 180百万円

5 子会社の剰余金の配当

（非支配株主持分当期変動額）	60 *1	（剰 余 金 の 配 当）	300
（諸収益（受取配当金））	240 *2		

＊ 1　子会社の剰余金の配当300百万円 ×（1 − 80%）= 60百万円

＊ 2　子会社の剰余金の配当300百万円 × 80% = 240百万円

✓ 出題論点

・連結2年目の連結財務諸表の作成

・のれんの償却

・子会社の当期純利益の按分

・子会社の剰余金の配当

学習のポイント

・連結2年目の処理を行う問題です。前期末に行った連結修正仕訳を、開始仕訳として行います。
・連結株主資本等変動計算書に計上される剰余金の配当は親会社分のみになる点をおさえましょう。

 連結財務諸表⑺

	日付	時間	学習メモ
1回目	／	／ 15分	
2回目	／	／ 15分	
3回目	／	／ 15分	

連 結 貸 借 対 照 表

X4年3月31日

（単位：円）

資 産	金 額	負債・純資産	金 額
諸　　資　　産	207,250	諸　　負　　債	121,500
土　　　　　地	86,250	資　　本　　金	100,000 *1
の　　れ　　ん	810	資　本　剰　余　金	3,875 *1
		利　益　剰　余　金	49,060 *1
		非 支 配 株 主 持 分	19,875 *1
	294,310		294,310

＊1　連結株主資本等変動計算書より

連結株主資本等変動計算書
自X3年4月1日　至X4年3月31日

（単位：円）

資　本　金
　当期首残高　　　　　　　　　　　　　　（　　　100,000 *2）
　当期末残高　　　　　　　　　　　　　　（　　　100,000　）
資本剰余金
　当期首残高　　　　　　　　　　　　　　（　　　　5,000　）
　当期変動額
　　非支配株主との取引に係る親会社の持分変動　（　△　1,125　）
　当期末残高　　　　　　　　　　　　　　（　　　　3,875　）
利益剰余金
　当期首残高　　　　　　　　　　　　　　（　　　42,830 *3）
　当期変動額
　　剰余金の配当　　　　　　　　　　　　（　△　9,000 *2）
　　親会社株主に帰属する当期純利益　　　（　　　15,230 *4）
　当期末残高　　　　　　　　　　　　　　（　　　49,060　）
非支配株主持分
　当期首残高　　　　　　　　　　　　　　（　　　24,500　）
　当期変動額
　　株主資本以外の項目の当期変動額（純額）　（　△　4,625　）
　当期末残高　　　　　　　　　　　　　　（　　　19,875　）

＊2　P社個別財務諸表より
＊3　P社 42,500円＋S社 15,000円－開始仕訳 14,670円＝ 42,830円
＊4　P社 12,500円＋親会社株主に帰属するS社当期純利益 7,500円× 60%
　　　－のれん償却額 270円－受取配当金 1,500円
　　　＝ 15,230円（親会社株主に帰属する当期純利益）

連　結　損　益　計　算　書
自X3年4月1日　至X4年3月31日

（単位：円）

借　方　科　目	金　　額	貸　方　科　目	金　　額
諸　　費　　用	155,000	諸　　収　　益	163,100
の　れ　ん　償　却　額	270	受　取　配　当　金	10,400
非支配株主に帰属する当期純利益	3,000		
親会社株主に帰属する当期純利益	15,230		
	173,500		173,500

1．評価差額の計上

S社の土地について、時価評価を行います。

（土　　　　　地）	1,250	（評　価　差　額）	1,250 *

＊　時価 11,250 円 − 帳簿価額 10,000 円 = 1,250 円（評価差益）

2．連結修正仕訳

開始仕訳などの連結修正仕訳に加えて、追加取得に係る連結修正仕訳を行います。追加取得した子会社株式と、追加取得割合に相当する非支配株主持分を相殺し、貸借差額が生じる場合は資本剰余金として処理します。

⑴　開始仕訳

①　X1 年度末（60％取得）

（資本金当期首残高）	40,000	（S　　社　　株　　式）	37,500
（資本剰余金当期首残高）	5,000	（非支配株主持分当期首残高）	24,100 *
（利益剰余金当期首残高）	14,000		
（評　価　差　額）	1,250		
（の　　れ　　ん）	1,350		

＊　資本合計 60,250 円 × 非支配株主持分比率 40％ = 24,100 円

②　X2 年度

（ⅰ）　支配獲得後利益剰余金の振替え

（利益剰余金当期首残高）	400	（非支配株主持分当期首残高）	400 *

＊　（利益剰余金当期首残高 15,000 円 − 支配獲得時利益剰余金 14,000 円）
　　× (1 − 60％) = 400 円

（ⅱ）　のれんの償却

（利益剰余金当期首残高）	270	（の　　れ　　ん）	270 *

＊　のれん 1,350 円 ÷ 5 年 = 270 円

③　開始仕訳（① + ②）

（資本金当期首残高）	40,000	（S　　社　　株　　式）	37,500
（資本剰余金当期首残高）	5,000	（非支配株主持分当期首残高）	24,500
（利益剰余金当期首残高）	14,670 *		
（評　価　差　額）	1,250		
（の　　れ　　ん）	1,080		

* 支配獲得時利益剰余金 14,000 円＋非支配株主に帰属する支配獲得後利益剰余金 400 円
＋のれん償却額 270 円＝ 14,670 円

(2) 当期純利益の按分

（非支配株主に帰属する当期純利益）	3,000	（非支配株主持分当期変動額）	3,000 *

* 7,500 円×非支配株主持分比率 40％＝ 3,000 円

(3) のれんの償却

（の れ ん 償 却 額）	270 *	（の れ ん）	270

* のれん 1,350 円÷ 5 年＝ 270 円

(4) 剰余金の配当

（受 取 配 当 金）	1,500 *1	（剰 余 金 の 配 当）	2,500
（非支配株主持分当期変動額）	1,000 *2		

* 1 子会社の剰余金の配当 2,500 円× P 社持分比率 60％＝ 1,500 円
* 2 子会社の剰余金の配当 2,500 円×非支配株主持分比率 40％＝ 1,000 円

(5) 追加取得（10％）

（非支配株主持分当期変動額）	6,625 *1	（S 社 株 式）	7,750
（資本剰余金持分の増減）	1,125 *2		

* 1 S 社資本合計 66,250 円×追加取得比率 10％＝ 6,625 円
* 2 貸借差額

 出題論点

・連結における追加取得

 学習のポイント

・子会社の支配を獲得したあとに追加取得を行った場合は、のれんは計上されません。
・連結株主資本等変動計算書における利益剰余金の変動事由に、親会社株主に帰属する当期純利益が表示される点も確認しましょう。

	日付	時間	学習メモ
1回目	／	／ 15分	
2回目	／	／ 15分	
3回目	／	／ 15分	

連 結 貸 借 対 照 表
X2年 3 月31日
(単位：円)

資　　　産	金　　額	負債・純資産	金　　額
諸　　資　　産	110,000	諸　　負　　債	57,000
の　　れ　　ん	576	繰 延 税 金 負 債	600
		資　　本　　金	20,000
		資 本 剰 余 金	5,960
		利 益 剰 余 金	18,856
		非 支 配 株 主 持 分	8,160
	110,576		110,576

解説

1．連結修正仕訳

本問は、連結貸借対照表のみの作成なので、貸借対照表項目で仕訳を行います。

(1) 開始仕訳（X1年 3 月31日）

① S社資産・負債の評価替え（全面時価評価法）

（諸　　資　　産）	4,000 *1	（諸　　負　　債）	2,000 *2
		（繰 延 税 金 負 債）	600 *3
		（評　価　差　額）	1,400 *4

*1　時価42,000円－帳簿価額38,000円 = 4,000円（諸資産）⎰ 差額2,000円
*2　時価22,000円－帳簿価額20,000円 = 2,000円（諸負債）⎱
*3　2,000円×30% = 600円（繰延税金負債）
*4　貸借差額

② 投資と資本の相殺消去

（資　　本　　金）	10,000	（S　社　株　式）	16,160
（資　本　剰　余　金）	5,000	（非支配株主持分）	3,880 *1
（利　益　剰　余　金）	3,000		
（評　価　差　額）	1,400		
（の　　れ　　ん）	640 *2		

＊1　（10,000 円 + 5,000 円 + 3,000 円 + 1,400 円）×（1 − 80％）= 3,880 円

＊2　16,160 円 −（10,000 円 + 5,000 円 + 3,000 円 + 1,400 円）× 80％ = 640 円

⑵　当期の期中仕訳（X1 年 4 月 1 日から X2 年 3 月 31 日まで）

①　のれんの当期償却

（利　益　剰　余　金）	64 *	（の　　れ　　ん）	64
のれん償却額			

＊　640 円 ÷ 10 年 = 64 円

②　S 社増加剰余金の振替え

（利　益　剰　余　金）	200 *	（非支配株主持分）	200

＊　（4,000 円 − 3,000 円）×（1 − 80％）= 200 円

問題資料に S 社の配当金額が与えられていないため、S 社の配当はないものとして解答します。

③　子会社株式の売却

（S　社　株　式）	4,040 *2	（非支配株主持分）	4,080 *1
（利　益　剰　余　金）	1,000	（資　本　剰　余　金）	960 *3
個別上子会社株式売却損益			

＊1　（10,000 円 + 5,000 円 + 4,000 円 + 1,400 円）× 20％
　　　= 4,080 円（非支配株主持分・売却持分）

＊2　16,160 円 × $\frac{1}{4}$ = 4,040 円（S 社株式・売却株式の取得原価）

＊3　貸借差額

2．連結貸借対照表の数値

のれん：640 円 − 64 円 = 576 円

利益剰余金：P 社 19,120 円 + S 社 4,000 円 − 開始仕訳 3,000 円
　　　　　　　−のれん償却額 64 円 − 非支配株主に帰属する当期純利益 200 円
　　　　　　　−売却損益の消去 1,000 円 = 18,856 円

非支配株主持分：3,880 円 + 200 円 + 4,080 円 = 8,160 円

3．連結精算表

連結精算表　　　　　　　　（単位：円）

科　　目	個別貸借対照表			連結修正仕訳		連　結貸借対照表
	P　社	S　社	合　計	借　方	貸　方	
諸　資　産	64,000	42,000	106,000	4,000		110,000
の　れ　ん	──	──	──	640	64	576
S　社　株　式	12,120	──	12,120	4,040	16,160	0
合　　計	76,120	42,000	118,120	8,680	16,224	110,576
諸　負　債	(32,000)	(23,000)	(55,000)		2,000	(57,000)
繰延税金負債	──	──	──		600	(600)
資　本　金	(20,000)	(10,000)	(30,000)	10,000		(20,000)
資本剰余金	(5,000)	(5,000)	(10,000)	5,000	960	(5,960)
利益剰余金	(19,120)	(4,000)	(23,120)	3,000 64 200 1,000		(18,856)
評　価　差　額	──	──	──	1,400	1,400	0
非支配株主持分	──	──	──		3,880 200 4,080	(8,160)
合　　計	(76,120)	(42,000)	(118,120)	20,664	13,120	(110,576)

出題論点

・連結における一部売却

学習のポイント

・（支配関係が継続している場合）一部売却においては、連結上、子会社株式売却損益は計上されません。そのため連結修正仕訳では子会社株式売却損益を消去し、「売却額と親会社の持分の減少額の差額」が資本剰余金の変動額となるように連結修正仕訳を行いましょう。

連結財務諸表(9)

	日付	時間	学習メモ
1回目	／	／5分	
2回目	／	／5分	
3回目	／	／5分	

(1) 貸付金と借入金の相殺消去　　　　　　　　　　　　　　（単位：千円）

借　方　科　目	金　　額	貸　方　科　目	金　　額
借　　入　　金	3,000	貸　　付　　金	3,000

(2) 受取利息と支払利息の相殺消去　　　　　　　　　　　　（単位：千円）

借　方　科　目	金　　額	貸　方　科　目	金　　額
受　取　利　息	36	支　払　利　息	36

(3) 経過勘定項目の相殺消去　　　　　　　　　　　　　　　（単位：千円）

借　方　科　目	金　　額	貸　方　科　目	金　　額
未　払　費　用	12	未　収　収　益	12

(4) 貸倒引当金の調整　　　　　　　　　　　　　　　　　　（単位：千円）

借　方　科　目	金　　額	貸　方　科　目	金　　額
貸　倒　引　当　金	30	貸倒引当金繰入額	30
法　人　税　等　調　整　額	9	繰　延　税　金　負　債	9

解説

　連結会社相互間の取引および債権・債務は相殺消去をします。

(1)　貸付金と借入金の相殺消去

　　　貸付金額：3,000千円

(2)　受取利息および支払利息の相殺消去

$$3,000千円 \times 1.6\% \times \frac{9カ月（X5年7月1日～X6年3月31日）}{12カ月} = 36千円$$

(3)　経過勘定項目の相殺消去

$$3,000千円 \times 1.6\% \times \frac{3カ月（X6年1月1日～X6年3月31日）}{12カ月} = 12千円$$

(4)　貸倒引当金の調整および税効果会計

　①　貸倒引当金の調整：貸付金3,000千円 × 1％ = 30千円

　②　税効果会計：30千円 × 30％ = 9千円（繰延税金負債）

✓ 出題論点

・連結会社間取引の相殺消去

✓ 学習のポイント

・連結会社間で行われた取引は、連結財務諸表を作成する際に相殺消去する必要
　があります。本問では、貸付金と借入金を相殺消去することで、それに連動し
　て貸倒引当金や経過勘定も相殺消去する必要が生じます。1つの取引を相殺消
　去した場合は、他にどのような取引の相殺消去が必要なのかイメージしながら
　解きましょう。

	日付	時間	学習メモ
1回目	／	／7分	
2回目	／	／7分	
3回目	／	／7分	

問1

(1) 売上高と仕入高の相殺消去　　　　　　　　　　　　（単位：千円）

借　方　科　目	金　　　額	貸　方　科　目	金　　　額
売　　上　　高	6,600	売　上　原　価	6,600

(2) 売掛金と買掛金の相殺消去　　　　　　　　　　　　（単位：千円）

借　方　科　目	金　　　額	貸　方　科　目	金　　　額
買　　掛　　金	3,000	売　　掛　　金	3,000

(3) 未実現利益の消去　　　　　　　　　　　　　　　　（単位：千円）

借　方　科　目	金　　　額	貸　方　科　目	金　　　額
売　上　原　価	150	商　　　　　品	150
繰 延 税 金 資 産	45	法 人 税 等 調 整 額	45

(4) 貸倒引当金の調整　　　　　　　　　　　　　　　　（単位：千円）

借　方　科　目	金　　　額	貸　方　科　目	金　　　額
貸 倒 引 当 金	30	貸倒引当金繰入額	30
法 人 税 等 調 整 額	9	繰 延 税 金 負 債	9

問2

(1) 未達取引の修正　　　　　　　　　　　　　　　　　（単位：千円）

借　方　科　目	金　　　額	貸　方　科　目	金　　　額
商　　　　　品	900	買　　掛　　金	900

(2) 売上高と仕入高の相殺消去 （単位：千円）

借　方　科　目	金　　額	貸　方　科　目	金　　額
売　　上　　高	16,800	売　上　原　価	16,800

(3) 未実現利益の消去 （単位：千円）

借　方　科　目	金　　額	貸　方　科　目	金　　額
売　上　原　価	900	商　　　　品	900
繰　延　税　金　資　産	270	法人税等調整額	270

解説

問1

(1) 売上高と仕入高の相殺消去

連結上は内部取引となるので、相殺消去します。

(2) 売掛金と買掛金の相殺消去

企業集団内の取引から生じた債権・債務は、相殺消去します。

(3) 未実現利益の消去および税効果会計

① 未実現利益の消去：1,500千円×10％＝150千円

② 税効果会計：150千円×30％＝45千円（繰延税金資産）

(4) 貸倒引当金の調整および税効果会計

① 貸倒引当金の調整：3,000千円×1％＝30千円

② 税効果会計：30千円×30％＝9千円（繰延税金負債）

問2

(1) 未達取引の修正

連結損益計算書では通常、売上原価の内訳は示さないので、借方科目は商品勘定を用います。

(2) 売上高と仕入高の相殺消去

16,800千円（未達取引修正後の一致金額）

(3) 未実現利益の消去および税効果会計

① 未実現利益の消去：（3,600千円＋未達900千円）×20％＝900千円

② 税効果会計：900千円×30％＝270千円（繰延税金資産）

出題論点

・未実現損益の調整

学習のポイント

・連結会社間で売買取引をしている場合は、その取引で生じた未実現損益を考慮
する必要があります。

 解答 11 持分法

	日付	時間	学習メモ
1回目	／	／8分	
2回目	／	／8分	
3回目	／	／8分	

(1) 9,400 千円
(2) 159,400 千円
(3) 173,300 千円

解説 （仕訳の単位：千円）

1．持分法適用時（X1年3月31日）

仕 訳 な し

のれんの把握

① 評価差額

（時価120,000千円－簿価100,000千円）×20％＝4,000千円

② のれん

投資有価証券150,000千円－ ｛（A社資本金500,000千円＋A社利益剰余金200,000
千円）×20％＋評価差額4,000千円｝＝6,000千円

2．適用後1年目（X1年4月1日〜X2年3月31日）

(1) のれんの償却

159

| （持分法による投資損益） | 600* | （投 資 有 価 証 券） | 600 |

　　＊　6,000千円÷10年＝600千円

(2)　当期純利益の認識

| （投 資 有 価 証 券） | 10,000 | （持分法による投資損益） | 10,000* |

　　＊　（250,000千円－200,000千円）×20％＝10,000千円

X1年度連結損益計算書の持分法による投資損益：10,000千円－600千円＝9,400千円

X2年3月31日の持分法投資額：150,000千円－600千円＋10,000千円＝159,400千円

3．適用後2年目（X2年4月1日～X3年3月31日）

(1)　開始仕訳

　　前期末までに計上した損益項目は、利益剰余金当期首残高で処理します。

　①　のれんの償却

| （利益剰余金当期首残高） | 600 | （投 資 有 価 証 券） | 600 |

　②　当期純利益の認識

| （投 資 有 価 証 券） | 10,000 | （利益剰余金当期首残高） | 10,000 |

(2)　のれんの償却

| （持分法による投資損益） | 600* | （投 資 有 価 証 券） | 600 |

　　＊　6,000千円÷10年＝600千円

(3)　当期純利益の認識

| （投 資 有 価 証 券） | 16,000 | （持分法による投資損益） | 16,000* |

　　＊　（330,000千円－250,000千円）×20％＝16,000千円

(4)　商品売買に係る未実現損益の調整

| （売　　　　上　　　　高） | 1,500 | （投 資 有 価 証 券） | 1,500* |

　　＊　30,000千円×持分割合20％×利益率25％＝1,500千円

X3年3月31日の持分法投資額：

150,000千円－600千円＋10,000千円－600千円＋16,000千円－1,500千円＝173,300千円

 出題論点

・持分法（のれん償却、当期純利益の認識、未実現損益の調整）

 学習のポイント

・持分法では、関連会社の財務諸表を合算せず、投資会社の持分増減額のみを仕訳によって計上します。連結子会社における非支配株主持分に相当する部分は認識しません。

・持分法における未実現損益の調整は、持分割合相当分のみを消去します。

Chapter 7

キャッシュ・フロー計算書

解答 1 キャッシュ・フロー計算書(1)

	日付	時間	学習メモ
1回目	／	／ 10分	
2回目	／	／ 10分	
3回目	／	／ 10分	

〈直接法〉

キャッシュ・フロー計算書

(単位：千円)

I	営業活動によるキャッシュ・フロー		
	営業収入	(	1,566,000)
	商品の仕入れによる支出	(△	862,800)
	人件費の支出	(△	142,080)
	その他の営業支出	(△	83,400)
	小　　計	(	477,720)
	利息の受取額	(	24,000)
	法人税等の支払額	(△	196,560)
	営業活動によるキャッシュ・フロー	(	305,160)
II	投資活動によるキャッシュ・フロー		
	有形固定資産の取得による支出	(△	400,000)
	有形固定資産の売却による収入	(	48,000)
	貸付けによる支出	(△	40,000)
	投資活動によるキャッシュ・フロー	(△	392,000)
III	財務活動によるキャッシュ・フロー		
	株式の発行による収入	(	400,000)
	配当金の支払額	(△	200,000)
	財務活動によるキャッシュ・フロー	(	200,000)
IV	現金及び現金同等物の増加額	(	113,160)
V	現金及び現金同等物の期首残高	(	508,000)
VI	現金及び現金同等物の期末残高	(	621,160)

解答・解説

CH 7

解説 （仕訳の単位：千円）

直接法によるキャッシュ・フロー計算書は次のように作成します。

1 営業活動によるキャッシュ・フロー（単位：千円）

(1) 営業収入

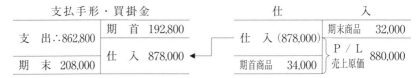

受取手形・売掛金

期　首　322,000	収　入∴1,566,000
P／L 売　上 1,524,000	貸　倒　　2,000
	期　末　278,000

貸　倒　引　当　金

貸　倒　（2,000）	期　首　6,440
期　末　5,560	繰　入　1,120

(2) 商品の仕入れによる支出

支払手形・買掛金

支　出∴862,800	期　首　192,800
期　末　208,000	仕　入　878,000

仕　　　　入

仕　入（878,000）	期末商品　32,000
期首商品　34,000	P／L 売上原価 880,000

(3) 人件費の支出

人　件　費

支　出∴138,080	期首未払　2,600
期末未払　2,120	P／L 人件費 137,600

　　　人件費の支出138,080千円＋賞与引当金の取崩し4,000千円＝142,080千円

(4) その他の営業支出
　　　P／Lより83,400千円

(5) 利息の受取額

受　取　利　息

期首未収　2,800	収　入∴24,000
P／L 受取利息 24,800	期末未収　3,600

(6) 法人税等の支払額

法　人　税　等

支　出 ∴ 196,560	期首未払　116,560
	P／L 法人税等　172,000
期末未払　　92,000	

2　投資活動によるキャッシュ・フロー

(1) 有形固定資産の取得による支出
　　建設仮勘定400,000千円（【資料2】 4より）

(2) 有形固定資産の売却による収入

(減 価 償 却 累 計 額)	129,600	(建　　　　　　　　　物)	160,000
(減 価 償 却 費)	4,320	(固 定 資 産 売 却 益)	21,920 [*1]
(現 金 及 び 預 金)	48,000 [*2]		

＊1　P／Lより
＊2　貸借差額

(3) 貸付けによる支出
　　期末長期貸付金360,000千円 − 期首長期貸付金320,000千円 = 40,000千円

3　財務活動によるキャッシュ・フロー

(1) 株式の発行による収入：【資料1】株主資本等変動計算書より400,000千円

(2) 配当金の支払額：【資料1】株主資本等変動計算書より200,000千円

 出題論点

・直接法によるキャッシュ・フロー計算書の作成
・投資活動、財務活動によるキャッシュ・フロー

✓ 学習のポイント

・直接法によるキャッシュ・フロー計算書は、現金同等物の増加額と減少額を直
接記載することで作成します。また、営業活動、投資活動、財務活動にはそれ
ぞれどのような取引があるのか確認しておきましょう。

解答・解説

CH 7

解答 2 キャッシュ・フロー計算書(2)

	日付	時間	学習メモ
1回目	／	／10分	
2回目	／	／10分	
3回目	／	／10分	

〈間接法〉

キャッシュ・フロー計算書

(単位：千円)

I　営業活動によるキャッシュ・フロー

税引前当期純利益	(	430,680)
減価償却費	(	33,120)
貸倒引当金の減少額	(　△	880)
賞与引当金の増加額	(	800)
固定資産売却益	(　△	21,920)
受取利息	(　△	24,800)
売上債権の減少額	(	44,000)
棚卸資産の減少額	(	2,000)
仕入債務の増加額	(	15,200)
未払費用の減少額	(　△	480)
小　　　計	(	477,720)

解説

　間接法によるキャッシュ・フロー計算書は次のように作成します。

(1)　税引前当期純利益

　当期純利益258,680千円＋法人税等172,000千円＝430,680千円

(2)　減価償却費（プラス調整）

　P／Lより33,120千円 ⇨ 33,120千円

(3)　貸倒引当金の減少額（マイナス調整）

　当期B／S5,560千円－前期B／S6,440千円＝△880千円 ⇨ △880千円

(4)　賞与引当金の増加額（プラス調整）

　当期B／S4,800千円－前期B／S4,000千円＝800千円 ⇨ 800千円

(5) 固定資産売却益（マイナス調整）

　　P／Lより21,920千円 ⇨ △21,920千円

(6) 受取利息（マイナス調整）

　　P／Lより24,800千円 ⇨ △24,800千円

(7) 売上債権の減少額（プラス調整）

　　当期B／S 278,000千円 − 前期B／S 322,000千円 = △44,000千円 ⇨ 44,000千円

(8) 棚卸資産の減少額（プラス調整）

　　当期B／S 32,000千円 − 前期B／S 34,000千円 = △2,000千円 ⇨ 2,000千円

(9) 仕入債務の増加額（プラス調整）

　　当期B／S 208,000千円 − 前期B／S 192,800千円 = 15,200千円 ⇨ 15,200千円

(10) 未払費用の減少額（マイナス調整）

　　当期B／S 2,120千円 − 前期B／S 2,600千円 = △480千円 ⇨ △480千円

 出題論点

・間接法によるキャッシュ・フロー計算書の作成

学習のポイント

・間接法によるキャッシュ・フロー計算書では、営業活動によるキャッシュ・フローを税引前当期純利益に加減算して算定します。なお、投資活動、財務活動によるキャッシュ・フローについては直接法と同じなので、本問では問われていません。

解答 3 キャッシュ・フロー計算書(3)

	日付	時間	学習メモ
1回目	／	／20分	
2回目	／	／20分	
3回目	／	／20分	

①	4,000	千円
②	14,000	千円
③	23,680	千円
④	718,080	千円
⑤	△ 37,300	千円
⑥	1,300	千円

解説

1 営業活動によるキャッシュ・フローの推定（単位：千円）

(1) 営業収入

受取手形・売掛金の決済による収入

受取手形・売掛金

期首 12,800	∴収入 718,080
P／L 売上 720,000	貸倒 320
	期末 14,400

貸倒引当金

	期首 800
∴貸倒 320	繰入 600
期末 1,080	

営業収入：718,080千円…④

(2) 利息の支払額

支払利息

	期首未払 240
∴支出 1,200	P／L 支払利息 1,280
期末未払 320	

(3) 法人税等の支払額

法　人　税　等

∴ 支 出 17,920 ｜ 期首未払 12,000

期末未払 10,000 ｜ P／L 法人税等 15,920

(4) 営業活動によるキャッシュ・フロー

　　ここまでの計算で、営業活動によるキャッシュ・フローの空欄がすべて埋まります。

キャッシュ・フロー計算書
X1年4月1日〜 X2年3月31日　　（単位：千円）

営業活動によるキャッシュ・フロー	
営業収入	718,080
商品の仕入による支出	△430,200
営業支出（人件費の支出を含む）	△221,360
小計	66,520
利息及び配当金の受取額	2,600
利息の支払額	△1,200
法人税等の支払額	△17,920
営業活動によるキャッシュ・フロー	50,000

2　投資活動によるキャッシュ・フローの推定（単位：千円）

(1) 貸付による支出及び貸付金の回収による収入

短　期　貸　付　金

期首	4,000	当期回収	？
当期貸付	？		
		期末	4,800

注）通常は「貸付による支出」「貸付金の回収による収入」は別科目で計上されます（その場合、当期貸付高と当期回収高に関する資料が必要）が、本問では指示により、両者の純額で記載しています。

当期純増減額：期末4,800千円 − 期首4,000千円 = 800千円（貸付金の増加→支出）

(2) 投資活動によるキャッシュ・フロー

　ここまでの計算で、投資活動によるキャッシュ・フローの空欄がすべて埋まります。

キャッシュ・フロー計算書
X1年4月1日～X2年3月31日　　　　　（単位：千円）

投資活動によるキャッシュ・フロー

有形固定資産の取得による支出及び売却による収入	△36,000
貸付による支出及び貸付金の回収による収入	△800
定期預金の預入による支出及び払戻による収入	△500
投資活動によるキャッシュ・フロー	△37,300　…⑤

3　現金及び現金同等物

　【資料1】注より、本問におけるキャッシュ・フロー計算書の「現金及び現金同等物」は、「現金（現金勘定）」と「預入期間3カ月以内の定期預金」です。そこで、キャッシュ・フロー計算書末尾の金額は以下のようになります。

(1)　「現金及び現金同等物の増減額」

　　営業CF増減額50,000千円＋投資CF増減額△37,300千円＋財務CF増減額△11,400千円＝**1,300千円**…⑥

(2)　「現金及び現金同等物の期首残高」

　　期首現金3,200千円＋期首定期預金（預入期間3カ月）2,000千円＝5,200千円

(3)　現金及び現金同等物の期末残高

　　期首残高5,200千円＋当期増減額1,300千円＝6,500千円

　補足：預入期間3カ月の定期預金は現金同等物扱いなので、期中の増減は現金同等物と現金を交換する取引となり、キャッシュ・フロー全体量は変化しません。よって、キャッシュ・フロー計算書の記載対象にはなりません。一方、預入期間1年の定期預金は現金同等物ではないため、預入は現金支出となり、払戻は現金収入となります。

キャッシュ・フロー計算書
X1年4月1日〜X2年3月31日　　　　　　（単位：千円）

営業活動によるキャッシュ・フロー	
営業収入	718,080
商品の仕入による支出	△430,200
営業支出（人件費の支出を含む）	△221,360
小計	66,520
利息及び配当金の受取額	2,600
利息の支払額	△1,200
法人税等の支払額	△17,920
営業活動によるキャッシュ・フロー	50,000
投資活動によるキャッシュ・フロー	
有形固定資産の取得による支出及び売却による収入	△36,000
貸付による支出及び貸付金の回収による収入	△800
定期預金の預入による支出及び払戻による収入	△500
投資活動によるキャッシュ・フロー	△37,300
財務活動によるキャッシュ・フロー	
借入れによる収入及び借入金の返済による支出	6,600
配当金の支払額	△18,000
財務活動によるキャッシュ・フロー	△11,400
現金及び現金同等物の増減額	1,300
現金及び現金同等物の期首残高	5,200
現金及び現金同等物の期末残高	6,500

4 貸借対照表の推定 （単位：千円）

(1) 現金勘定の期末残高

現金及び現金同等物の期末残高6,500千円 − 期末定期預金（預入期間3カ月）2,500千円 = **4,000千円**・・・①

(2) 支払手形・買掛金の期末残高

支払手形・買掛金	
支出　430,200	期首　　11,000
	仕入　433,200
∴期末　14,000…②	

仕　　入	
∴ 仕 入 433,200	期末商品 13,200
期首商品　12,000	P／L 売上原価 432,000

(3) 繰越利益剰余金の期末残高

① 利益準備金の積立額

イ：配当金18,000千円 $\times \dfrac{1}{10}$ = 1,800千円

ロ：資本金180,000千円 $\times \dfrac{1}{4}$ − 資本準備金8,000千円 − 利益準備金16,000千円
= 21,000千円

イ＜ロ　∴1,800千円

② 繰越利益剰余金の期末残高

期首24,000千円 + 当期純利益19,480千円 − 配当金18,000千円 − 利益準備金の積立額1,800千円 = **23,680千円**・・・③

(4) その他の空欄

① 有形固定資産の期末残高

期首320,000千円 + 有形固定資産の取得による支出及び売却による収入△36,000千円（支出→有形固定資産の購入）= 356,000千円

② 投資有価証券の期末残高

キャッシュ・フロー計算書に「投資有価証券の取得による支出」「投資有価証券の売却による収入」がないため、期中の増減はゼロ、期末残高は14,000千円です。

③ 利益準備金の期末残高

期首16,000千円 + 当期積立額1,800千円 = 17,800千円

170

出題論点

・直接法によるキャッシュ・フロー計算書の作成

 学習のポイント

・営業収入、仕入支出など、複数の勘定を分析する必要がある項目は、集計漏れ
や過大集計に注意しましょう。本問では、貸倒れによる売掛金の減少は、現金
収入を伴わないことを考慮する必要があります。

なお、投資活動に関するキャッシュ・フローや財務活動に関するキャッシュ・
フローの方が簡単に解答できることも多いので、確実に解答できる箇所を見極
めて解き進めましょう。

	日付	時間	学習メモ
1回目	／	／ 20分	
2回目	／	／ 20分	
3回目	／	／ 20分	

①	320,000	②	617,000	③	1,600
④	2,700	⑤	2,200	⑥	29,600

解説　（仕訳等の単位：千円）

1　空欄①、②

　支払手形と買掛金をまとめて仕入債務として分析します。この場合、買掛金の支払いとして振り出した約束手形90,000は「仕入債務（買掛金）90,000／仕入債務（支払手形）90,000」という処理になるため、省略します。

仕　入　債　務		仕　　　　入	
支出額 340,000 （C/Sより）	期首 150,000*1	期首商品 100,000	∴損益 320,000 （差額） …空欄①
期末 160,000*2	仕入 350,000 （差額）	仕入 350,000	期末商品 130,000*3

＊1　開始残高・支払手形 40,000 ＋開始残高・買掛金 110,000 ＝ 150,000
＊2　閉鎖残高・支払手形 30,000 ＋閉鎖残高・買掛金 130,000 ＝ 160,000
＊3　閉鎖残高・繰越商品 128,000 ＋損益・商品評価損 2,000 ＝ 130,000

仕入債務と同様に、売掛金と受取手形をまとめて売上債権として分析します。売掛金の支払いとして裏書譲渡された約束手形110,000は「売上債権（受取手形）110,000／売上債権（売掛金）110,000」という処理になるため、省略します。

売　上　債　権

期首 175,000 [*1]	貸倒れ 2,000
	割引　10,000
∴売上 617,000 （差額） …空欄②	割引以外 の収入額 600,000 [*3]
	期末 180,000 [*2]

貸　倒　引　当　金

| ∴取崩
2,000
（差額） | 期首
3,500 |
| 期末
3,600 | 繰入額
2,100
（損益より） |

* 1　開始残高・受取手形 30,000 ＋開始残高・売掛金 145,000 ＝ 175,000
* 2　閉鎖残高・受取手形 20,000 ＋閉鎖残高・売掛金 160,000 ＝ 180,000
* 3　営業収入 609,900 －（割引手形額面 10,000 －損益・手形売却損 100）
　　　＝ 600,000

2　空欄③

退 職 給 付 引 当 金

支出額 600 [*]	期首 11,000
	∴退職給付費用 1,600 （差額） …空欄③
期末 12,000	

* 　退職一時金 500 ＋年金掛金 100 ＝ 600
　　または　C/S 人件費の支出 140,000 －損益・給料 139,400 ＝ 600

3　空欄④～⑥

（1）建物A

（減 価 償 却 累 計 額）	38,400 [*1]	（建 　 　 　 物）	60,000
（減 価 償 却 費）	300 [*2]		
（現 金 預 金）	19,100 [*3]		
（固 定 資 産 売 却 損）	2,200 [*4]		

* 1　$60,000 \times \dfrac{1年}{50年} \times 32年 = 38,400$

* 2　$60,000 \times \dfrac{1年}{50年} \times \dfrac{3月}{12月} = 300$

* 3　C/S 有形固定資産の売却による収入より
* 4　貸借差額

(2) 建物B

（減 価 償 却 費）	1,600 *	（減 価 償 却 累 計 額）	1,600

＊ $80,000 \times \dfrac{1\text{年}}{50\text{年}} = 1,600$

(3) 建物C

取得時

（建　　　　　物）	120,000 *2	（現　金　預　金）	48,000 *1
		（未　　払　　金）	72,000

＊1　C/S 有形固定資産の取得による支出より
＊2　貸方合計

減価償却費

（減 価 償 却 費）	800 *	（減 価 償 却 累 計 額）	800

＊ $120,000 \times \dfrac{1\text{年}}{50\text{年}} \times \dfrac{4\text{月}}{12\text{月}} = 800$

空欄④（減価償却費）：(1)＋(2)＋(3)＝ 2,700
空欄⑤（固定資産売却損）：上記(1)より 2,200
空欄⑥（減価償却累計額）：開始残高 65,600 −(1)＋(2)＋(3)＝ 29,600

 出題論点

・キャッシュ・フロー計算書と総勘定元帳

 学習のポイント

・各論点について、会計処理の金額と現金収支額との関係をおさえる必要があります。
・計算ミスをしやすいため、勘定を分析して情報を整理しつつ、確実に解答しましょう。

memo

別冊②
答案用紙

この冊子には、問題集の答案用紙がとじこまれています。

·············· **別冊ご利用時の注意** ··············
この色紙を残したまま冊子をていねいに抜き取り、留め具を外さない状態で、ご利用ください。また、抜き取りの際の損傷についてのお取替えはご遠慮願います。

留め具は外さないでください。

問題集

みんなが欲しかった！ 税理士
簿記論の教科書＆問題集 ①
答案用紙

なお、答案用紙については、ダウンロードでもご利用いただけます。TAC出版書籍販売サイト・サイバーブックストアにアクセスしてください。

https://bookstore.tac-school.co.jp/

問題集

みんなが欲しかった！ 税理士

簿記論の教科書＆問題集 ④

答案用紙

Chapter 1

会計上の変更・誤謬の訂正

 会計方針の変更

問1
(単位：千円)

借　方　科　目	金　　　額	貸　方　科　目	金　　　額

問2

決算整理後残高試算表 　　　(単位：千円)

繰　越　商　品	(　　　　　　)	繰越利益剰余金	(　　　　　　)
仕　　　　　入	(　　　　　　)		

問題 2 **会計上の見積りの変更**

決算整理後残高試算表 　　　(単位：千円)

備　　　　　品	810,000	減価償却累計額	(　　　　　　)
減　価　償　却　費	(　　　　　　)		

問題 3 過去の誤謬の訂正

問1

(1) 商品 （単位：千円）

借　方　科　目	金　　額	貸　方　科　目	金　　額

(2) 備品 （単位：千円）

借　方　科　目	金　　額	貸　方　科　目	金　　額

(3) 営業費 （単位：千円）

借　方　科　目	金　　額	貸　方　科　目	金　　額

問2

決算整理後残高試算表 （単位：千円）

繰　越　商　品	（　　　）	未　払　営　業　費	（　　　）
備　　　　　品	（　　　）	繰越利益剰余金	（　　　）
仕　　　　　入	（　　　）		
営　　業　　費	（　　　）		
減　価　償　却　費	（　　　）		

Chapter 2

外貨建取引等

問題 1 外貨建取引(1)

(単位：円)

		借　方　科　目	金　　額	貸　方　科　目	金　　額
取引1	(1)				
	(2)				
取引2	(1)				
	(2)				
	(3)				
取引3	(1)				
	(2)				
取引4	(1)				
	(2)				
	(3)				

問題 2　外貨建取引(2)

問 1　　　　　　　　　　　　　　　　　　　　　　（単位：円）

	借　方　科　目	金　　額	貸　方　科　目	金　　額
(1)				
(2)				
(3)				
(4)				

問 2

決算整理後残高試算表　　　　（単位：円）

売　　掛　　金 （　　　　　）	支　払　手　形 （　　　　　）
貸　　付　　金 （　　　　　）	前　　受　　金 （　　　　　）
未　収　利　息 （　　　　　）	受　取　利　息 （　　　　　）
為　替　差　損　益 （　　　　　）	

問題 3　外貨建有価証券(1)

問 1　有価証券　[　　　　　　　　]　円

問 2

決算整理後残高試算表　　　　（単位：円）

有　価　証　券 （　　　　　）	
有価証券評価損益 （　　　　　）	

外貨建有価証券⑵

問1　投資有価証券 [　　　　　　] 円

　　　有価証券利息 [　　　　　　] 円

問2

決算整理後残高試算表　　　　　（単位：円）

投 資 有 価 証 券	（　　　　　）	有 価 証 券 利 息	（　　　　　）
		為 替 差 損 益	（　　　　　）

外貨建有価証券⑶

問1　投資有価証券 [　　　　　　] 円

　　　関係会社株式 [　　　　　　] 円

問2

決算整理後残高試算表　　　　　（単位：円）

投 資 有 価 証 券	（　　　　　）	繰 延 税 金 負 債	（　　　　　）
関 係 会 社 株 式	（　　　　　）	その他有価証券評価差額金	（　　　　　）
繰 延 税 金 資 産	（　　　　　）		

問3

決算整理後残高試算表　　　　　（単位：円）

投 資 有 価 証 券	（　　　　　）	繰 延 税 金 負 債	（　　　　　）
関 係 会 社 株 式	（　　　　　）	その他有価証券評価差額金	（　　　　　）
繰 延 税 金 資 産	（　　　　　）	法 人 税 等 調 整 額	（　　　　　）
投資有価証券評価損益	（　　　　　）		

問題 6 外貨建有価証券(4)

<table>
<tr><td colspan="3" style="text-align:center">決算整理後残高試算表</td><td style="text-align:right">（単位：円）</td></tr>
<tr><td>投 資 有 価 証 券</td><td>（</td><td>）</td><td></td></tr>
<tr><td>関 係 会 社 株 式</td><td>（</td><td>）</td><td></td></tr>
<tr><td>投資有価証券評価損</td><td>（</td><td>）</td><td></td></tr>
<tr><td>関係会社株式評価損</td><td>（</td><td>）</td><td></td></tr>
</table>

問題 7 為替予約(1)

（単位：円）

	借 方 科 目	金 額	貸 方 科 目	金 額
(1)				
(2)				
(3)				
(4)				

（単位：円）

	借　方　科　目	金　　額	貸　方　科　目	金　　額
(1)				
(2)				
(3)				
(4)				

問題
9 為替予約(3)

（単位：円）

	借　方　科　目	金　　額	貸　方　科　目	金　　額
(1)				
(2)				
(3)				
(4)				

問題 10　為替予約(4)

（単位：円）

	借　方　科　目	金　　額	貸　方　科　目	金　　額
(1)				
(2)				
(3)				
(4)				

問題 11　為替予約(5)

決算整理後残高試算表　　　（単位：千円）

支　払　利　息　（　　　　）	短　期　借　入　金　（　　　　）
	未　払　利　息　（　　　　）
	（　　　　　　　　）（　　　　）
	為　替　差　損　益　（　　　　）

問題 12　予定取引

（単位：千円）

	借　方　科　目	金　　額	貸　方　科　目	金　　額
(1)				
(2)				

問題 13　満期保有目的の債券（為替予約付、振当処理）

(1)　X1年4月1日（取得日）　　　　　　　　　（単位：千円）

借　方　科　目	金　　額	貸　方　科　目	金　　額

(2)　X2年3月31日（決算日）　　　　　　　　　（単位：千円）

借　方　科　目	金　　額	貸　方　科　目	金　　額

(3)　X5年3月31日（満期日）　　　　　　　　　（単位：千円）

借　方　科　目	金　　額	貸　方　科　目	金　　額

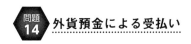

問題 14 外貨預金による受払い

問1

（単位：円）

	借 方 科 目	金 額	貸 方 科 目	金 額
① X2 年 3 月 1 日				
② X2 年 3 月31日				
③ X2 年10月31日				

問2

（単位：円）

	借 方 科 目	金 額	貸 方 科 目	金 額
①4月1日　社債の発行				
②5月31日　買掛金の支払い				
③10月1日　建物の取得				
④3月31日　社債利息の支払い				

貸借対照表における外貨預金の金額	円

本支店会計

問題 1 本支店間取引

(単位：円)

	本 店 の 仕 訳				支 店 の 仕 訳			
	借方科目	金　額	貸方科目	金　額	借方科目	金　額	貸方科目	金　額
(1)								
(2)								
(3)								
(4)								
(5)								
(6)								
(7)								
(8)								
(9)								
(10)								

12

問題 2 未達取引

問1

(単位：円)

	本店の仕訳				支店の仕訳			
	借方科目	金 額	貸方科目	金 額	借方科目	金 額	貸方科目	金 額
(1)								
(2)								
(3)								
(4)								
(5)								

問2 　　　　　　　　　円

決算整理後残高試算表　　　（単位：千円）

借　方　科　目	本　店	支　店	貸　方　科　目	本　店	支　店
現　金　預　金	12,200	8,720	買　　掛　　金	7,380	6,000
受　取　手　形	4,000	2,800	貸 倒 引 当 金	(　　　)	(　　　)
売　　掛　　金	(　　　)	2,000	繰 延 内 部 利 益	160	——
繰　越　商　品	(　　　)	(　　　)	建物減価償却累計額	(　　　)	(　　　)
建　　　　　物	22,000	10,000	備品減価償却累計額	(　　　)	(　　　)
備　　　　　品	16,000	9,200	本　　　　　店	——	(　　　)
支　　　　　店	(　　　)	——	資　　本　　金	30,000	——
売　上　原　価	(　　　)	(　　　)	繰越利益剰余金	6,000	——
営　　業　　費	19,200	(　　　)	売　　　　　上	80,000	55,000
建物減価償却費	(　　　)	(　　　)	支　店　売　上	19,360	
備品減価償却費	(　　　)	(　　　)			
貸倒引当金繰入	(　　　)	(　　　)			
合　　　計	(　　　)	(　　　)	合　　　計	(　　　)	(　　　)

問1

（本店）	損	益（単位：千円）	
仕　　　入	（　　　）	売　　　上	（　　　）
営　業　費	（　　　）	支店売上	（　　　）
減価償却費	（　　　）	貸倒引当金戻入	（　　　）
貸倒引当金繰入	（　　　）	（　　　）	（　　　）
（　　　）	（　　　）	（　　　）	（　　　）
（　　　）	（　　　）		
	（　　　）		（　　　）

（支店）	損	益（単位：千円）	
仕　　　入	（　　　）	売　　　上	（　　　）
営　業　費	（　　　）	貸倒引当金戻入	（　　　）
減価償却費	（　　　）		
貸倒引当金繰入	（　　　）		
（　　　）	（　　　）		
	（　　　）		（　　　）

問2

（本店）	残	高（単位：千円）	
現金預金	（　　　）	買　掛　金	1,200
売　掛　金	1,800	未払営業費	（　　　）
繰越商品	（　　　）	貸倒引当金	（　　　）
備　　　品	（　　　）	繰延内部利益	（　　　）
支　　　店	（　　　）	資　本　金	12,000
		繰越利益剰余金	（　　　）
	（　　　）		（　　　）

（支店）	残	高（単位：千円）	
現金預金	2,400	買　掛　金	2,784
売　掛　金	1,200	貸倒引当金	（　　　）
繰越商品	（　　　）	本　　　店	（　　　）
備　　　品	（　　　）		
	（　　　）		（　　　）

問1

決算整理後残高試算表 （単位：千円）

借 方 科 目	本 店	支 店	貸 方 科 目	本 店	支 店
現 金 預 金	（　）	29,040	買 掛 金	13,632	7,620
売 掛 金	10,800	（　）	未 払 費 用	——	（　）
繰 越 商 品	（　）	（　）	貸 倒 引 当 金	（　）	（　）
前 払 費 用	（　）	——	建物減価償却累計額	（　）	（　）
建 物	36,000	48,000	繰 延 内 部 利 益	（　）	——
支 店	（　）	——	本 店	——	（　）
売 上 原 価	（　）	（　）	資 本 金	60,000	——
営 業 費	（　）	（　）	繰 越 利 益 剰 余 金	480	——
減 価 償 却 費	（　）	（　）	売 上	84,000	102,000
貸 倒 引 当 金 繰 入	（　）	（　）	支 店 売 上	（　）	——
合 計	（　）	（　）	合 計	（　）	（　）

問2

本支店合併損益計算書
自X1年4月1日　至X2年3月31日 （単位：千円）

売 上 原 価	（　）	売 上 高	（　）
営 業 費	（　）		
減 価 償 却 費	（　）		
貸 倒 引 当 金 繰 入	（　）		
当 期 純 利 益	（　）		
	（　）		（　）

本支店合併貸借対照表
X2年3月31日 （単位：千円）

現　金　預　金	（　　　　）	買　　掛　　金	（　　　　）
売　　掛　　金	（　　　　）	未　払　費　用	（　　　　）
商　　　　　品	（　　　　）	貸　倒　引　当　金	（　　　　）
前　払　費　用	（　　　　）	資　　本　　金	（　　　　）
建　　　　　物	（　　　　）	繰越利益剰余金	（　　　　）
減価償却累計額	（△　　　）		
	（　　　　）		（　　　　）

 支店相互間取引

問1

京都支店勘定の金額 ☐ 円

神戸支店勘定の金額 ☐ 円

問2

合　併　損　益　計　算　書
自X1年4月1日　至X2年3月31日 （単位：円）

期首商品棚卸高	（　　　　）	売　　上　　高	（　　　　）
当期商品仕入高	（　　　　）	期末商品棚卸高	（　　　　）
営　　業　　費	（　　　　）		
減　価　償　却　費	（　　　　）		
貸倒引当金繰入	（　　　　）		
支　払　利　息	7,200		
当　期　純　利　益	（　　　　）		
	（　　　　）		（　　　　）

合 併 貸 借 対 照 表
X2年3月31日

（単位：円）

現 金 預 金 （　　　　　）	支 払 手 形 （　　　　　）
売 掛 金 （　　　　　）	買 掛 金 （　　　　　）
貸 倒 引 当 金 （△　　　）	借 入 金 120,000
商 品 （　　　　　）	資 本 金 240,000
建 物 （　　　　　）	利 益 準 備 金 48,000
減価償却累計額 （△　　　）	繰越利益剰余金 （　　　　　）
（　　　　　）	（　　　　　）

問題7 在外支店

問1

決算整理後・換算後残高試算表　　（単位：千ドル・千円）

借 方 科 目	外貨建	換算後	貸 方 科 目	外貨建	換算後
現 金 預 金	（　　）	（　　）	前 受 金	（　　）	（　　）
売 掛 金	（　　）	（　　）	貸 倒 引 当 金	（　　）	（　　）
繰 越 商 品	（　　）	（　　）	減価償却累計額	（　　）	（　　）
備 品	（　　）	（　　）	本 店	（　　）	（　　）
売 上 原 価	（　　）	（　　）	売 上	（　　）	（　　）
営 業 費	（　　）	（　　）			
貸倒引当金繰入	（　　）	（　　）			
減 価 償 却 費	（　　）	（　　）			
為 替 差 損 益	――	（　　）			
合 計	（　　）	（　　）	合 計	（　　）	（　　）

問2　為替差損益 ☐ 千円

Chapter 4

製造業会計

問題 1　製造業会計(1)

問1　(単位：円)

材　　　料

前　期　繰　越	（　　　）	材　料　仕　入	（　　　　）
材　料　仕　入	（　　　）	材料棚卸減耗費	（　　　　）
		次　期　繰　越	（　　　　）
	（　　　）		（　　　　）

材　料　仕　入

試　　算　　表	252,000	材　　　　　料	（　　　　）
材　　　　料	（　　　）	製　　　　　造	（　　　　）
	（　　　）		（　　　　）

製　　　　　　造

材　料　仕　入	（　　　）	
賃　金　給　料	（　　　）	
法　定　福　利　費	（　　　）	
福利施設負担額	（　　　）	
建物減価償却費	（　　　）	
機械減価償却費	（　　　）	
支　払　保　険　料	（　　　）	
修　　繕　　費	（　　　）	
材料棚卸減耗費	（　　　）	
その他の製造経費	92,712	

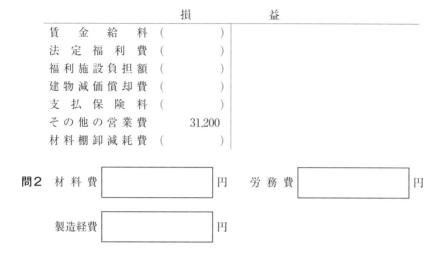

損　　　　　　　益

賃　金　給　料	（　　　　　）	
法　定　福　利　費	（　　　　　）	
福　利　施　設　負　担　額	（　　　　　）	
建　物　減　価　償　却　費	（　　　　　）	
支　払　保　険　料	（　　　　　）	
その他の営業費	31,200	
材　料　棚　卸　減　耗　費	（　　　　　）	

問2　材料費 [　　　　　] 円　　労務費 [　　　　　] 円

　　　製造経費 [　　　　　] 円

■ 問題2　製造業会計⑵

問1　総勘定元帳の一部（単位：千円）

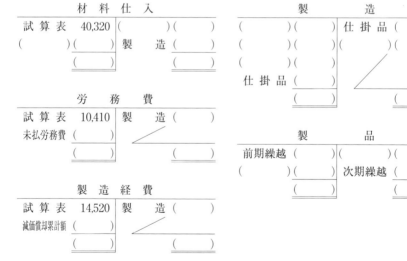

材　料　仕　入

試　算　表	40,320	（　　　）（　　　）
（　　　）	（　　　）	製　　　造 （　　　）
	（　　　）	（　　　）

労　　務　　費

試　算　表	10,410	製　　　造 （　　　）
未払労務費	（　　　）	
	（　　　）	（　　　）

製　造　経　費

試　算　表	14,520	製　　　造 （　　　）
減価償却累計額	（　　　）	
	（　　　）	（　　　）

製　　　　造

（　　　）	（　　　）	仕　掛　品 （　　　）
（　　　）	（　　　）	（　　　）（　　　）
（　　　）	（　　　）	
仕　掛　品	（　　　）	
	（　　　）	（　　　）

製　　　　品

前期繰越	（　　　）	（　　　）（　　　）
（　　　）	（　　　）	次期繰越 （　　　）
	（　　　）	（　　　）

問2

製 造 原 価 報 告 書

（単位：千円）

Ⅰ 材　料　費
　1　期首材料棚卸高　　（　　　　　　）
　2　当期材料仕入高　　（　　　　　　）
　　　　合　　　計　　　（　　　　　　）
　3　期末材料棚卸高　　（　　　　　　）
　　　当　期　材　料　費　　　　　　　（　　　　　　　）
Ⅱ 労　務　費　　　　　　　　　　　　　（　　　　　　　）
Ⅲ 経　　　費　　　　　　　　　　　　　（　　　　　　　）
　　　当　期　総　製　造　費　用　　　　（　　　　　　　）
　　　期　首　仕　掛　品　棚　卸　高　　（　　　　　　　）
　　　　合　　　計　　　　　　　　　　（　　　　　　　）
　　　期　末　仕　掛　品　棚　卸　高　　（　　　　　　　）
　　　当　期　製　品　製　造　原　価　　（　　　　　　　）

損　益　計　算　書

（単位：千円）

Ⅰ 売　上　高　　　　　　　　　　　　　（　　　　　　　）
Ⅱ 売　上　原　価
　1　期首製品棚卸高　　（　　　　　　）
　2　当期製品製造原価　（　　　　　　）
　　　　合　　　計　　　（　　　　　　）
　3　期末製品棚卸高　　（　　　　　　）（　　　　　　　）
　　　売　上　総　利　益　　　　　　　（　　　　　　　）

 製造業会計(3)

問1

	期末仕掛品原価	当期製品製造原価
(1) 平　均　法	円	円
(2) 先入先出法	円	円

問2 （単位：円）

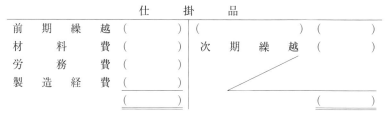

仕　　掛　　品

前　期　繰　越 （　　　　）	（　　　　　　　　　　　） （　　　　）
材　　料　　費 （　　　　）	次　期　繰　越 （　　　　）
労　　務　　費 （　　　　）	
製　造　経　費 （　　　　）	
（　　　　）	（　　　　）

製造業会計(4)

	期末仕掛品原価	当期製品製造原価
(1) 平　均　法	円	円
(2) 先入先出法	円	円

問題5 製造業会計⑸

製 造 原 価 報 告 書

(単位:円)

Ⅰ 材　料　費
　1　期 首 材 料 棚 卸 高　　（　　　　　　）
　2　当 期 材 料 仕 入 高　　（　　　　　　）
　　　　合　　　　　計　　　（　　　　　　）
　3　期 末 材 料 棚 卸 高　　（　　　　　　）　（　　　　　　　）
Ⅱ 労　務　費
　1　労　　務　　費　　　　（　　　　　　）
　2（　　　　　　　　）　　（　　　　　　）　（　　　　　　　）
Ⅲ 経　　費
　1　製　造　経　費　　　　（　　　　　　）
　2（　　　　　　　　）　　（　　　　　　）
　3（　　　　　　　　）　　（　　　　　　）　（　　　　　　　）
　　　当 期 総 製 造 費 用　　　　　　　　　（　　　　　　　）
　　　期 首 仕 掛 品 棚 卸 高　　　　　　　（　　　　　　　）
　　　　合　　　　　計　　　　　　　　　　（　　　　　　　）
　　　期 末 仕 掛 品 棚 卸 高　　　　　　　（　　　　　　　）
　　　当 期 製 品 製 造 原 価　　　　　　　（　　　　　　　）

損　益　計　算　書

(単位:円)

Ⅰ 売　上　高　　　　　　　　　　　　　　（　　　　　　　）
Ⅱ 売　上　原　価
　1　期 首 製 品 棚 卸 高　　（　　　　　　）
　2　当 期 製 品 製 造 原 価　（　　　　　　）
　　　　合　　　　　計　　　（　　　　　　）
　3　期 末 製 品 棚 卸 高　　（　　　　　　）　（　　　　　　　）
　　　売　上　総　利　益　　　　　　　　　（　　　　　　　）

問題 6 製造業会計(6)

問 1	問 2	問 3
円	円	円

組織再編

問題 1 事業譲受

(単位：千円)

	借 方 科 目	金 額	貸 方 科 目	金 額
乙 社				
			現 金 預 金	

問題 2 吸収合併(1)

(単位：千円)

借 方 科 目	金 額	貸 方 科 目	金 額

問題3 吸収合併⑵

（単位：千円）

借　方　科　目	金　　額	貸　方　科　目	金　　額

問題4 株式交換⑴

（単位：千円）

借　方　科　目	金　　額	貸　方　科　目	金　　額

問題5 株式交換⑵

（単位：千円）

借　方　科　目	金　　額	貸　方　科　目	金　　額

 **企業評価額**

問1

A社の企業評価額 [   ] 千円

問2

B社の企業評価額 [   ] 千円

問3

合併比率　　1 : [   ]

問4

交付する株式の数 [   ] 株

 **事業分離(1)**

（単位：千円）

	借　方　科　目	金　　額	貸　方　科　目	金　　額
甲　社				

事業分離(2)

（単位：千円）

借　方　科　目	金　　額	貸　方　科　目	金　　額

問題 9 事業分離(3)

(単位：千円)

借　方　科　目	金　　　額	貸　方　科　目	金　　　額

連結財務諸表

問題 1 **連結財務諸表(1)**

連 結 精 算 表
X2年 3 月 31日

（単位：百万円）

勘定科目	個別財務諸表			連 結修正仕訳	連 結財務諸表
	P 社	S 社	合 計		
〔貸借対照表〕					
諸 資 産					
関 係 会 社 株 式				（　　　）	
借 方 合 計				（　　　）	
諸 負 債	（　　　）	（　　　）	（　　　）		（　　　）
資 本 金	（　　　）	（　　　）	（　　　）		（　　　）
利 益 剰 余 金	（　　　）	（　　　）	（　　　）		（　　　）
貸 方 合 計	（　　　）	（　　　）	（　　　）		（　　　）

連 結 貸 借 対 照 表
X2年 3 月 31日

（単位：百万円）

借 方 科 目	金 額	貸 方 科 目	金 額
諸 資 産		諸 負 債	
		資 本 金	
		利 益 剰 余 金	
合 計		合 計	

連結財務諸表(2)

（単位：百万円）

借　方　科　目	金　　額	貸　方　科　目	金　　額

問題
3
連結財務諸表(3)

問1

（単位：百万円）

借　方　科　目	金　　額	貸　方　科　目	金　　額

問2

（単位：百万円）

借　方　科　目	金　　額	貸　方　科　目	金　　額

連結財務諸表(4)

連 結 貸 借 対 照 表

X2年3月31日

（単位：百万円）

借 方 科 目	金 額	貸 方 科 目	金 額
諸 資 産		諸 負 債	
の れ ん		資 本 金	
		利 益 剰 余 金	
		非 支 配 株 主 持 分	
合 計		合 計	

連結財務諸表(5)

連 結 貸 借 対 照 表

X1年3月31日

（単位：百万円）

借 方 科 目	金 額	貸 方 科 目	金 額
諸 資 産		諸 負 債	
の れ ん		資 本 金	
		利 益 剰 余 金	
		非 支 配 株 主 持 分	
合 計		合 計	

連結財務諸表(6)

連 結 損 益 計 算 書
自 X1年 4 月 1 日　至 X2年 3 月 31 日

(単位：百万円)

借　方　科　目	金　　額	貸　方　科　目	金　　額
諸　　費　　用		諸　　収　　益	
の れ ん 償 却 額			
非支配株主に帰属する当期純利益			
親会社株主に帰属する当期純利益			
合　　　　計		合　　　　計	

連結株主資本等変動計算書
自 X1年 4 月 1 日　至 X2年 3 月 31 日

(単位：百万円)

	株　　主　　資　　本			非支配株主持分
	資　本　金	利 益 剰 余 金	株主資本合計	
当 期 首 残 高				
当 期 変 動 額				
剰余金の配当		△	△	
親会社株主に帰属する当期純利益				
株主資本以外の項目の当期変動額（純額）				
当 期 末 残 高				

連 結 貸 借 対 照 表
X2年3月31日
(単位：百万円)

借　方　科　目	金　　額	貸　方　科　目	金　　額
諸　　資　　産		諸　　負　　債	
の　　れ　　ん		資　　本　　金	
		利　益　剰　余　金	
		非　支　配　株　主　持　分	
合　　　　計		合　　　　計	

連結財務諸表(7)

連 結 貸 借 対 照 表
X4年3月31日
(単位：円)

資　　　　産	金　　額	負債・純資産	金　　額
諸　　資　　産		諸　　負　　債	
土　　　　地		資　　本　　金	
の　　れ　　ん		資　本　剰　余　金	
		利　益　剰　余　金	
		非　支　配　株　主　持　分	

連結株主資本等変動計算書
自X3年4月1日　至X4年3月31日

(単位：円)

資　本　金
　当期首残高　　　　　　　　　　　　　　　（　　　　　　　　）
　当期末残高　　　　　　　　　　　　　　　（　　　　　　　　）

資本剰余金
　当期首残高　　　　　　　　　　　　　　　（　　　　　　　　）
　当期変動額
　　非支配株主との取引に係る親会社の持分変動　（　　　　　　　　）
　当期末残高　　　　　　　　　　　　　　　（　　　　　　　　）

利益剰余金
　当期首残高　　　　　　　　　　　　　　　（　　　　　　　　）
　当期変動額
　　剰余金の配当　　　　　　　　　　　　　（　　　　　　　　）
　　親会社株主に帰属する当期純利益　　　　（　　　　　　　　）
　当期末残高　　　　　　　　　　　　　　　（　　　　　　　　）

非支配株主持分
　当期首残高　　　　　　　　　　　　　　　（　　　　　　　　）
　当期変動額
　　株主資本以外の項目の当期変動額（純額）　（　　　　　　　　）
　当期末残高　　　　　　　　　　　　　　　（　　　　　　　　）

連　結　損　益　計　算　書
自X3年4月1日　至X4年3月31日

(単位：円)

借　方　科　目	金　　額	貸　方　科　目	金　　額
諸　　費　　用		諸　　収　　益	
のれん償却額		受　取　配　当　金	
非支配株主に帰属する当期純利益			
親会社株主に帰属する当期純利益			

34

問題8 連結財務諸表(8)

連 結 貸 借 対 照 表
X2年3月31日
(単位：円)

資　　　産	金　　額	負債・純資産	金　　　額
諸　　資　　産		諸　　負　　債	
の　れ　ん		繰 延 税 金 負 債	
		資　本　金	
		資 本 剰 余 金	
		利 益 剰 余 金	
		非 支 配 株 主 持 分	

問題9 連結財務諸表(9)

(1) 貸付金と借入金の相殺消去 （単位：千円）

借　方　科　目	金　　　額	貸　方　科　目	金　　　額

(2) 受取利息と支払利息の相殺消去 （単位：千円）

借　方　科　目	金　　　額	貸　方　科　目	金　　　額

(3) 経過勘定項目の相殺消去 （単位：千円）

借　方　科　目	金　　　額	貸　方　科　目	金　　　額

(4) 貸倒引当金の調整　　　　　　　　　　　　　　　（単位：千円）

借　方　科　目	金　　額	貸　方　科　目	金　　額

 連結財務諸表⑽

問 1

(1) 売上高と仕入高の相殺消去　　　　　　　　　　　（単位：千円）

借　方　科　目	金　　額	貸　方　科　目	金　　額

(2) 売掛金と買掛金の相殺消去　　　　　　　　　　　（単位：千円）

借　方　科　目	金　　額	貸　方　科　目	金　　額

(3) 未実現利益の消去　　　　　　　　　　　　　　　（単位：千円）

借　方　科　目	金　　額	貸　方　科　目	金　　額

(4) 貸倒引当金の調整　　　　　　　　　　　　　　　（単位：千円）

借　方　科　目	金　　額	貸　方　科　目	金　　額

問2

(1) 未達取引の修正　　　　　　　　　　　　　　　　　（単位：千円）

借　方　科　目	金　　　額	貸　方　科　目	金　　　額

(2) 売上高と仕入高の相殺消去　　　　　　　　　　　　（単位：千円）

借　方　科　目	金　　　額	貸　方　科　目	金　　　額

(3) 未実現利益の消去　　　　　　　　　　　　　　　　（単位：千円）

借　方　科　目	金　　　額	貸　方　科　目	金　　　額

問題 11　持分法

(1) [　　　　　　　　] 千円

(2) [　　　　　　　　] 千円

(3) [　　　　　　　　] 千円

Chapter 7

キャッシュ・フロー計算書

キャッシュ・フロー計算書(1)

〈直接法〉

キャッシュ・フロー計算書

（単位：千円）

Ⅰ 営業活動によるキャッシュ・フロー	
営業収入	（　　　　　）
商品の仕入れによる支出	（　　　　　）
人件費の支出	（　　　　　）
その他の営業支出	（　　　　　）
小　　計	（　　　　　）
利息の受取額	（　　　　　）
法人税等の支払額	（　　　　　）
営業活動によるキャッシュ・フロー	（　　　　　）
Ⅱ 投資活動によるキャッシュ・フロー	
有形固定資産の取得による支出	（　　　　　）
有形固定資産の売却による収入	（　　　　　）
貸付けによる支出	（　　　　　）
投資活動によるキャッシュ・フロー	（　　　　　）
Ⅲ 財務活動によるキャッシュ・フロー	
株式の発行による収入	（　　　　　）
配当金の支払額	（　　　　　）
財務活動によるキャッシュ・フロー	（　　　　　）
Ⅳ 現金及び現金同等物の増加額	（　　　　　）
Ⅴ 現金及び現金同等物の期首残高	（　　　　　）
Ⅵ 現金及び現金同等物の期末残高	（　　　　　）

問題 2 キャッシュ・フロー計算書(2)

〈間接法〉

キャッシュ・フロー計算書

（単位：千円）

I　営業活動によるキャッシュ・フロー

税引前当期純利益	（	）
減価償却費	（	）
貸倒引当金の減少額	（	）
賞与引当金の増加額	（	）
固定資産売却益	（	）
受取利息	（	）
売上債権の減少額	（	）
棚卸資産の減少額	（	）
仕入債務の増加額	（	）
未払費用の減少額	（	）
小　　計	（	）

問題 3 キャッシュ・フロー計算書(3)

①		千円
②		千円
③		千円
④		千円
⑤		千円
⑥		千円

問題 4 キャッシュ・フロー計算書と総勘定元帳

①		②		③	
④		⑤		⑥	